RUDIN

COLUMBIA SLAVIC STUDIES

A SERIES OF THE
DEPARTMENT OF SLAVIC LANGUAGES
COLUMBIA UNIVERSITY

IVAN TURGENEV

RUDIN

Edited with an Introduction by

GALINA STILMAN

COLUMBIA UNIVERSITY PRESS

New York and London

The preparation of this work for publication
has been made possible by a grant of the
Rockefeller Foundation to the Department
of Slavic Languages of Columbia University.

LIBRARY OF CONGRESS CATALOG CARD NUMBER: 54-5784

First printing 1954
Third printing 1962

MANUFACTURED IN THE UNITED STATES OF AMERICA

PREFACE

The present edition of Turgenev's *Rudin* is based on extensive experience acquired in using this work repeatedly as a text for reading, translation, and oral discussions in intermediate and advanced classes at Columbia University. The choice of *Rudin* was made for several reasons. A principal reason is that, while this work is relatively short, it has, in the treatment of characters and of situations, the satisfying completeness of a full-length novel. Furthermore, aside from its literary value, *Rudin* has the merit of supplying the student—and the instructor—with a number of interesting and stimulating topics for discussion. (The "Introduction," written in Russian by the editor, gives biographical and background information, which, it is hoped, will enhance the student's interest in a novel reflecting an important stage in the development of the Russian *intelligentsia*, as well as some aspects of its author's life and personality.) An important factor, finally, is Turgenev's language, which is limpid, colloquial, and classically correct. Turgenev's text, in this edition, has not been rewritten or even "adapted"; only a few short passages that offered special difficulties and would have called for lengthy explanations were eliminated when it was felt that their omission would do no appreciable damage to the story; in some instances the text has been clarified by changing the word order or by substituting an easily understandable word or expression for one very rarely used or obsolete.

These, however, are only minor changes, and in making them care was taken to avoid anachronisms and to preserve the characteristic features and the flavor of Turgenev's prose.

This text is intended for advanced students (those in the latter part of the second year and first part of the third year of a college course). It is provided with a selective, not a complete, vocabulary. The selection was based on extensive and repeated experience, and the vocabulary should be amply sufficient for students of the level described above.

The translations of words and idioms as they first appear are given in the vocabulary at the foot of the text pages; words and idioms repeated in the text are listed with their translations in an alphabetical vocabulary at the end of the volume. The translations in the vocabulary on the text pages are those which best render the meaning of a word in the context in which it appears; if this meaning is not the usual one, the translation is preceded by the mention *here*.

The vocabularies are self-explanatory; the following, however, must be pointed out: in the vocabulary on the text pages verbs are given in the infinitive of the aspect form in which they occur in the text with the mention *prf.* (perfective) or *imp.* (imperfective); this is followed by the infinitive of the other aspect in brackets; the second aspect form is given only when there exists one identical, or very close, in meaning to the form occurring in the text. In the alphabetical vocabulary both forms and the translations are entered under the *imp.* form which is always given first; the *prf.* are also listed separately with a reference to the entry under the corresponding *imp.* The different forms of participles are identified by abbreviations (see the list on page 2), and the infinitive of the verb from which they are formed is given; this information was omitted in the case of some passive participles used purely adjectivally;

in the translations, an effort has been made to render the meaning and function of the different Russian participial forms whenever this was not in conflict with English usage. Verbs and other predicates requiring in Russian a passive construction with the "logical subject" in the dative, are marked *pass.* with *dat.* (passive construction with dative case). Adjectives and past passive participles occuring in the text in the short (predicative) form are given in this form with the *masc. sing.* endings; the abbreviation *pred.* denotes a predicative adjective.

When a translation alone does not adequately render the meaning of a word, additional explanations are given in the footnotes; French phrases used in the text, names of real persons and places, and so forth are also translated or explained in footnotes.

The text is accented throughout; a stress mark has been placed over those monosyllabic words which are accented whether generally or in the phrase in which they are used.

GALINA STILMAN

Columbia University

CONTENTS

LIST OF ABBREVIATIONS

Grammatical terms

a.	active	p.p.p.	past passive participle
acc.	accusative case	pr.	present tense
adj.	adjective	pr.a.p.	present active participle
adv.	adverb		
collect.	collective noun	pr.adv.p.	present adverbial participle
comp.	comparative degree		
dat.	dative case	pred.	predicative adjective
dem.	demonstrative pronoun	prf.	perfective aspect
det.	determinate	pron.	pronoun
dim.	diminutive	pr.p.p.	present passive participle
f.	feminine		
fut.	future tense	prsn.	person
gen.	genitive case	sing.	singular
imp.	imperfective aspect	sup.	superlative degree
imp.det.	imperfective determinate aspect	voc.	vocative case
imp.ind.	imperfective indeterminate aspect		
imper.	imperative		**Terms indicating stylistic, social, and other characteristics of words**
impers.	impersonal use		
inch.	inchoative verb	affect.	affectionate
inf.	infinitive	book.	bookish
inst.	instantaneous verb	cerem.	ceremonious
instr.	instrumental case	colloq.	colloquial
intr.	intransitive verb	der.	derogatory
loc.	locative case	fam.	familiar
m.	masculine gender	gram.	grammatical
negat.	negative	fig.	figurative
neut.	neuter gender	hist.	historical
nom.	nominative case	humor.	humorous
n.	noun	iron.	ironic
offic.	official	lit.	literally
pass.	passive	mil.	military
p.	past tense	obs.	obsolete
p.a.p.	past active participle	phil.	philosophical
p.adv.p.	past adverbial participle	poet.	poetic
pl.	plural	pop.	popular
		pre-rev.	pre-revolutionary
		resp.	respectful
		vulg.	vulgar

ВВЕДЕ́НИЕ

ВВЕДЕ́НИЕ

Ива́н Серге́евич Турге́нев роди́лся 28-ого октября́ 1818 го́да, в го́роде Орле́, в ю́жной ча́сти центра́льной Росси́и.

Оте́ц его́ происходи́л из стари́нной, но́ обедне́вшей дворя́нской семьи́. Он был кавалери́йским офице́ром, был о́чень краси́в, люби́л же́нщин и о́чень им нра́вился.

Жени́лся он на Варва́ре Петро́вне Лутови́новой, владе́лице бога́того поме́стья Спа́сского-Лутови́нова. Она́ была́ на не́сколько лет ста́рше му́жа, была́ некраси́ва и отлича́лась вла́стным, капри́зным хара́ктером.

Де́тство у неё бы́ло несчастли́вое. Оте́ц её у́мер и мать вы́шла за́муж во второ́й раз. О́тчим не люби́л Варва́ру. Шестна́дцати лет, по́сле како́й-то стра́шной сце́ны, она́ но́чью бежа́ла из до́му. Ей пришло́сь иска́ть прию́та у своего́ дя́ди, челове́ка суро́вого и скупо́го. Жизнь у дя́ди, в Спа́сском, кото́рое тогда́ ему́ принад-

введе́ние, introduction
происходи́ть *imp.*, to come from, descend from
стари́нный, old, ancient
обедне́вший, impoverished, *p.a.p* of обедне́ть *prf.*
дворя́нский, of the gentry
владе́лица *f.*, owner, proprietress (*m.* владе́лец)
поме́стье, estate
отлича́ться *imp.* (+ *instr.*), to be noted (for)
вла́стный, domineering

капри́зный, capricious, whimsical
о́тчим, stepfather
приходи́ться *imp.* [прийти́сь] (*pass.* with *dat.*), to have to, be compelled to; (ей) пришло́сь, (she) had to
иска́ть [по-,], to seek, search, look for
прию́т, refuge
суро́вый, stern
скупо́й, miserly, stingy
принадлежа́ть *imp.* (+ *dat.*), to belong

лежа́ло, оказа́лась не лу́чше чем жи́знь до́ма. Но бежа́ть, ви́дно, бы́ло уж не́куда.

Варва́ре Петро́вне бы́ло два́дцать семь лет, когда́ дя́дя у́мер, и к ней, его́ еди́нственной насле́днице, перешли́ все его́ поме́стья, в том числе́ и Спа́сское, с ты́сячами крепостны́х. Вско́ре по́сле э́того она́ встре́тилась с Серге́ем Никола́евичем Турге́невым, влюби́лась и вы́шла за́муж за него́.

Но брак не принёс ей сча́стья, — муж не люби́л её. Она́ не име́ла никако́й вла́сти над э́тим холо́дным, высоко́ме́рным челове́ком, над э́тим дон-Жуа́ном с заду́мчивыми си́ними глаза́ми. Варва́ра Петро́вна всё бо́льше озлобля́лась и всё ча́ще проявля́ла жесто́кость по отноше́нию к окружа́ющим. Крепостны́х ча́сто секли́ и за мале́йшие просту́пки ссыла́ли в далёкие дере́вни, и́ли да́же в Сиби́рь, разлуча́я их с се́мьями. Со́бственных сынове́й, Никола́я и Ива́на, она́ би́ла и нака́зывала

оказа́ться *prf.* [ока́зываться], to prove (to be), turn out

ви́дно, apparently

не́куда, nowhere (to flee to, go to)

еди́нственный, the only

насле́дница *f.*, heiress (*m.* насле́дник)

перейти́ *prf.* [переходи́ть], to pass

в том числе́, among them, including

крепостно́й (*adj.* used as *n.*), serf

вско́ре, shortly after

влюби́ться *prf.* [влюбля́ться], to fall in love

брак, marriage

власть *f.*, authority, power

высокоме́рный, haughty, supercilious

заду́мчивый, pensive, thoughtful

озлобля́ться *imp.* [озлоби́ться], to become embittered

всё бо́льше, more and more, evermore

ча́ще (*comp.* of ча́сто), more often (всё —, more and more often)

проявля́ть *imp.* [прояви́ть], to show, manifest

жесто́кость *f.*, cruelty, heartlessness

по отноше́нию (к + *dat*), toward, with respect to

окружа́ющие (*pr.a.p.* used as *n.*), people around

сечь *imp.* [вы́сечь], to flog

мале́йший, slightest

просту́пок, misdeed

ссыла́ть *imp.* [сосла́ть], to send off, banish, exile

Сиби́рь *f.*, Siberia

разлуча́я, separating, *pr.adv.p.* of разлуча́ть *imp.*

со́бственный, own

нака́зывать *imp.* [наказа́ть], to punish

почти́ ка́ждый де́нь, ча́сто безо вся́кого по́вода. Всё в Спа́сском жи́ли в постоя́нном стра́хе.

Вме́сте с те́м, она́ была́ умна́, облада́ла хоро́шим вку́сом, интересова́лась литерату́рой, и не то́лько францу́зской, но и ру́сской, что́, для того́ вре́мени, бы́ло дово́льно необыкнове́нно. Но мо́жет быть бо́льше всего́ Варва́ра Петро́вна люби́ла великоле́пие. До́м в Спа́сском (в нём бы́ло со́рок ко́мнат) был прекра́сно обста́влен; там дава́лись приёмы, на кото́рые съезжа́лись со́тни госте́й; в большо́м за́ле игра́л сво́й орке́стр, была́ и своя́ театра́льная тру́ппа из крепостны́х. В па́рке, сла́вившимся свое́й красото́й, це́лая а́рмия садо́вников расти́ла ре́дкие цветы́ и дере́вья. Причу́ды Варва́ры Петро́вны иногда́ доходи́ли до ма́нии вели́чия. Подража́я двору́, она́ завела́ в Спа́сском стро́гий церемониа́л, да́же устро́ила «министе́рство»: ма́льчик, отвози́вший пи́сьма в го́род и привози́вший их отту́да, называ́лся «мини́стром по́чт», дворе́цкий называ́лся «мини́стром двора́» и т. д.

вся́кий, any
по́вод, grounds, reason, occasion
постоя́нный, constant, permanent
страх, fear, terror
вме́сте с те́м, at the same time, and yet
умён *pred.*, intelligent
облада́ть *imp.* (+ *instr.*), to have, possess
вкус, taste
но и, but also
бо́льше всего́, best of all
великоле́пие, splendor, magnificence
обста́влен, furnished, *pred.p.p.* of обста́вить *prf.*
приём, reception
съезжа́ться *imp.* [съе́хаться], to come, assemble
со́тня *f. n.*, a hundred
тру́ппа, company (of actors)
сла́вившийся, famous, celebrated, *p.a.p.* of сла́виться *imp.*
садо́вник, gardener
расти́ть *imp.* [вы-], to grow, raise (*trans.*)
причу́да, whim
ма́ния вели́чия, megalomania, delusion of grandeur
подража́я, imitating, *pr.adv.p.* of подража́ть *imp.*
двор, court
завести́ *prf.* [заводи́ть], introduce, establish
стро́гий, strict, rigid
устро́ить *prf.* [устра́ивать], to set up, organize
отвози́вший, who carried, *p.a.p.* of отвозить *imp.*
мини́стр по́чт, Postmaster General
дворе́цкий, butler, major-domo
мини́стр двора́, Lord Chamberlain

В э́той обстано́вке ро́скоши и тирани́и ро́с ма́ленький Турге́нев. Ма́ть, е́сли не счита́ть наказа́ний, ма́ло занима́лась детьми́, и Ива́ну приходи́лось иска́ть утеше́ния и развлече́ния у дворо́вых. Оди́н из ни́х был не то́лько гра́мотный но и большо́й люби́тель и знато́к ру́сской поэ́зии 18-ого ве́ка. О́н научи́л ма́льчика чита́ть и пробуди́л в нём интере́с и любо́вь к литерату́ре. Больши́м развлече́нием был та́кже прекра́сный па́рк, где́ Ива́н проводи́л мно́го вре́мени. О́н игра́л та́м оди́н и́ли с детьми́ дворо́вых, люби́л лови́ть пти́ц и ста́л больши́м знатоко́м э́того де́ла. Та́к с де́тства зароди́лась в нём любо́вь к приро́де и к охо́те, отрази́вшаяся в его́ произведе́ниях, и кото́рую о́н сохрани́л на всю жи́знь. У́жасы крепостни́чества, свиде́телем кото́рых о́н был с ра́ннего во́зраста, внуши́ли ему́, та́кже на всю жи́знь, отвраще́ние и не́нависть к тирани́и.

В 1827 г. Турге́невы перее́хали в Москву́. О́коло трёх ле́т провёл Ива́н в ча́стных пансио́нах, а пото́м учи́лся до́ма, гото́вясь к поступле́нию в Моско́вский

обстано́вка, atmosphere, setting
ро́скошь *f.*, luxury, splendor
е́сли не счита́ть, not counting, aside from
наказа́ние, punishment
приходи́ться *imp.* [прийти́сь] (*pass.* with *dat.*), to have to, be compelled
утеше́ние, comfort, consolation
развлече́ние, diversion, amusement
дворо́вый (*hist.*), house servant
гра́мотный, literate
люби́тель *m.*, lover, amateur
знато́к, connoisseur, expert
пробуди́ть *prf.* [пробужда́ть], to awaken, arouse
лови́ть *imp.* [пойма́ть], to catch
зароди́ться *prf.* [зарожда́ться], to originate

приро́да, nature
охо́та, hunting
отрази́вшийся, reflected, *p.a.p.* of отрази́ться *prf.*
произведе́ние, work (of lit., art, or music)
сохрани́ть *prf.* [сохраня́ть], to keep, retain, preserve
у́жас, horror
крепостни́чество, serfdom
свиде́тель *m.*, witness
во́зраст, age
внуша́ть *imp.* [внуши́ть], to imbue, inspire
отвраще́ние, disgust, abhorrence
не́нависть *f.*, hatred, detestation
ча́стный, private
пансио́н, boarding school
поступле́ние, entering *n.*

университе́т. Благодаря́ гувернёрам-иностра́нцам, Турге́нев приобрёл отли́чное зна́ние языко́в.

В Моско́вском университе́те, куда́ о́н поступи́л в 1833 г., Ива́н про́был то́лько го́д. Че́рез го́д, из-за семе́йных обстоя́тельств, его́ перевели́ в Петербу́ргский университе́т. В то́м же году́ (1834) у́мер его́ оте́ц, и Варва́ра Петро́вна ста́ла по́лной хозя́йкой семе́йного иму́щества. Чтобы держа́ть сыновей в повинове́нии, она́ дава́ла им о́чень ма́ло де́нег, а когда́ быва́ла че́м-нибу́дь недово́льна, то не дава́ла им ничего́.

В Петербу́ргском университе́те Турге́нев продолжа́л заня́тия по слове́сности. Ле́кции по ру́сской литерату́ре чита́л профе́ссор Плетнёв, дру́г Пу́шкина и Го́голя. (Го́голь, кото́рому тогда́ бы́ло два́дцать пя́ть ле́т, был адъю́нкт-профе́ссором по исто́рии и Турге́нев посети́л не́сколько его́ ле́кций.) Плетнёв был в то́ вре́мя реда́ктором журна́ла *Совреме́нник* (The Contemporary) и, в 1838 г. помести́л в нём стихотворе́ние Турге́нева. Это была́ его́ пе́рвая ве́щь появи́вшаяся в печа́ти.

В ма́е 1838 г. Турге́нев пое́хал в Герма́нию продолжа́ть своё образова́ние. Перспекти́ва жи́зни заграни́цей,

благодаря́ (+ *dat.*), thanks to
гуверне́р, tutor
приобрести́ *prf.* [приобрета́ть], to acquire
отли́чный, excellent
зна́ние, knowledge
поступи́ть *prf.* [поступа́ть] (в, на + *acc.*), to enter (a school or a service)
семе́йный *adj.* from семья́, family
обстоя́тельство, circumstance
перевести́ *prf.* [переводи́ть], to transfer
по́лный, absolute, complete, full
хозя́йка, mistress, owner
иму́щество, property, possessions
повинове́ние, obedience; дер-
жа́ть в повинове́нии, to hold in subjection
продолжа́ть *imp.* [продо́лжить], to continue
слове́сность *f.* (*obs.*), literature
адъю́нкт-профе́ссор (*hist.*), assistant professor
посети́ть *prf.* [посеща́ть], to attend, visit
реда́ктор, editor
помести́ть *prf.* [помеща́ть], to publish
стихотворе́ние, poem
ве́щь *f.*, work (of lit., art, or music)
печа́ть *f.*, print, press; появи́ться в печа́ти, to appear (in print)
образова́ние, education
перспекти́ва, prospect

да ещё вдали́ от деспоти́чной ма́тери, была́ чрезвыча́йно привлека́тельна.

Путеше́ствие начало́сь с о́чень неприя́тного приключе́ния: парохо́д, на кото́ром о́н е́хал из Петербу́рга в Лю́бек, загоре́лся. Во вре́мя пожа́ра, Турге́нев вёл себя́ дово́льно трусли́во. Мно́го ле́т спустя́, в расска́зе «Пожа́р на мо́ре», о́н с сарка́змом и ю́мором описа́л поведе́ние пассажи́ров перед лицо́м опа́сности и та́к же беспоща́дно изобрази́л своё со́бственное малоду́шие, не забы́в упомяну́ть и о своём драмати́ческом восклица́нии: «Как ужа́сно умере́ть в девятна́дцать ле́т!»

С 1838 до 1841 г. Турге́нев учи́лся в Берли́нском университе́те. О́н изуча́л класси́ческие языки́, литерату́ру и мно́го занима́лся филосо́фией. В Берли́не о́н познако́мился с не́сколькими ру́сскими, прие́хавшими, ка́к и о́н, зака́нчивать своё образова́ние. Турге́нев осо́бенно подружи́лся с Баку́ниным, впосле́дствии знамени́тым революционе́ром-анархи́стом; со Станке́вичем, тала́нтливым молоды́м фило́софом, стоя́вшим в Москве́ во главе́ о́чень популя́рного студе́нческого филосо́фского кружка́; с Грано́вским, бу́дущим блестя́щим профе́ссором исто́рии моско́вского университе́та.

Все́ они́ бы́ли мо́лоды и полны́ энтузиа́зма. Их вол-

да ещё, and what is more
вдали́, far from, a long way from
чрезвыча́йно, extremely, most
привлека́тельный, attractive
путеше́ствие, journey, trip
приключе́ние, event, adventure
загоре́ться *prf.* [загора́ться], to catch fire
пожа́р, fire (conflagration)
вести́ себя́, to behave, conduct
дово́льно, rather, enough
трусли́во, in a cowardly manner
спустя́, later, after (only if time elapsed is referred to)
пе́ред лицо́м, in the face of
поведе́ние, behavior, conduct
опа́сность *f.*, danger
беспоща́дно, mercilessly

изобрази́ть *prf.* [изобража́ть], to picture, depict
малоду́шие, faintheartedness, cowardice
упомяну́ть *prf.* [упомина́ть], to mention
восклица́ние, exclamation
в девятна́дцать лет, at nineteen
зака́нчивать *imp.* [зако́нчить], finish, complete
осо́бенно, especially, particularly
подружи́ться *prf.*, to become friends
впосле́дствии, later on
кружо́к, circle
бу́дущий, future *adj.*
блестя́щий, brilliant
по́лон *pred.*, full
волнова́ть *imp.* [вз-], to excite, agitate

нова́ли уче́ния неме́цких филосо́фов-идеали́стов, осо́бенно Ге́геля (Hegel), и иде́и социа́льной справедли́вости и про-гре́сса. Молодо́го, тала́нтливого профе́ссора-гегелья́нца Ве́рдера студе́нты та́к люби́ли, что пе́ли ему́ по ноча́м серена́ды, меша́я спа́ть че́стным берли́нским бю́ргерам. В студе́нческих ко́мнатах напо́лненных таба́чным ды́мом, перед стака́нами давно́ осты́вшего ча́я, и́ли кру́жками потепле́вшего пи́ва, шли́ бу́рные диску́ссии. Ча́сто моло-ды́е иска́тели И́стины и Справедли́вости, состяза́лись ме́жду собо́й в красноре́чии и глубокомы́слии всю́ но́чь, до се́рого берли́нского рассве́та.

Воспомина́ния об э́тих лю́дях и об э́том перио́де свое́й жи́зни, Турге́нев испо́льзовал, пятна́дцать ле́т спустя́, в рома́не *Ру́дин*.

Турге́нев верну́лся в Росси́ю элега́нтным, да́же не-сколько фатова́тым молоды́м челове́ком. Жи́л он то́ в Спа́сском, то́ в Москве́; вёл дли́нный интеллектуа́льный рома́н с экзальти́рованной де́вушкой, Татья́ной Баку́-ниной, сестро́й Михаи́ла; посеща́л теа́тры, встреча́лся с литера́торами. В моско́вских филосо́фских кружка́х, где

учение, teaching, doctrine
и ... и, both the ... and the
справедли́вость *f.*, justice
меша́я, hindering, disturbing, *pr.adv.p.* of меша́ть *imp.*
че́стный, honest
напо́лненный, filled, *p.p.p.* of напо́лнить *prf.*
дым, smoke
стака́н, glass
осты́вший, which became cold, *p.a.p.* of осты́ть *prf.*
кру́жка, mug
потепле́вший, which grew warm, became warm, *p.a.p.* of поте-пле́ть *prf.* тепле́ть *imp.*
пи́во, beer
бу́рный, stormy
иска́тель *m.*, seeker, searcher
и́стина (*book.*), truth, verity
состяза́ться *imp.* (в + *loc.*), to compete in

красноре́чие, eloquence
глубокомы́слие, profundity
се́рый, grey
рассве́т, dawn, daybreak
воспомина́ние, recollection, memory
испо́льзовать *prf.* and *imp.*, to make use of
рома́н, novel
не́сколько, somewhat
фатова́тый, foppish
то́ ... то́ ..., now ... now ...
вёл *p.prf.* from вести́ (in this usage *det.only*), to carry on, conduct
рома́н, romance
экзальти́рованный, ecstatic, transported
посеща́ть *imp.* [посети́ть], to attend, visit

в то́ вре́мя то́лько зарожда́лось славянофи́льское дви-
же́ние, он познако́мился с знамени́тым кри́тиком Бели́н-
ским, дру́жба с кото́рым име́ла на него́ большо́е вли-
я́ние; Бели́нский бы́л противни́ком славянофи́лов.

Из его́ пла́нов получи́ть ка́федру по филосо́фии
ничего́ не вы́шло: ру́сское прави́тельство, боя́сь рас-
простране́ния революцио́нных иде́й, иду́щих с за́пада,
упраздни́ло преподава́ние филосо́фии, счита́я её «опа́с-
ным» предме́том.

По настоя́нию ма́тери, переста́вшей дава́ть ему́
де́ньги, Турге́нев взя́л до́лжность в министе́рстве вну́-
тренних де́л и перее́хал в Петербу́рг.

Все́ э́ти го́ды он не переста́вал писа́ть. В 1843 г.
появи́лась отде́льной кни́гой его́ поэ́ма *Пара́ша*, кото́рую
о́чень расхвали́л Бели́нский. Прочита́в поэ́му сы́на,
Варва́ра Петро́вна писа́ла: «Я́ то́чно ви́жу в тебе́
тала́нт... без шу́ток — прекра́сно... Сейча́с подаю́т
мне́ земляни́ку. Мы́ дереве́нские, все́ реа́льное лю́бим.
Ита́к, твоя́ Пара́ша, твоя́ поэ́ма... па́хнет земляни́кой.»
Но́ несмотря́ на таку́ю ле́стную оце́нку, она́ де́нег сы́ну

движе́ние, movement
кри́тик, critic
дру́жба, friendship
влия́ние, influence
проти́вник, adversary
ка́федра, chair
ничего́ не вы́шло, nothing came
  of it
боя́сь, fearing, *pr.adv.p.* of бо-
  я́ться *imp.*
распростране́ние, dissemination,
  spreading
упраздни́ть *prf.* [упраздня́ть],
  to abolish
преподава́ние, teaching *n.*
счита́я, considering, *pr.adv.p.*
  of счита́ть *imp.*
предме́т, subject, object
настоя́ние, insistence
переста́вший, who stopped,
  p.a.p. of переста́ть *prf.*
до́лжность *f.*, office, position,
  job

вну́тренний, internal
министе́рство вну́тренних дел,
  ministry of the interior
появи́ться *prf.* [появля́ться], to
  appear
отде́льный, separate; отде́льной
  кни́гой, as a separate volume
расхвали́ть *prf.* [расхва́ливать],
  to lavish, shower praise
то́чно (*obs.*), indeed
шу́тка, joke, jest
без шу́ток, joking apart
подава́ть *imp.* [пода́ть], to serve
земляни́ка *collect.*, (wild) straw-
  berries
дереве́нские, country people,
  country *adj.*
па́хнуть *imp.* [за—, *prf.inch.*],
  have the fragrance of
одна́ко, however, but
несмотря́ на, in spite of
ле́стный, flattering
оце́нка, evaluation, opinion

не послáла и óн дóлжен был продолжáть жи́ть на своё скрóмное чинóвничье жáлование.

Зимóй 1843 г. приéхала в Петербýрг, гдé тогдá жи́л Тургéнев, знамени́тая певи́ца Поли́на Виардó. Онá былá дóчь извéстного испáнского тéнора Мануэ́ля Гáрсия. Стáршая сестрá Поли́ны, Мари́я Малибрáн, былá величáйшей óперной певи́цей тогó врéмени.

Поли́не бы́ло тогдá двáдцать двá гóда. Онá былá необыкновéнно привлекáтельна, хотя́ и некраси́ва. Её мýж, Луи́ Виардó, францýзский литерáтор, бы́вший дирéктор óперы, был на двáдцать лéт стáрше её.

28-óго октября́, в дéнь своегó рождéния (емý в э́тот дéнь испóлнилось двáдцать пя́ть лéт), Тургéнев охóтился недалекó от Петербýрга. На э́той охóте óн познакóмился с Луи́ Виардó, котóрый тóже был стрáстным охóтником. Чéрез нéсколько днéй Ивáн Сергéевич был предстáвлен самóй Поли́не. Óн сейчáс же в неё влюби́лся. Виардó, хотя́ и окружённая поклóнниками, замéтила Тургéнева — молодóго поэ́та, высóкого, элегáнтного, с прекрáсными манéрами и прекрáсным знáнием францýзкого языкá.

С э́той зимы́ 1843 г. начали́сь их стрáнные отношéния продолжáвшиеся сóрок лéт. Эти отношéния не отрази́лись ни на семéйной жи́зни Поли́ны, ни на её карьéре: онá продолжáла жи́ть с мýжем, éздила по

скрóмный, modest
чинóвничий [*adj.* from чинóвник], civil servant's
жáлование, salary
знамени́тый, famous
певи́ца, singer *f.*
необыкновéнно, extraordinary, unusually
бы́вший, former
день рождéния, birthday
емý испóлнилось 25, he was 25
охóтиться *imp.*, to hunt
стрáстный, very enthusiastic, passionate
охóтник, hunter

предстáвлен, presented, introduced, *pred.p.p.p.* of предстáвить *prf.*
хотя́ и, even though
окружённый, surrounded, *p.p.p.* of окружи́ть *prf.*
поклóнник, admirer
замéтить *prf.* [замечáть], to notice
стрáнный, strange, peculiar
отношéния, relationship
продолжáвшийся, which lasted, *p.a.p.* of продолжáться *imp.*
отрази́ться *prf.* [отражáться], to be reflected

све́ту, пе́ла в о́перах и на конце́ртах. Но́ в жи́зни Турге́нева встре́ча с Виардо́ сыгра́ла реша́ющую ро́ль. Бро́сив свою́ слу́жбу в министе́рстве, о́н проводи́л всё бо́льше вре́мени во Фра́нции, подо́лгу жи́л в име́нии Виардо́ — Куртавене́ле, недалеко́ от Пари́жа, ходи́л та́м на охо́ту с му́жем Поли́ны и мно́го писа́л. В Куртавене́ле, ме́жду 1847 и 1850 го́дом, о́н написа́л свою́ знамени́тую се́рию расска́зов, печа́тавшихся в *Совреме́ннике* и вы́шедших в 1852 г. отде́льной кни́гой под о́бщим загла́вием *Запи́ски охо́тника* (*A Sportsman's Sketches*). Та́м же, за то́т же перио́д, написа́л он и большинство́ свои́х пьес.

Жи́ть до́лго без Поли́ны Турге́нев не мо́г. И до́, и по́сле встре́чи с не́й, бы́ли в его́ жи́зни и други́е же́нщины (от одно́й была́ у него́ незако́нная до́чь), но́ ни с одно́й из ни́х не реши́лся он связа́ть свое́й жи́зни оконча́тельно. Ему́ иногда́ приходи́лось расстава́ться с Поли́ной на дово́льно продолжи́тельное вре́мя, но о́н всегда́ сно́ва к не́й возвраща́лся. Полусвобо́дный, полура́б, Турге́нев до конца́ свои́х дне́й был свя́зан с Виардо́ неразры́вными у́зами.

Варва́ра Петро́вна была́ о́чень недово́льна свои́м сы́ном: о́н про́тив её во́ли оста́вил слу́жбу, занима́лся

све́т, world
реша́ющий, decisive, *p.a.p.* of реша́ть *imp.*
бро́сив, having left, *p.adv.p.* of бро́сить *prf.*
всё бо́льше, evermore, more and more
подо́лгу, for long periods
име́ние, property, estate
печа́тавшийся, which was published, *p.a.p.* of печа́таться *imp.*
вы́шедший which came out, вы́йти *p.a.p.* of *prf.*
о́бщий, general
загла́вие, title
большинство́, majority
пье́са, play
и до́, и по́сле, both before and after
незако́нный, illegitimate

реши́ться *prf.* [реша́ться], make up one's mind, bring oneself to, resolve to
связа́ть *prf.* [свя́зывать], to bind
оконча́тельно, finally, definitely
расстава́ться *imp.* [расста́ться], to part
продолжи́тельное вре́мя, long period of time
сно́ва, again
полусвобо́дный, half free
полура́б, half slave
свя́зан, bound, tied, *pred.p.p.p.* of связа́ть *prf.*
неразры́вный, indissoluble
у́зы, ties, bonds
во́ля, will; про́тив во́ли, against (her) will
оста́вить *prf.* [оставля́ть], to leave

то́лько литерату́рной де́ятельностью и проводи́л мно́го
вре́мени заграни́цей. О Виардо́ она́ зна́ла и о́чень не
одобря́ла отноше́ний ме́жду ней и Ива́ном. Говоря́ о
Поли́не, она́ никогда́ ина́че её не называ́ла, как «про-
кля́тая цыга́нка». Сы́ну она́ писа́ла то́ не́жные, то́ угро-
жа́ющие пи́сьма, наста́ивая на его́ возвраще́нии домо́й.
Но́ уезжа́ть из Фра́нции Турге́неву не хоте́лось; э́то
зна́чило бы расста́ться и с Поли́ной, и с жи́знью в Кур-
тавене́ле, и с Пари́жем, где́ Турге́нев встреча́лся с та-
ки́ми знамени́тостями ка́к Жо́рж Са́нд (George Sand),
Шопе́н (Chopin), Альфре́д де Мюссе́ (Alfred de Musset),
Проспе́р Мериме́ (Prosper Mérimée). Де́нег у него́ бы́ло
ма́ло, но́ его́ расска́зы и статьи́, печа́тавшиеся в Росси́и,
в ежеме́сячных журна́лах, приноси́ли ему́ не́который
дохо́д, на кото́рый о́н мо́г ко́е-ка́к жи́ть.

Весно́й 1850 г. Варва́ра Петро́вна заболе́ла. Почу́в-
ствовав, что ей уже́ недо́лго оста́лось жи́ть, она́ посла́ла
наконе́ц Ива́ну Серге́евичу де́нег в Пари́ж с те́м, чтобы
о́н скоре́е верну́лся домо́й. О́н верну́лся. Встре́ча их
была́ тёплая и ма́ть да́же обеща́ла ему́ и его́ бра́ту
Никола́ю, то́же жи́вшему в бе́дности, подари́ть по
небольшо́му име́нию.

литерату́рная де́ятельность, literature, literary matters
одобря́ть *imp.* [одо́брить], to
  approve
ина́че, other than, otherwise
называ́ть *imp.* [назва́ть], to call,
  name
прокля́тый, damned, cursed
цыга́нка, gipsy
не́жный, tender
угрожа́ющий, threatening, menacing, *pr.a.p.* of угрожа́ть
  imp.
наста́ивая, insisting, *pr.adv.p.*
  of наста́ивать *imp.*
знамени́тость *f.*, celebrity
ежеме́сяный, monthly
не́который, some, a certain
дохо́д, income

ко́е-ка́к, somehow, somehow or
  other
заболе́ть *prf.* [заболева́ть], to
  be taken ill
почу́вствовав, feeling, *p.adv.p.*
  of почу́вствовать *prf.*
[ей] недо́лго оста́лось жить,
  (she) didn't have much longer
  to live
с те́м что . . ., on the condition
  that . . .
обеща́ть *imp.* and *prf.*, to
  promise
бе́дность *f.*, poverty
подари́ть *prf.* [дари́ть], to give
  (as a present)
по небольшо́му име́нию, a small
  estate each

Но́ ни ра́дость свида́ния с сы́ном, ни предчу́вствие бли́зкой сме́рти не измени́ли её хара́ктера: Варва́ра Петро́вна веле́ла прода́ть зара́нее ве́сь урожа́й в обе́щанных име́ниях, и, кро́ме того́, соста́вила да́рственные за́писи та́к, что они́ оказа́лись недействи́тельными. Её запозда́лое великоду́шие бы́ло просто́й коме́дией. Возмуще́ние свои́х сыновей, вы́званное э́тим посту́пком, она́ назвала́ «неблагода́рностью.» Ме́жду ни́ми и е́й произошёл разры́в. Ива́н уе́хал и уже́ бо́льше не вида́л ма́тери, кото́рая умерла́ че́рез не́сколько ме́сяцев. Перед сме́ртью она́ звала́ его́. Бы́ло ли э́то для примире́ния, и́ли для после́дней драмати́ческой сце́ны? . . .

По́сле сме́рти Варва́ры Петро́вны Турге́нев ста́л наконе́ц бога́тым, незави́симым челове́ком — хозя́ином Спа́сского. О́н жи́л широко́ — по ба́рски; устра́ивал приёмы, угоща́л друзей изы́сканными обе́дами, прекра́сно одева́лся.

Писа́тельская сла́ва его́ росла́. *Запи́ски охо́тника*, «Дневни́к ли́шнего челове́ка,» «Петушко́в,» и други́е его́ расска́зы и пье́сы — по́льзовались больши́м успе́хом.

ра́дость *f.*, joy
свида́ние, reunion
предчу́вствие, presentiment, premonition
веле́ть *imp.* and *prf.*, to order
зара́нее, beforehand, in advance
урожа́й, crop, yield
кро́ме того́, besides
соста́вить *prf.* [составля́ть], to draw, up, compose, compile
да́рственная за́пись, deed of gift
оказа́ться *prf.* [ока́зываться], to turn out (to be), prove to be
недействи́телен *pred.*, void, null
запозда́лый, belated
великоду́шие, generosity, magnanimity
просто́й, simple, plain
возмуще́ние, indignation
вы́званный, called forth, provoked, *p.p.p.* of вы́звать *prf.*

посту́пок, act, action
неблагода́рность *f.*, ingratitude
произойти́ *prf.* [происходи́ть], occur, happen
разры́в, rupture, break
примире́ние, reconciliation
незави́симый, independent
хозя́ин, master, owner
жить широко́, to live in grand style
по ба́рски, like a lord
угоща́ть *imp.* [угости́ть], to entertain, offer, treat to
изы́сканный, elaborate
сла́ва, fame
дневни́к, diary
ли́шний, superfluous
успе́х, success
по́льзоваться *imp.*, to enjoy, make use of; по́льзоваться успе́хом, to have success, be a success

В Петербу́рге Турге́нев вошёл в редакцио́нный кружо́к *Совреме́нника* и стал его́ влия́тельным чле́ном. Гла́вным реда́ктором журна́ла, в то́ вре́мя, был поэ́т Некра́сов. Постоя́нными сотру́дниками бы́ли Гончаро́в, Лев Толсто́й, драмату́рг Остро́вский. Поздне́е в *Совреме́ннике* на́чали сотру́дничать кри́тики Чернь́ше́вский и Добролю́бов. Под их влия́нием журна́л при́нял ре́зко радика́льное направле́ние, кото́рое впосле́дствии вы́звало раско́л ме́жду сотру́дниками.

В феврале́ 1852 г. у́мер Го́голь. Турге́нев был глубоко́ потрясён э́той сме́ртью и вы́разил своё го́ре в небольшо́й статье́. Но э́та статья́ не была́ пропу́щена петербу́ргской цензу́рой. Турге́нев называ́л Го́голя «вели́ким челове́ком»; говори́л о его́ «ме́сте в исто́рии.» Е́сли у́мер бы мини́стр и́ли генера́л, э́то бы́ло бы друго́е де́ло. Но писа́ть та́к о литера́торе — не полага́лось. Турге́нев посла́л э́ту статью́ в Москву́ одному́ своему́ прия́телю, и тот показа́л её моско́вскому це́нзору. Це́нзор статью́ пропусти́л и она́ появи́лась в газе́те. Турге́нев был обвинён в то́м, что он обману́л цензу́ру. Его́ арестова́ли, продержа́ли ме́сяц в полице́йской ча́сти в Петербу́рге (ка́мера у него́ была́ вполне́ удо́бная,

редакцио́нный, editorial
влия́тельный, influential
член, member
сотру́дник, contributor, collaborator
сотру́дничать *imp.*, to contribute, to collaborate
приня́ть *prf.* [принима́ть], to take, assume
ре́зко, sharp(ly)
напрале́ние, trend, direction
вы́звать *prf.* [вызыва́ть], to bring on, provoke
раско́л, split
глубоко́, deeply
потрясён, shaken, *pred.p.p.p.* of потрясти́ *prf.*
вы́разить *prf.* [выража́ть], to express
го́ре, grief

статья́, article
пропу́щен, passed, *pred.p.p.p.* of пропусти́ть *prf.*
цензу́ра, censorship
(мне, ему́ etc. . . . .) не полага́лось (*pass.* with *dat.*) no *prf.*, one was not supposed to, it was not proper
пропусти́ть *prf.* [пропуска́ть], to pass, let pass
обвинён, accused, *pred.p.p.p.* of обвини́ть *prf.*
обману́ть *prf.* [обма́нывать], to deceive, fool
продержа́ть *prf.* [держа́ть], to keep, hold
полице́йская часть, jail, police station
ка́мера, cell

отношéние хорóшее, гостéй принимáл он мнóго), а потóм
сослáли в Спáсское. Си́дя в полицéйской чáсти, Тургéнев написáл «Муму́» трóгательную пóвесть о немóм
крепостнóм. Капри́зная и жестóкая помéщица, опи́санная
в э́той пóвести, óчень напоминáет Варвáру Петрóвну.

Незадóлго до отъéзда в Спáсское Тургéнев писáл
Виардó: «Чéрез двé недéли меня́ отправля́ют в дерéвню,
где я́ обя́зан жи́ть до нóвого распоряжéния... бу́ду продолжáть изучéние ру́сского нарóда, сáмого стрáнного
и сáмого удиви́тельного во всём ми́ре.»

Вы́нужденное одинóчество в Спáсском оказáлось для
негó óчень полéзным. За э́ти полторá гóда Тургéнев не
написáл ничегó значи́тельного, но óн мнóго размышля́л
о тóм, по какóму литерату́рному пути́ ему́ идти́ дáльше.

Жáнр *Запи́сок охóтника* — натуралисти́ческих на-
брóсков, в котóрых лири́зм описáний сочетáется с из-
обличéниями крепостни́чества — егó бóльше не удо-
влетворя́л. Ему́ хотéлось чегó то бóльшего — хотéлось
отрази́ть эпóху, показáть её чéрез типи́чных для неё
людéй. Егó всё бóльше занимáла мы́сль о ромáне. Óн
действи́тельно нáчал тогдá рабóтать над ромáном, нó
написáв нéсколько глáв, брóсил егó; нéкоторые эле-

отношéние, treatment

си́дя, while in, sitting, *pr.adv.p.*
of сидéть *imp.*

трóгательный, moving

пóвесть *f.*, short novel, long
short story

немóй, mute (о немóм *loc.*)

напоминáть *imp.* [напóмнить],
to remind

отправля́ть *imp.* [отпрáвить], to
send

обя́зан, compelled, *pred.p.p.p.*
of обязáть *prf.*

распоряжéние, order, instruction

удиви́тельный, amazing

вы́нужденный, forced, *p.p.p.* of
вы́нудить *prf.*

одинóчество, seclusion, loneliness

полéзный, good, profitable, useful

полторá *m.*, one and a half

значи́тельный, significant, important

размышля́ть *imp.* [размы́слить],
to think, ponder

набрóсок, sketch

сочетáться *imp.*, to be combined

изобличéние, exposure

удовлетворя́ть *imp.* [удовлет-
вори́ть], to satisfy

отрази́ть *prf* [отражáть], to
reflect

ромáн, novel

действи́тельно, actually

брóсить *prf.* [бросáть], to give
up

ме́нты э́того рома́на о́н одна́ко испо́льзовал по́зже. О́сенью того́ же го́да, Турге́неву разреши́ли верну́ться в Петербу́рг.

Давно́ заду́манный им рома́н постепе́нно созрева́л и ле́том 1855 г. запе́рши́сь в Спа́сском, Турге́нев написа́л *Ру́дина*.

В конце́ свое́й жи́зни, дава́я определе́ние своего́ тво́рчества, Турге́нев писа́л: «В тече́ние все́й литерату́рной де́ятельности я стреми́лся, наско́лько хвата́ло си́л и уме́ния, добросо́вестно и беспристра́стно изобрази́ть и воплоти́ть в надлежа́щие ти́пы и то́, что Шекспи́р называ́л «the body and pressure of time», и ту́ бы́стро изменя́вшуюся физионо́мию ру́сских люде́й культу́рного сло́я, кото́рый преиму́щественно служи́л предме́том мои́х наблюде́ний.» Э́то определе́ние отно́сится, гла́вным о́бразом, к се́рии его́ рома́нов, пе́рвым из кото́рых был *Ру́дин*.

В э́том рома́не пока́зана ру́сская поме́щичья среда́

одна́ко, however, but

разреши́ть *prf.* [разреша́ть], to permit

заду́манный, conceived, projected, *p.p.p.* of заду́мать *prf.*

постепе́нно, gradually

созрева́ть *imp.* [созре́ть], to ripen, mature

запе́рши́сь, having locked oneself up, *p.adv.p.* of запере́ться *prf.*

определе́ние, definition

тво́рчество, (creative) work

в тече́ние, in the course

де́ятельность *f.*, activity

стреми́ться *imp.*, to seek, strive

наско́лько, as far as, so far as

хвата́ть *imp.* [хвати́ть], (*pass.* with *dat.*; *obj.gen.*), to suffice, be sufficient; (мне, ему́) хвата́ло . . . (I, he) had sufficient

си́ла, strength

наско́лько хвата́ло сил, to the extent of my power

уме́нье, ability, skill

добросо́вестно, scrupulously

беспристра́стно, without bias, impartially

воплоти́ть *prf.* [воплоща́ть], to embody

надлежа́щий, proper, appropriate

изменя́ющийся, changing, *pr.a.p* of изменя́ться *imp.*

слой, class, stratum

преиму́щественно, chiefly

наблюде́ние, observation

относи́ться *imp.* [отнести́сь] (к + *dat.*), to apply, refer to

гла́вным о́бразом, chiefly, mainly

поме́щичий (*adj.* from поме́щик), land-owning

среда́, milieu

и на её фо́не интеллиге́нт, проду́кт филосо́фских кружко́в сороковы́х годо́в — Дми́трий Ру́дин. Ру́дину уже́ за три́дцать пя́ть ле́т, но о́н ещё не нашёл ме́ста в жи́зни, не нашёл примене́ния для свои́х зна́ний и спосо́бностей. О́н лю́бит говори́ть — и говори́т хорошо́, облада́я да́ром вдохновля́ть слу́шателей, осо́бенно молоды́х, и вызыва́ть их восхище́ние.

О́н перепро́бовал в жи́зни мно́гое, но из все́х его́ предприя́тий никогда́ ничего́ не выходи́ло.

В рома́не е́сть мно́го ли́чных воспомина́ний самого́ а́втора. Та́к, одно́ из де́йствующих ли́ц, расска́зывая о свое́й мо́лодости, жи́во передаёт атмосфе́ру студе́нческих кружко́в, в кото́рых молодо́й Турге́нев принима́л уча́стие. В не́которых персона́жах рома́на совреме́нники узна́ли живы́х люде́й: в Поко́рском узна́ли Станке́вича, больши́м покло́нником кото́рого был Турге́нев. Турге́нев са́м писа́л: «Когда́ я изобража́л Поко́рского (в *Ру́дине*), о́браз Станке́вича носи́лся передо мно́й. — Но́ всё э́то то́лько бле́дный о́черк.»

В са́мом Ру́дине, мно́гие уви́дели портре́т Михаи́ла Баку́нина. Други́е э́то схо́дство отрица́ли.

Ге́рцен, хорошо́ зна́вший и Турге́нева и Баку́нина, писа́л в свое́й кни́ге *Было́е и ду́мы*: «Говоря́т, бу́дто

фон, background; на фо́не, against a background

интеллиге́нт, a member of the intelligentsia

за три́дцать пять, over thirty-five

примене́ние, use, application

спосо́бность *f.*, talent, ability

облада́я, having, possessing, *p. adv.p.* of облада́ть *imp.*

дар, gift (да́ром *instr.*)

вдохновли́ть *imp.* [вдохнови́ть], inspire

слу́шатель *m.*, listener

вызыва́ть *imp.* [вы́звать], to call forth, evoke

восхище́ние, admiration

перепро́бовать *prf.*, to try out

предприя́тие, undertaking

ли́чный, personal

де́йствующее лицо́, character (in a work of lit.)

жи́во, vivid(ly)

передава́ть *imp.* [переда́ть], to render

принима́ть *imp.* [приня́ть] уча́стие, to take part

персона́ж, character

узна́ть *prf.* узнава́ть, to recognize

живо́й, living, real

носи́ться *imp.indet.*, to float

бле́дный, pale

о́черк, sketch

схо́дство, resemblance

отрица́ть *imp.*, to deny, negate

было́е *adj.* used as *n.* (*book.poet.*), the past

ду́ма (*poet.obs.*), meditation, thought

бу́дто, allegedly

Тургéнев в Рýдине хотéл нарисовáть портрéт Бакýнина. Нó Рýдин едвá напоминáет нéкоторые чертý Бакýнина. Тургéнев, увлекáясь библéйской привýчкой Бóга, сóздал Рýдина по своемý óбразу и подóбию. Рýдин — Тургéнев вторóй, наслýшавшийся филосóфского жаргóна Бакýнина.»

Свидéтельства самогó Тургéнева довóльно противорéчивы. В февралé 1856 г. он писáл С. Т. Аксáкову: «Мне приятно..., что вы не ищете в Рýдине кóпии с какóго-нибýдь извéстного лицá... Уж кóли с когó спúсывать, так с себя начáть.» Нó нéсколько лéт спустя óн писáл одномý своемý приятелю: «Чтó за человéк Бакýнин, спрáшиваете вы? Я в Рýдине представил довóльно вéрный его портрéт...» Наконéц, как вспоминáет однá его совремéнница (Н. А. Острóвская), Тургéнев говорúл ей в 1872 г.: «В Рýдине я действúтельно хотéл изобразúть Бакýнина; тóлько мнé это не удалóсь, Рýдин вышел вмéсте и выше, и нúже его. Бакýнин был выше по спосóбностям, нó нúже по харáктеру.»

Рýдин, действúтельно, напоминáет нéкоторые стóроны харáктера Бакýнина, но о «портрéте» едвá ли

едвá, barely

чертá, feature

увлекáясь, being carried away, *pr.adv.p.* of увлекáться *imp.*

библéйский, biblical

привычка, habit

Бог, God

создáть *prf.* [создавáть], to create

подóбие, likeness; по своемý óбразу и подóбию, in his own image and likeness

наслýшавшийся, who heard his fill, *p.a.p.* of наслýшаться *prf.*

жаргóн, jargon, lingo

свидéтельство, testimony

противорéчив *pred.*, contradictory

искáть *imp.* [по-], to look for, search

лицó, person

кóли (*pop.* for éсли), if

спúсывать *imp.* [списáть], to copy

так с себя начáть, one might best begin with oneself

представить *prf.* [представлять], to present, give

вéрный, faithful, true

удáться *prf.* [удавáться], (*pass.* with *dat.*), to succeed; (мне, емý) удалóсь (I, he) succeeded

выйти *prf.* [выходúть], to come out

вмéсте, (here) at the same time

выше (*comp.* of высóкий), superior, higher

нúже (*comp.* of нúзкий), inferior, lower

сторонá, aspect

едвá ли, hardy

мóжно говори́ть. В отли́чие от турге́невского герóя, Баку́нин был человéком дéйствия; красноре́чие служи́ло ему́ одни́м из ору́дий егó революциóнной дéятельности. Óн вéрил в свои́ идéи и всю свою́ бу́рную жи́знь провёл в борьбé за ни́х, несмотря́ на всé неудáчи и поражéния. Мнóгие гóды Баку́нин провёл в тюрьмáх. В тó сáмое врéмя, когдá Тургéнев писáл *Ру́дина*, Баку́нин сидéл в одинóчном заключéнии в Шлиссельбу́ргской крéпости (óн был арестóван в Саксóнии, в 1848 г., за организáцию восстáния рабóчих в Дрéздене, затéм был вы́дан Áвстрии, котóрая вы́дала егó Росси́и).

В словáх Гéрцена, что «Ру́дин — вторóй Тургéнев,» тóже есть преувеличéние. Нó в Ру́дине несомнéнно отражáются нéкоторые стóроны ли́чности áвтора — человéка с прохлáдной, уклóнчивой нату́рой, неспосóбного всецéло отдавáться ни идéям, ни страстя́м.

В ру́сской литерату́ре Ру́дин, «слáбый герóй,» зáнял почётное мéсто в сéрии так называ́емых «ли́шних людéй.»

Пóсле мнóгих отдéлок и передéлок *Ру́дин* был напечáтан в 1856 г. в октя́брьском и ноя́брьском номерáх *Совремéнника*. Сцéна смéрти Ру́дина былá прибáвлена тóлько в 1865 г.

в отли́чие от, unlike, in distinction from
дéйствие, action
ору́дие, tool, weapon
неудáча, failure
поражéние, defeat
тюрьмá, prison
одинóчный, solitary, single
заключéние, confinement
крéпость *f.*, fortress
восстáние, uprising
вы́дан, extradited, *pred.p.p.p.* of вы́дать *prf.*
затéм, then, thereupon
преувеличéние, exaggeration
несомнéнно, doubtless, undoubtedly
отражáться *imp.* [отрази́ться], to be reflected

ли́чность, personality
прохлáдный, cool
уклóнчивый, evasive
неспосóбный, unable
всецéло, entirely
отдавáться *imp.* [отдáться], to give oneself up (to)
страсть *f.*, passion
слáбый, weak
заня́ть *prf.* [занимáть], to take, occupy
почётный, distinguished, of honor, honorary
так называ́емый, so-called
ли́шний, superfluous
отдéлка, polishing
передéлка, revision, alteration
прибáвлен, added, *pred.p.p.p.* of прибáвить *prf.*

В ию́не 1856 г. Турге́нев опя́ть поки́нул Росси́ю, где про́жил безвы́ездно 6 ле́т. За э́то вре́мя о́н ра́з и́ли два́ «чу́ть не жени́лся,» но не жени́лся, — ка́ждый ра́з успева́л спасти́сь.

О́сень Турге́нев провёл в Куртавене́ле с Виардо́. В ноябре́ о́н писа́л из Пари́жа одному́ дру́гу: «... К уди́в-ле́нию моему́, моё и́мя изве́стно во Фра́нции — и мне́ предлага́ют ра́зные изда́ния мои́х перево́дов (перево́дов его́ веще́й на францу́зский язы́к) и т. п.... Вообще́, я могу́, е́сли захочу́, перезнако́миться здесь со все́ми литера́торами — и я наме́рен э́то сде́лать... Ка́к от-ли́чно мы проводи́ли вре́мя в Куртавене́ле! Ка́ждый де́нь каза́лся пода́рком... Мы игра́ли отры́вки из ко-ме́дий и траге́дий... (я пло́х во все́х роля́х до кра́й-ности, но э́то ниско́лько не вреди́ло наслажде́нию), переигра́ли все́ симфо́нии и сона́ты Бетхо́вена (все́м сона́там даны́ бы́ли сообща́ имена́) — пото́м во́т ещё что́ мы де́лали: я рисова́л пя́ть и́ли ше́сть про́филей, каки́е то́лько мне́ приходи́ли — не скажу́ в го́лову — в перо́; и ка́ждый писа́л под ка́ждым про́филем, что́ о́н о нём ду́мал. — Выходи́ли ве́щи презаба́вные — и М-ме Viardot, разуме́ется, была́ всегда́ умне́е, то́ньше и вер-не́е все́х. — Я сохрани́л все́ э́ти о́черки — и не́которыми

поки́нуть *prf.* [покида́ть], to leave
безвы́ездно, uninterruptedly, without leaving
чуть не, very nearly
успева́ть *imp.* [успе́ть], to man-age
спасти́сь *prf.* [спаса́ться], to escape
предлага́ть *imp.* [предложи́ть], to propose, offer
изда́ние, edition, publication
и т.п., и тому́ подо́бное, and the like
вообще́, in general
перезнако́миться *prf.*, to get / become / acquainted
наме́рен *pred.*, intend(s)

отли́чно, wonderfully
пода́рок, a present
отры́вок, selection, excerpt
до кра́йности, to the extreme, extremely, very
ниско́лько, not at all
вреди́ть *imp.* [по-], to spoil, harm
наслажде́ние, delight, pleasure, enjoyment
сообща́, together, jointly
презаба́вный, very amusing
разуме́ется, of course, naturally
то́ньше *comp.* of то́нкий subtle, keen
верне́е *comp.* of ве́рный most to the point, true

из ни́х (т. е. не́которыми характери́стиками) воспо́ль-
зуюсь для бу́дущих по́вестей. — Сло́вом, нам бы́ло
хорошо́ — ка́к форе́лям в све́тлом ручье́, когда́ со́лнце
ударя́ет по нём и проника́ет в волну́. — Вида́л ты их
тогда́? — Им о́чень тогда́ хорошо́ быва́ет — я в э́том
уве́рен. — Ах е́слибы не верну́лась моя́ прокля́тая
невралги́я!!!» Но́ не всё шло́ та́к гла́дко ме́жду ни́м и
Поли́ной, как э́то мо́жно заключи́ть из э́того письма́.
Их отноше́ния бы́ли кра́йне сло́жные и, для него́, ча́сто
мучи́тельные. В то́т перио́д Поли́на ви́делась сли́шком
ча́сто с изве́стным францу́зским худо́жником Ари́ Шеф-
фе́ром...

Зи́му 1856—57 г. Турге́нев жи́л в Пари́же. О́н был
бо́лен, одино́к и о́чень страда́л. Весно́й он был в Гер-
ма́нии, и в городке́ на Ре́йне, написа́л «А́сю,» расска́з
о несбы́вшемся сча́стьи. Он це́лый го́д путеше́ствовал
оди́н по Евро́пе (отноше́ния с Поли́ной бы́ли плохи́е), и
в ию́не 1858 г. верну́лся в Росси́ю и в Спа́сском всё
ле́то писа́л *Дворя́нское гнездо́* (A Nest of Gentlefolk),
кото́рое появи́лось в *Совреме́ннике* в 1859 г. Успе́х э́той
ве́щи был огро́мный. Турге́нев бесспо́рно стоя́л на
пе́рвом ме́сте среди́ ру́сских писа́телей.

Десятиле́тие ме́жду 1850 и 1860 г. бы́ло са́мым про-
дукти́вным в жи́зни Турге́нева. По́сле *Дворя́нского
гнезда́*, он написа́л автобиографи́ческую по́весть «Пе́р-
вая любо́вь,» в кото́рой да́н прекра́сный портре́т его́
отца́-сопе́рника. Зате́м, в 1860 г. в журна́ле *Ру́сский*

воспо́льзоваться *prf.* [пользо-
  ваться], (+ *instr.*) take advantage of, use
сло́вом, in a word
форе́ль *f.*, trout
све́тлый, bright
руче́й, brook
ударя́ть *imp.* [уда́рить], to
  strike
проника́ть *imp.* [прони́кнуть],
  to penetrate
волна́, wave
прокля́тый, cursed

гла́дко, smoothly
заключи́ть *prf.* [заключа́ть], to
  conclude
кра́йне, extremely
сло́жный, complex
мучи́тельный, tormenting
худо́жник, artist, painter
одино́к *pred.*, lonely
несбы́вшийся, unrealized, *p.a.p.*
  of сбы́ться *prf.*
бесспо́рно, unquestionable
десятиле́тие, decade
сопе́рник, rival

ве́стник (*Russian Herald*), появи́лся рома́н *Накану́не* (On the Eve), напи́санный наполови́ну в Куртавене́ле, наполови́ну в Спа́сском. В ноябре́ 1859 г. Турге́нев писа́л в одно́м письме́, что осно́вой э́той ве́щи была́ «мысль о необходи́мости созна́тельно геро́йческих нату́р...» Появле́ние ка́ждого рома́на Турге́нева бы́ло больши́м собы́тием, вызыва́вшим бесконе́чную поле́мику. Черныше́вский и Добролю́бов ре́зко напада́ли на Турге́нева за «нереволюцио́нность» его́ пози́ций. В результа́те э́того, Турге́нев с 1860 г. переста́л дава́ть свои́ ве́щи в *Совреме́нник*.

В ма́рте 1862, в *Ру́сском ве́стнике* был напеча́тан его́ рома́н *Отцы́ и де́ти* (*Fathers and Children*). Э́тот рома́н вы́звал невероя́тное волне́ние. Мно́гие при́няли э́ту ве́щь как оскорбле́ние но́вого поколе́ния, ка́к ве́щь реакцио́нную, как идеализа́цию поме́щиков. На страни́цах *Совреме́нника* появи́лись обличи́тельные статьи́ в тако́й неприе́млемой для Турге́нева фо́рме, что о́н публи́чно заяви́л о своём вы́ходе из журна́ла. В то́м же году́ о́н уе́хал из Росси́и.

Поли́на Виардо́ ра́но потеря́ла го́лос. Уйдя́ со сце́ны, она́ посели́лась в Ба́ден-Ба́дене, в са́мом фешенебе́льном неме́цком куро́рте, где́ устро́ила шко́лу пе́ния. Турге́нев посети́л её в Ба́дене и реши́л то́же посели́ться та́м. Францу́зский архите́ктор вы́строил ему́ до́м о́коло до́ма Поли́ны. В до́ме был устро́ен театра́льный за́л, и

осно́ва, basis
созна́тельно, consciously
вызыва́вший, giving rise to *p.a.p.*
  of вызыва́ть *imp.*
бесконе́чный, endless
напада́ть *imp.* [напа́сть] (на + *acc.*), to attack
пози́ция, stand
в результа́те, as a result
переста́ть *prf.* [переставать], to stop, cease
невероя́тный, incredible
волне́ние, agitation, excitement

оскорбле́ние, insult
поколе́ние, generation
обличи́тельный, accusatory
неприе́млемый, unacceptable
заяви́ть *prf.* [заявля́ть], to announce
вы́ход, withdrawal, severance
сце́на, stage
посели́ться *prf.* [поселя́ться], to settle
куро́рт, health resort
устро́ен, arranged, set up, *pred. p.p.p.* of устро́ить *prf.*

Виардо́ со свои́ми учени́цами ста́вили та́м опере́тки. Турге́нев писа́л для ни́х либре́тто, а Виардо́ сочиня́ла му́зыку, кото́рую иногда́ обраба́тывал для неё Фра́нц Лист (Franz Liszt). Мужские ро́ли в пьесах исполня́л са́м Турге́нев. Пу́блика у них быва́ла о́чень изы́сканная: пру́сский коро́ль Вильге́льм, ру́сские князья́, изве́стные музыка́нты и писа́тели. Жи́знь была́ весёлая и разнообра́зная. С Лу́й Виардо́ Турге́нев бы́л в прекра́сных отноше́ниях и ча́сто ходи́л с ним на охо́ту в живопи́сные окре́стности Ба́дена.

Тако́й о́браз жи́зни не мо́г спосо́бствовать его́ популя́рности в Росси́и; о́н всё бо́льше отдаля́лся от ро́дины.

За э́тот Ба́денский пери́од написа́л он ма́ло. В феврале́ 1863 г. в письме́ к свое́й прия́тельнице графи́не Ла́мберт он говори́т: «Я пове́сил своё перо́ на гвоздик. Росси́я мне ста́ла чужда́, и я не зна́ю, что́ сказа́ть о не́й. В таки́х слу́чаях, как говори́тся, le silence est d'or [молча́ние — зо́лото].»

Писа́ть о́н одна́ко не переста́л. В ма́рте 1867 г. в *Ру́сском ве́стнике* бы́л опублико́ван его́ рома́н *Ды́м* (*Smoke*), в кото́ром а́втор саркасти́чески опи́сывает ру́сское о́бщество и всё его́ вражду́ющие ме́жду собо́й тече́ния. Опя́ть подняла́сь стра́шная бу́ря. В одно́м письме́ Турге́нев писа́л друзья́м, что его́ произведе́ние

ста́вить *imp.* [по], to stage, produce
опере́тка, operetta
сочиня́ть *imp.* [сочини́ть], to compose
обраба́тывать *imp.* [обрабо́тать] to polish
мужско́й, male *adj.*
исполня́ть *imp.* [испо́лнить] роль *f.*, to play the rôle, take the part
пру́сский, Prussian
разнообра́зный, varied, diverse
живопи́сный, picturesque
окре́стность *f.*, environs
о́браз жи́зни, way of life, mode of living

спосо́бствовать *imp.*, to contribute
отдаля́ться *imp.* [отдали́ться], to grow away from
графи́ня, countess
пове́сить *prf.* [ве́шать], to hang
гвоздик *dim.* of гвоздь, nail
чужд *pred.*, alien
опубликова́ть *prf.* [публикова́ть], to publish
вражду́ющий, warring, strifing, *pr.a.p.* of враждова́ть *imp.*, to be at war
тече́ние, current
подня́ться *prf.* [поднима́ться], to arise, rise
бу́ря, storm

восстановѝло прóтив негó в Россѝи «людéй религиóз-
ных, придвóрных, славянофѝлов и патриóтов,» что егó
«ругáют всé — и крáсные и бéлые, и свéрху, и снѝзу, и
сбóку,» что «ещё никогдá и никогó тáк дрýжно не
ругáли,» кáк егó за *Дым*.

Враждéбное к немý отношéние Россѝи и егó отчуждённость от неё, вызывáло в нём óчень гóрькие чýвства.
В январé 1870 г. он пѝшет из Бáдена: «... Никакóго
нéт сомнéния, что рýсский писáтель, поселѝвшийся в
Бáдене, тéм сáмым осуждáет своё писáтельство на скó-
рый конéц. Я на э́тот счёт не обмáнываюсь, нó тáк как
э́того переделáть нельзя́, тó и толковáть об э́том нéчего.»
В ромáне Рýдин Лежнёв, одѝн из персонáжей, говорѝт:
«Несчáстье Рýдина состоѝт в тóм, что óн Россѝи не
знáет, и э́то, тóчно, большóе несчáстье. Россѝя без
кáждого из нáс обойтѝсь мóжет, нó никтó из нáс без
неё не мóжет обойтѝсь. Гóре томý, кто э́то дýмает, двой-
нóе гóре томý, кто действѝтельно без неё обхóдится!
Космополитѝзм — чепухá, космополѝт — нуль, хýже
нуля́; внé нарóдности ни хýдожества, ни ѝстины, ни
жѝзни, ничегó нéт.» Немнóго дáльше óн добавля́ет:

восстановѝть *prf.* [восстанáвли-
  вать] (прóтив + *gen.*), to set
  against
придвóрный, courtier
ругáть *imp.*, to scold, slander,
  curse
сбóку, from the side
дрýжно, unanimously, in harmony
враждéбный, hostile
отношéние (к + *dat.*), feeling
  towards
отчуждённость *f.*, estrangement
гóрький, bitter
сомнéние, doubt
тем сáмым, thereby, by this very
  fact
осуждáть *imp.* [осудѝть], to
  sentence
писáтельство, writing, work

на э́тот счёт, in this matter, on
  that score
обмáнываться *imp.* [обманýть-
  ся], to deceive / fool / oneself
переделáть *prf.* [переделывать],
  to change, alter
толковáть, to talk, discuss
несчáстье, misfortune
состоя́ть *imp.* (в + *loc.*), to consist in, to be
обойтѝсь *prf.* [обходѝться], to
  do / get along / without
гóре томý кто, woe to him who
двойнóй, double
чепухá, nonsense
нуль *or* ноль *m.*, zero, nothing,
  cipher
внé, outside
нарóдность *f.*, nativeness
худóжество, art
добавля́ть *imp.*[добáвить],to add

«... э́то не вина́ Ру́дина: э́то его́ судьба́, судьба́ го́рькая и тяжёлая, за кото́рую мы́-то уж вини́ть его́ не ста́нем.» В 1855 г. когда́ Турге́нев писа́л э́ти стро́ки он как-бу́дто, в изве́стной сте́пени, предви́дел свою́ со́бственную судьбу́.

Фра́нко-пру́сская война́ положи́ла коне́ц Ба́денской жи́зни. Турге́нев, сле́дуя всю́ду за семе́йством Виардо́, перее́хал снача́ла в Ло́ндон, а отту́да, по́сле заключе́ния ми́ра — во Фра́нцию.

Весно́й Турге́нев обыкнове́нно е́здил в Росси́ю. Ле́то и о́сень проводи́л в Бужива́ле недалеко́ от Пари́жа. Э́то име́ние на берегу́ Се́ны он купи́л вме́сте с Виардо́. Зимо́й он жил в Пари́же. В до́ме на rue de Douai Турге́нев жил наверху́, а Виардо́ занима́ли ни́жний эта́ж. Всё посети́тели знамени́того писа́теля (а их бы́ло нема́ло) проходи́ли че́рез кварти́ру Поли́ны и её контро́ль.

За до́лгие го́ды, проведённые Турге́невым во Фра́нции, он о́чень сбли́зился с выдаю́щимися францу́зскими литера́торами. Его́ лу́чшим дру́гом был Гюста́в Флобе́р (Gustave Flaubert), в кварти́ре кото́рого, по воскре́сеньям, встреча́лись Мопасса́н (Maupassant), Додэ́ (Daudet), Золя́ (Zola), бра́тья Гонку́ры (Goncourt) и са́м Турге́нев. Собира́лись они́ регуля́рно и в рестора́нах, где зака́зывали изы́сканные блю́да и ви́на, чита́ли друг дру́гу свои́ произведе́ния, обсужда́ли и критикова́ли их. С мне́нием Турге́нева всё о́чень счита́лись, доверя́я его́

вина́, fault
тяжёлый, hard
мы́-то уж, we at least
строка́, line
как бу́дто, as if
в изве́стной сте́пени, in a certain degree
предви́деть *imp.* and *prf.*, to foresee
положи́ть коне́ц, to put an end to
сле́дуя, following, *pr.adv.p.* of сле́довать *imp.*
семе́йство, family
заключе́ние ми́ра, conclusion making of peace

посети́тель *m.*, visitor
сбли́зиться *prf.* [сближа́ться] (с + *instr.*), to grow close to
выдаю́щийся, outstanding
зака́зывать *imp.* [заказа́ть], to order
изы́сканное блю́до, fine dish, delicate dish
обсужда́ть *imp.* [обсуди́ть], to discuss
счита́ться *imp.* (с + *instr.*), to consider, reckon with
доверя́я, trusting, *pr.adv.p.* of доверя́ть *imp.*

прекрáсному вкýсу. Óн пóльзовался большóй популя́рностью среди́ свои́х коллéг-писáтелей. В 1868 г. Проспéр Меримé писáл: «Тургéнева называ́ют одни́м из вождéй реалисти́ческой шкóлы.» Перевóды егó вещéй печáтались в журнáле *Revue des Deux Mondes*. В немéцких журнáлах писáли о нём óчень лéстные статьи́. Гéнри Джеймс (Henry James) тóже высокó цени́л егó.

В Пари́же, в 1878 г. на междунарóдном литератýрном конгрéссе, Тургéнев был и́збран ви́це-президéнтом и сидéл ря́дом с Виктóром Гюгó (Victor Hugo), президéнтом конгрéсса. Рéчь Тургéнева посвящённая рýсской литератýре былá встрéчена óчень теплó. Э́то был не тóлько ли́чный успéх, э́то бы́ло как бы признáнием рýсской литератýры, до тех пóр ещё занимáвшей скрóмное мéсто, и к котóрой ещё относи́лись с нéкоторым недовéрием.

Тургéнев сыгрáл вáжную рóль в ознакомлéнии Еврóпы с рýсской литератýрой. Ещё в 1845 г. вы́шла в Пари́же кни́га расскáзов Гóголя переведённая на францýзский язы́к Луи́ Виардó. В предислóвии Виардó пи́шет, что не знáет рýсского языкá и выражáет благодáрность Тургéневу, переводи́вшему емý кáждую фрáзу. В 1866 г. Тургéнев писáл Ви́льяму Рáльстону, англи́йскому кри́тику и перевóдчику: «... Не говоря́ ужé о Гóголе, я дýмаю, что произведéния грáфа Львá Толстóго, Острóвского, Пи́семского и Гончарóва мóгут предстáвить интерéс и по своéй нóвой манéре восприя́тий и по

пóльзоваться популя́рностью, to enjoy popularity

вождь *m.*, leader

цени́ть *imp.* / о- /, to value

и́збран, elected, *pred.p.p.p.* of избрáть *prf.*

посвящённый, dedicated, *p.p.p.* of посвяти́ть *prf.*

как бы, as though

признáние, recognition

до тех пóр, hitherto

относи́ться *imp.* [отнести́сь] (к

+ *dat.*), to regard, feel toward

нéкоторое, some

недовéрие, skepticism, distrust

ознакомлéние, making known, introduction

ещё в ..., as early as

предилсóвие, foreword

не говоря́ ужé о, without even mentioning

представля́ть *imp.* [предстáвить] интерéс, to be of interest

восприя́тие, perception

передáче поэти́ческих впечатле́ний; нельзя́ отрицáть, что со вре́мени Го́голя нáша литератýра приняла́ оригинáльный харáктер; хоте́лось бы знáть то́лько, достáточно ли вы́явлена э́та оригинáльность, чтóбы возбуди́ть к не́й ·интере́с и други́х нáций.» В 1874 г. он писáл из Пари́жа: «... постарáюсь помести́ть в *Revue des Deux Mondes* и́ли в *Temps* его́ [Толстóго] 'Три́ сме́рти', а к о́сени напечáтаю *Казáков*.» В то́м же годý, по его́ сове́ту, францýз Эми́ль Дюрáн, довóльно хорошо́ знáвший рýсский язы́к, перевёл знамени́тую дрáму Остро́вского *Гроза́*. Турге́нев сáм испрáвил всё оши́бки в э́том перево́де. В 1877 г. Дюрáн бы́л по́слан *Revue des Deux Mondes* в Росси́ю, для составле́ния моногрáфии о выдаю́щихся рýсских писáтелях. Турге́нев, несмотря́ на то́, что уже́ не́сколько ле́т был в ссо́ре с Достое́вским, напрáвил к немý Дюрáна с письмо́м: «... Вы́, я уве́рен, не сомневáлись в то́м, что недоразуме́ния э́ти не могли́ име́ть никакóго влия́ния на моё мне́ние о вáшем первоклáссном талáнте и о то́м высóком ме́сте, котóрое вы по прáву занимáете в нáшей литератýре.»

Литератýра и литератýрные интере́сы всегда́ стоя́ли для Турге́нева вы́ше всего́.

Отчуждённость Турге́нева от Росси́и всё бо́льше давáла себя́ чýвствовать и в его́ вещáх и в отноше́нии к немý рýсской пýблики. Э́то бы́ло те́м бо́лее траги́чно для негó, что, кáк Виардó не моглá дáть емý настоя́щего счáстия семе́йной жи́зни, так и Фрáнция не стáла для негó вполне́ «свое́й.» Прожи́в большýю часть жи́зни вне

передáча, transmission, rendering
впечатле́ние, impression
приня́ть *prf.* [принимáть] харáктер, to assume a character
вы́явлен, made apparent *pred.*
p.p.p. of вы́явить *prf.*
возбуди́ть *prf.* [возбуждáть], to arouse
гроза́, storm
составле́ние, compiling
ссо́ра, quarrel

напрáвить *prf.* [направля́ть], to direct
сомневáться *imp.* [усомни́ться], to doubt
недоразуме́ние, misunderstanding
по прáву, by right
давáть *imp.* [дать] себя́ чýвствовать, to be perceptible
тем бо́лее, the more
вполне́, fully

Россúи, óн мóг писáть тóлько о Россúи. Но вдалú от неё, сюжéты егó вещéй становúлись всё бóлее схематúческими, óбразы сухúми, повторя́ющимися. Напúсанный им в 1876 г. ромáн *Нóвь* (*Virgin Soil*) был прúнят в Россúи óчень хóлодно.

Пóсле появлéния *Нóви* Тургéнев писáл в однóм письмé: «В судьбé кáждого из рýсских нéсколько выдаю́щихся писáтелей былá трагúческая сторонá: моя́ — абсентеúзм, причúны котóрого бы́ло бы дóлго расскáзывать, нó влия́ние котóрого неотразúмо сказáлось ...» Нó в егó писáтельской судьбé неожúданно произошлá перемéна.

В февралé 1879 г. Тургéнев, как почтú кáждый гóд, приéхал на корóткое врéмя в Россúю, и на э́тот рáз, бы́л встрéчен с необычáйным энтузиáзмом. Егó всю́ду прилашáли, чéствовали, устрáивали дóлгие овáции. Студéнты (и осóбенно студéнтки) трéбовали егó автóграфов. Газéты посвящáли емý дли́нные статьú; нéсколько рýсских университéтов избрáли егó свои́м почётным члéном.

К э́тому перúоду пóздней слáвы отнóсится и егó послéдняя любóвь.

В тý зúму шлá в Петербýрге егó пьéса *Мéсяц в дерéвне*. Глáвную рóль игрáла молодáя талáнтливая артúстка Сáвина (пóзже большáя знаменúтость). По её приглашéнию Тургéнев приéхал в теáтр. Пýблика егó узнáла, мнóго раз вызывáла егó на сцéну и аплодисмéнтам нé было концá. Сáвина игрáла прекрáсно. Спектáкль был настоя́щим триýмфом для нúх обóих. С э́того дня́ началáсь их дрýжба, скóро превратúвшаяся в любóвь.

сюжéт, subject matter
сухóй, dry
повторя́ющийся, repetitious, *pr.
a.p.* of повторя́ться *imp.*
нéсколько, (*here*) somewhat
неотразúмо, irresistibly, irreparably
сказáться *prf.* [скáзываться], to tell on (one), be shown
неожúданно, unexpected(ly)
произойтú *prf.* [происходúть], to occur, take place

перемéна, change
чéствовать *imp.*, to celebrate
посвящáть *imp.* [посвятúть], to devote
почётный, honorary
отнóситься *imp. only* (к + *dat*), to belong
спектáкль m., performance
превратúвшийся (в + *acc.*), which turned into, *p.a.p.* of превратúться *prf.*

Встре́ча с Са́виной и тёплый приём ока́занный ему́ Росси́ей, та́к тро́нул Турге́нева, что о́н да́же ду́мал та́м оста́ться, но́ всё же верну́лся во Фра́нцию.

Заграни́цей его́ ждал ещё оди́н успе́х: оксфо́рдский университе́т поднёс ему́ дипло́м до́ктора гражда́нского пра́ва.

На сле́дующий го́д, прие́хав опя́ть в Росси́ю на торже́ственное откры́тие па́мятника Пу́шкину в Москве́, Турге́нев возобнови́л встре́чи с Са́виной. Его́ чу́вство к ней станови́лось всё сильне́е. Любо́вь без бу́дущего, (ему́ бы́ло 62, ей 25) характе́рна для Турге́нева. В одно́м письме́ о́н писа́л ей: «Вы ста́ли в мое́й жи́зни чём то таки́м, с кото́рым я уже́ никогда́ не расста́нусь.» Вско́ре, одна́ко, о́н опя́ть верну́лся к Поли́не во Фра́нцию, отку́да писа́л Са́виной дли́нные, не́жные пи́сьма. Их лири́ческая перепи́ска продолжа́лась да́же по́сле того́, как Са́вина сообщи́ла ему́ о своём обруче́нии.

С весны́ 1882 г. начала́сь у Турге́нева боле́знь, кото́рая почти́ лиши́ла его́ возмо́жности дви́гаться. Внача́ле врачи́ называ́ли э́то невралги́ей и счита́ли боле́знь несерьёзной. Но́ у Турге́нева появи́лись мра́чные предчу́вствия. В ма́е 1882 г. о́н писа́л друзья́м: «Когда́ вы бу́дете в Спа́сском, поклони́тесь от меня́ до́му, са́ду, моему́ молодо́му ду́бу — ро́дине поклони́тесь, кото́рую я уже́, вероя́тно, никогда́ не уви́жу.»

Несмотря́ на страда́ния, Турге́нев не перестава́л рабо́тать. К э́тому пери́оду отно́сятся не́которые из «Сти-

---

всё же, still
поднести́ *prf.* [подноси́ть], to present, award
гражда́нское пра́во, civil law
торже́ственный, formal, solemn
откры́тие, unveiling, opening
возобнови́ть *prf.* [возобновля́ть] to resume
бу́дущее, the future
характе́рен *pred.*, typical
перепи́ска, correspondence

сообщи́ть *prf.* [сообща́ть], to announce
обруче́ние, engagement
лиши́ть *prf.* [лиша́ть] (+ *gen.*), to deprive
мра́чный, gloomy, sombre
поклони́ться *prf.* [кла́няться], to give one's greetings / regards
дуб, oak
отно́сятся к пери́оду, date from / belong to / that period

хотворёний в прóзе» и мрáчная пóвесть «Клáра Мúлич.» Óн тáкже продолжáл перепúску с литератýрными друзьями, внимáтельно разбирáл их произведёния, котóрые онú емý посылáли, и давáл им тóнкие и мýдрые совёты.

Состоя́ние егó здорóвья ухудшáлось. Врачú давáли егó болéзни всё бóлее и бóлее слóжные назвáния и, не знáя что дéлать, совéтовали пить возмóжно бóльше... молокá! Рáнней веснóй 1883 г. егó перевезлú в Буживáль.

Бóли егó усúливались и óн ужé не мóг обходúться без мóрфия. Ухáживала за ним Полúна, потеря́вшая тóй же веснóй своегó мýжа. В бредý Тургéнев кáк-то назвáл её «Лéди Макбéт.» Бы́л э́то тóлько брéд úли выражéние гóречи, накопúвшейся за стóлько лéт их слóжных отношéний?

«Невралгúя» оказáлась рáком позвонóчника. Ивáн Сергéевич Тургéнев ýмер в Буживáле, 22-óго áвгуста 1883 гóда.

Тéло егó бы́ло перевезенó в Россúю.

В 1856 г. Тургéнев писáл Львý Толстóму: «... Я́ — писáтель перехóдного врéмени и гожýсь тóлько для людéй, находя́щихся в перехóдном состоя́нии...» Однáко, э́то оказáлось не совсéм тáк. В Россúи егó произ-

разбирáть *imp.* [разобрáть], analyze
плечó (*pl.* плéчи), shoulder
состоя́ние, condition
ухудшáться *imp.* [ухýдшиться], to become worse
врач, doctor
болéзнь *f.*, illness, disease
возмóжно бóльше, as much as possible
усúливаться *imp.* [усúлиться], (*here*) to become more acute
обходúться *imp.* [обойтúсь] (без + *gen.*), to get along without

ухáживать *imp.* (за + *instr.*), to take care of, attend
потеря́вший, who has lost, *p.a.p.* of потеря́ть *prf.*
бред, delirium
кáк-то, once
гóречь *f.*, bitterness
накопúвшийся, accumulated, *p.a.p.* of накопúться *prf.*
рак, cancer
позвонóчник, spine
перехóдный, transition *adj.*
годúться *imp.* [при-], to be good for, suit
оказáться *prf.* [окáзываться], to prove / turn out / to be

веде́ния печа́таются в миллио́нах экземпля́ров, пье́сы его́ до сих по́р иду́т на сове́тских сце́нах. В Евро́пе и Аме́рике появля́ются кни́ги и статьи́ о нём, как и но́вые перево́ды его́ веще́й.

Турге́нев и тепе́рь занима́ет почётное ме́сто в мирово́й литерату́ре.

печа́таться *imp.*, to be printed,
  published

экземпля́р, copy
как и, as well as

И. С. ТУРГЕ́НЕВ

РУ́ДИН

I

Бы́ло ти́хое ле́тнее у́тро. Со́лнце уже́ дово́льно вы-
со́ко стоя́ло на чи́стом не́бе, но́ поля́ ещё блесте́ли росо́й;
из неда́вно проснувшихся доли́н ве́яло души́стой све́-
жестью, и в лесу́, ещё сыро́м и не шу́мном, ве́село рас-
пева́ли ра́нние пти́чки. На верши́не поло́гого холма́,
све́рху до́низу покры́того ро́жью, видне́лась небольша́я
дереве́нька. К э́той дереве́ньке, по у́зкой доро́жке, шла
молода́я же́нщина, в бе́лом кисе́йном пла́тье, кру́глой
соло́менной шля́пе и с зо́нтиком в руке́. Казачо́к и́здали
сле́довал за ней.

Она́ шла́ не торопя́сь и как бы наслажда́ясь прогу́л-

блесте́ть, to glitter, sparkle
роса́, dew
просну́вшийся, awakened, *p.a.p.*
  of просну́ться *prf.*
доли́на, valley
ве́ять *imp.* [по-,], to blow gently,
  emanate, breathe forth; ве́яло
  (+ *instr.*) there came a breath
  of
души́стый, fragrant
све́жесть *f.*, freshness
сыро́й, damp
распева́ть *imp.*, to sing (away)
верши́на, crest
поло́гий, gently sloping
холм, hill
све́рху до́низу, from top to
  bottom
покры́тый, covered, *p.p.p.* of
  покры́ть *prf.*
рожь *f.*, rye

видне́ться *imp.*, to be seen, be
  visible
дереве́нька (*dim.* of дере́вня),
  hamlet, small village
кисе́йный, muslin *adj.*
кру́глый, round
соло́менный *adj.* from соло́ма,
  straw
зо́нтик, parasol, umbrella
казачо́к, boy servant
и́здали, at a distance
сле́довать *imp.* [по-], (за +
  instr.), to follow, come after
торопя́сь, hurrying, *pr.adv.p.* of
  торопи́ться *imp.*; не торопя́сь,
  without haste
как бы, as if, seemingly
наслажда́ясь (+ *instr.*) enjoying,
  taking delight, *pr.adv.p.* of
  наслажда́ться *imp.*
прогу́лка, walk, stroll, promenade

кой. Кругóм, по высóкой ржи, с мя́гким шéлестом бежáли дли́нные вóлны; в вышинé звенéли жáворонки. Молодáя жéнщина шлá из сóбственного своегó селá, отстоя́вшего не бóлее версты́ от деревéньки, кудá онá направля́лась; звáли её Алексáндрой Пáвловной Ли́пиной. Онá былá вдовá, бездéтна и довóльно богáта, жилá вмéсте со свои́м брáтом, отставны́м штаб-рóтмистром, Сергéем Пáвлычем Волы́нцевым. Он нé был женáт и распоряжáлся её имéнием.

Алексáндра Пáвловна дошлá до деревéньки, остановилась у крáйней избýшки, весьмá вéтхой и ни́зкой, и, подозвáв своегó казачкá, велéла емý войти́ в неё и спроси́ть о здорóвьи хозя́йки. Он скóро вернýлся в сопровождéнии дря́хлого мужикá с бéлой бородóй.

— Ну что? — спроси́ла Алексáндра Пáвловна.

— Живá ещё... — проговори́л стари́к.

— Мóжно войти́?

— Отчегó же? мóжно.

Алексáндра Пáвловна вошлá в избý. В нéй бы́ло

мя́гкий, gentle, soft
шéлест, murmur, rustle
волнá, wave
в вышинé, on high
звенéть *imp.*, to trill
жáворонок, skylark
сóбственный, own
селó, (large) village, (*here*) estate
отстоя́ть, to lie ... away
верстá, verst (*pre-rev.* measure, $^2/_3$ of a mile)
направля́ться *imp.* [напрáвиться], to go, direct one's steps
звáть *imp.* [на-], to call, name; звáли её, her name was
вдовá, widow
бездéтный, childless
отставнóй, retired
штаб-рóтмистр (*pre-rev.*), captain of cavalry
распоряжáться *imp.* (+ *instr.*), to manage, be in command, be in charge of

имéние, estate
крáйний, (*here*) last
избýшка (*dim.* of избá) peasant house, cottage, hut
весьмá (*book.* for óчень) very, most
вéтхий, tumbledown, old
ни́зкий, low
подозвáв, summoning, *p.adv.p.* of подозвáть *prf.*
велéть *imp.* and *prf.*, to order, tell
здорóвье, health
хозя́йка, mistress
сопровождéние, escort; в сопровождéнии, escorted by, accompanied
дря́хлый, decrepit
бородá, beard
ну что? (*here*) well?
жив *pred.*, alive
проговори́ть *prf.*, to say, utter
отчегó же? why not?

и те́сно, и ду́шно, и ды́мно... Кто́-то закопоши́лся и застона́л на лежа́нке. Алекса́ндра Па́вловна огляну́лась и уви́дела в полумра́ке жёлтую и смо́рщенную го́лову стару́хи; она́ дыша́ла с трудо́м.

Алекса́ндра Па́вловна прибли́зилась к стару́шке и прикосну́лась па́льцами до её лба... он та́к и пыла́л.

— Ка́к ты себя́ чу́вствуешь, Матрёна? — спроси́ла она́, наклони́вшись над лежа́нкой.

— О-ох! — простона́ла стару́шка, всмотре́вшись в Алекса́ндру Па́вловну. — Пло́хо, пло́хо, родна́я! Сме́ртный ча́сик пришёл, голу́бушка!

— Бо́г ми́лостив, Матрёна: мо́жет бы́ть, ты попра́вишься. Ты приняла́ лека́рство, кото́рое я тебе́ присла́ла?

Стару́шка зао́хала и не отвеча́ла. Она́ не расслы́шала вопро́са.

те́сно, crowded

ду́шно, stuffy

ды́мно, smoky

закопоши́ться *prf.inch.* [копоши́ться], to stir *intr.*

застона́ть *prf.inch.* [стона́ть], to moan, groan

лежа́нка, stove bench

огляну́ться *prf.* [огля́дываться], to look round, look back

полумра́к, semidarkness

жёлтый, yellow

смо́рщенный, wrinkled, *p.p.p.* of смо́рщить *prf.*

дыша́ть *imp.*, to breathe

прибли́зиться *prf.* [приближа́ться], to approach, come up

прикосну́ться *prf.* [прикаса́ться], to touch

па́лец (па́льцы *pl.*), finger

лоб, forehead, brow

пыла́ть *imp.*, to be on fire, be burning hot; так и, before the verb, here indicates intensity of the action

наклони́вшись, leaning over, bending, *p.adv.p.* of наклони́ться *prf.*

простона́ть *prf.* [стона́ть], to moan

всмотре́вшись (в + *acc.*), peering at, *p.adv.p.* of всмотре́ться *prf.*

родно́й, (*here*) dear

сме́ртный *adj.* of смерть *f.*, death; сме́ртный ча́с, last hour, hour of death

голу́бушка *f.*, (*colloq.*), my dear, darling (*m.* голу́бчик)

ми́лостив *pred.*, merciful

попра́виться *prf.* [поправля́ться], to get better / well

приня́ть *prf.* [принима́ть], (*here*) to take

лека́рство, medicine

присла́ть *prf.* [присыла́ть], to send

останови́вшийся, who has stopped, *p.a.p.* of останови́ться *prf.*

зао́хать *prf. inch.* [о́хать], то moan

рассл́ышать *prf.*. to make out, hear

— Приняла́, — проговори́л стари́к, останови́вшийся у две́ри.

Алекса́ндра Па́вловна обрати́лась к нему́.

— Кро́ме тебя́, при ней никого́ нет? — спроси́ла она́.

— Есть де́вочка — её вну́чка, но она́ всё[1] убега́ет. Не посиди́т: така́я егозли́вая. Воды́ пода́ть испи́ть ба́бке — ей лень. А я сам стар: куда́ мне!

— Не перевезти́ ли её ко мне в больни́цу?

— Нет! заче́м в больни́цу! всё одно́ помира́ть-то. Пожила́ дово́льно; ви́дно, уж так Бо́гу уго́дно. С лежа́нки не схо́дит. Где́ ж ей в больни́цу! Её ста́нут поднима́ть, она́ и помрёт.

— Ох, — застона́ла больна́я: — краса́вица ба́рыня, сиро́точку-то мою́ не оста́вь...

Стару́шка умо́лкла. Она́ говори́ла через си́лу.

— Не беспоко́йся, — промо́лвила Алекса́ндра Па́вловна: — всё бу́дет сде́лано. Вот я тебе́ ча́ю и са́хару принесла́. Е́сли захо́чется, вы́пей... Ведь самова́р у вас есть? — приба́вила она́, взгляну́в на старика́.

обрати́ться *prf.* [обраща́ться], (к + *dat.*) to address, turn to
при ней, with her, beside her
вну́чка, granddaughter (внук, grandson)
убега́ть *imp.* [убежа́ть], to run away, be off
егозли́вый, fidgety
испи́ть *prf.* (*pop.*), to drink
ба́бка (*pop.*), grandmother
лень *f.*, lazy mood, laziness; as *pred.* with *dat.*: ей лень, she is too lazy for/to
куда́ мне!, how could I! it's not for me!
всё одно́, it's all one
помира́ть *imp.* [помере́ть] (*pop.*), to die
ви́дно, apparently, plainly

так Бо́гу уго́дно, such is God's will
сходи́ть *imp.* [сойти́], to leave, get off
где́ же ей, how could she
краса́вица, a beauty
ба́рыня (*pre-rev.*), madam, lady
сиро́точка *affect.* of сирота́, orphan
оста́вить *prf.* [оставля́ть], to abandon, leave
умолка́ть *imp.* [умо́лкнуть], to fall silent
через си́лу, at the limit of one's strength; with great effort.
промо́лвить *prf.* (*obs.*) [мо́лвить] (*poet. pop*), to say
ведь, of course, but
приба́вить *prf.* [прибавля́ть], to add

[1] всё, used adverbially preceding a verb, shows that the action is persistently repeated or continued (она́ всё убега́ет, she keeps running away).

— Самова́р? Самова́ра у нас не́ту, а доста́ть мо́жно.

— Так доста́нь, а то́ я пришлю́ свой. Да прикажи́ вну́чке, чтобы она́ не убега́ла. Скажи́ ей, что э́то сты́дно.

Стари́к ничего́ не отвеча́л, а свёрток с ча́ем и са́харом взя́л в о́бе руки́.

— Ну, проща́й, Матрёна! — проговори́ла Алекса́ндра Па́вловна: — я к тебе́ ещё приду́, а ты́ не уныва́й и лека́рство принима́й аккура́тно...

Стару́ха приподняла́ го́лову и потяну́лась к Алекса́ндре Па́вловне.

— Дай, ба́рыня, ру́чку, — пролепета́ла она́.

Алекса́ндра Па́вловна не дала́ ей руки́, нагну́лась и поцелова́ла её в лоб.

— Смотри́ же, — сказа́ла она́, уходя́, старику́: — лека́рство ей дава́йте непреме́нно, как напи́сано... И ча́ем её напои́те...

Стари́к опя́ть ничего́ не отвеча́л и то́лько поклони́лся.

Свобо́дно вздохну́ла Алекса́ндра Па́вловна, очути́вшись на све́жем во́здухе. Она́ раскры́ла зо́нтик и хоте́ла

у нас не́ту (не́ту *colloq*, *for* нет), we have no
доста́ть *prf.* [достава́ть] to get
доста́нь, get, *imper.* of доста́ть *prf.*
прикажи́, order, *imper.* of приказа́ть *prf.*
а то, or else
сты́дно, (it is) a disgrace, shame
свёрток, package, bundle
проща́йте, good-by, farewell
не уныва́й, don't lose heart, *imper.* of уныва́ть *imp.*
аккура́тно, regularly
приподня́ть *prf.* [приподнима́ть], to lift a little
потяну́ться *prf.* [тяну́ться] (к + *dat.*), to stretch toward
пролепета́ть *prf.* [лепета́ть], to murmur

нагиба́ться *imp.* [нагну́ться], to bend
поцелова́ть *prf.* [целова́ть], to kiss
смотри́, take care, mind you, *imper.* of смотре́ть *imp.*
непреме́нно, without fail
напои́те, give to drink, make drink, *imper.* of напои́ть *prf.*
поклони́ться *prf.* [кла́няться], to bow
свобо́дно, freely
вздохну́ть *prf. inst.* [вздыха́ть], to take a breath, breathe
очути́вшись, finding oneself in / on, *p.adv.p.* of очути́ться *prf.*
раскры́ть *prf.* [раскрыва́ть], to open

бы́ло² итти́ домо́й, как вдру́г из-за угла́ избу́шки вы́-
ехал, на ни́зеньких беговы́х дро́жках, челове́к ле́т
тридцати́, в ста́ром пальто́ из се́рой коломя́нки и тако́й
же фура́жке. Уви́дев Алекса́ндру Па́вловну, о́н тотча́с
останови́л ло́шадь и оберну́лся к не́й лицо́м. Широ́кое,
без румя́нца, с небольши́ми бле́дно-се́рыми гла́зками и
белесова́тыми уса́ми, оно́ подходи́ло под цве́т его́
оде́жды.

— Здра́вствуйте, — проговори́л он с лени́вой усме́ш-
кой: — что́ это вы ту́т тако́е де́лаете, позво́льте узна́ть?

— Я навеща́ла больну́ю... А вы́ отку́да, Миха́йло
Миха́йлыч?

Челове́к, называ́вшийся Миха́йло Миха́йлычем, по-
смотре́л ей в глаза́ и опя́ть усмехну́лся.

— Это вы хорошо́ де́лаете, — продолжа́л он: — что
больну́ю навеща́ете; то́лько не лу́чше ли вам её в боль-
ни́цу перевезти́?

— Она́ сли́шком слаба́: её нельзя́ тро́нуть.

— А больни́цу свою́ вы не наме́рены уничто́жить?

ни́зенький (*dim.* of ни́зкий), low
беговы́е дро́жки, racing sulky
коломя́нка, heavy linen fabric
фура́жка, cap
тотча́с, instantly, immediately
оберну́ться *prf.*[обора́чиваться], to turn
румя́нец, color, ruddiness
бле́дно-се́рый, pale grey
белесова́тый, colorless, blond-ish
усы́ (*pl.* of у́с), moustache
подходи́ть *imp.* [подойти́], to match
цве́т, color
усме́шка, fleeting smile (ironical, bitter, sad)

позво́льте, may I, allow me, *imper.* of позво́лить *prf.*
навеща́ть *imp.* [навести́ть], to visit
называ́вшийся, who was called, *p.a.p.* of называ́ться *imp.*
усмехну́ться *prf.* [усмеха́ться], to smile (ironically, bitterly, sadly), smirk
продолжа́ть *imp.* [продо́лжить], to continue, go on
слаб *pred.*, weak
тро́нуть *prf. inst.* [тро́гать], to touch
(я, ты ...) наме́рен *pred.*, (I, you ...) intend
уничто́жить *prf.* [уничтожа́ть], to abolish, do away with

² бы́ло (unstressed), used as particle with verbs, denotes that an
action planned or intended was not performed (хоте́ла бы́ло итти́ ...
как вдруг, ... she was about to leave when suddenly ...) or that
an action only begun was abandoned or interrupted (он на́чал бы́ло,
he barely started).

— Уничтóжить? зачéм!

— Да тáк.

— Чтó за стрáнная мы́сль! С чегó э́то вам в гóлову пришлó?

— Да вы вóт с Ласýнской всё знáетесь и, кáжется, нахóдитесь под её влия́нием. А по её словáм, больни́цы, учи́лища — э́то всё пустяки́, ненýжные вы́думки. Благотворéние должнó бы́ть ли́чное, просвещéние тóже: э́то всё дéло души́... тáк, кáжется, онá выражáется. С чьегó э́то гóлоса онá поёт, желáл бы я знáть?

Алексáндра Пáвловна засмея́лась.

— Дáрья Михáйловна ýмная жéнщина, я её óчень люблю́ и уважáю; нó и онá мóжет ошибáться, и я не кáждому её слóву вéрю.

— И прекрáсно дéлаете, — возрази́л Михáйло Михáйлыч, всё не слезáя с дрóжек: — потомý что онá самá словáм свои́м плóхо вéрит. А я óчень рад, что встрéтил вас.

— А чтó?

— Хорóш вопрóс! Как бýдто не всегдá прия́тно вас встрéтить! Сегóдня вы тáк же свежи́ и милы́, как э́то ýтро.

Алексáндра Пáвловна опя́ть засмея́лась.

— Чемý же вы смеётесь?

— Кáк чемý? Éсли б вы моглú ви́деть, с какóй вя́-

да тáк, oh, just an idea

с чегó вáм э́то в гóлову пришлó? how did this occur to you?

знáться *imp.* (*colloq.*), to mingle with, see much of

находи́ться *imp.*, to be (somewhere, *or*, in some situation)

влия́ние, influence

по словáм, according to

учи́лище, school

пустяки́, nonsense

вы́думка, fancy

благотворéние (*obs.*), charity

ли́чный, personal, private

просвещéние, education, enlightenment

дéло души́, matter of conscience / heart

выражáться *imp.* [вы́разиться], to express oneself

с чьегó гóлоса онá поёт, whose words does she repeat? whose tune is she singing?

ýмный, intelligent, clever

уважáть *imp.*, to respect, esteem

ошибáться *imp.* [ошиби́ться], to err, make mistakes

вéрить *imp.* [по-], to trust, believe

и прекрáсно дéлаете, and right you are

возрази́ть *prf.* [возражáть], to answer, retort

вя́лый, apathetic, listless

слезáя, getting out of down from, *pr.adv.p.* of слезáть *imp.*

лой и холóдной мѝной вы произнеслѝ ваш компли-
мéнт! Удивлѧ́юсь, кáк вы не зевнýли на послéднем
слóве.

— С холóдной мѝной… Вам всё огнѧ́ нýжно; а огóнь
никудá не годѝтся. Вспы́хнет, надымѝт и погáснет.

— И согрéет, — подхватѝла Алексáндра Пáвловна.

— Дá… и обожжёт.

— Ну, чтó ж, что обожжёт! И э́то не бедá. Всё же
лýчше, чем…

— А вóт я посмотрю́, тó ли вы заговорѝте, когдá
хоть рáз хорошéнько обожжётесь, — перебѝл её с до-
сáдой Михáйло Михáйлыч и хлóпнул вожжóй по лóшади. — Прощáйте!

— Михáйло Михáйлыч, постóйте! — закричáла Алексáндра Пáвловна: — когдá вы у нас бýдете?

— Зáвтра; поклонѝтесь вáшему брáту.

И дрóжки покатѝлись.

Алексáндра Пáвловна посмотрéла вслéд Михáйлу
Михáйловичу.

мѝна, (facial) expression
произнестѝ *prf.* [произносѝть],
    to pronounce, utter
удивлѧ́ться *imp.* [удивѝться],
    to be surprised
зевнýть *prf. inst.* [зевáть], to
    yawn
огóнь *m.*, fire
годѝться *imp.*, to suit, fit;
    никудá не годѝтся, no good
    at all, good for nothing
вспы́хнуть *prf.* [вспы́хивать],
    to flare up
надымѝть *prf.* [дымѝть], to
    emit / fill with / smoke
погáснуть *prf.* [погасáть], to go
    out (for fire or light)
согрéть *prf.* [согревáть], to
    warm
подхватѝть *prf.* [подхвáтывать],
    to break in, rejoin, join in
обжéчь *prf.* [обжигáть], to burn,
    scorch
ну что ж, что …, well, what if
    (it does) …

бедá, misfortune, harm, trou-
    ble; э́то не бедá, it doesn't
    matter
всё же, still, all the same
тó ли вы заговорѝте, would you
    say this if
хоть рáз, if only once
хорошéнько, thoroughly
перебѝть *prf.* [перебивáть], to
    interrupt
досáда, annoyance, vexation
хлóпнуть *prf. inst.* [хлóпать], to
    hit
вожжá, rein
постóйте, wait a minute, stop,
    imper. of постоѧ́ть *prf.* to
    stand for a while
поклонѝтесь, give (my, our)
    regards, *imper.* of поклонѝть-
    ся *prf.* (*lit.*, to bow)
покатѝться *prf.*, to start off,
    roll off
вслéд, after; посмотрéть вслéд,
    to follow with one's eyes

«Какóй мешóк!» подýмала онá. Сгóрбленный, запылённый, с фурáжкой на затЫлке, из-под котóрой беспорЯдочно торчáли косИцы жёлтых волóс, óн, действИтельно, походИл на большóй мучнóй мешóк.

Алексáндра Пáвловна отпрáвилась тихóнько назáд по дорóге домóй. Онá шлá с опýщенными глазáми. БлИзкий тóпот лóшади застáвил её остановИться и поднЯть гóлову... Ей навстрéчу éхал её брáт верхóм; рЯдом с нИм шёл молодóй человéк небольшóго рóста, в лёгоньком сюртучкé нараспáшку, лёгоньком гáлстучке и лёгонькой сéрой шлЯпе, с трóсточкой в рукé. Он ужé давнó улыбáлся Алексáндре Пáвловне, хотЯ и вИдел, что онá шлá в раздýмьи, ничегó не замечáя, а как тóлько онá остановИлась, подошёл к ней и рáдостно, почтИ нéжно произнёс:

— Здрáвствуйте Алексáндра Пáвловна, здрáвствуйте!

— А! КонстантИн ДиомИдыч! Здрáвствуйте! — отвéтила онá. — Вы от Дáрьи МихáйловныЗ

— Тóчно так-с,[3] тóчно так-с, — подхватИл с сиЯю-

мешóк, sack	застáвить *prf.* [заставлЯть], to make, force, compel
сгóрбленный, hunched, stooped, *p.p.p.* of сгóрбить *prf.*	
запылённый, covered with dust, *p.p.p.* of запылИть *prf.*	навстрéчу, toward
затЫлок, back of head	верхóм, on horseback
беспорЯдочно, disorderly	рост, stature, небольшóго рóста, rather short
торчáть *imp.*, to stick out	лёгонький *dim.* of лёгкий, lightweight
косИца, strand, tuft	
вóлосы *pl.*, hair	сюртучóк *dim.* of сюртýк, frock coat
действИтельно, actually, truly	
походИть *imp.* (на + *acc.*), to resemble	нараспáшку, unbuttoned
	гáлстучек *dim.* of гáлстук, tie
мучнóй *adj.* from мукá, flour	трóсточка *dim.* of трость *f.*, cane
отпрáвиться *prf.* [отправлЯться], to start, go	улыбáться *imp.* [улыбнýться], to smile
назáд, back	в раздýмьи, lost in thought
тихóнько, slowly, without hurrying, quietly	как тóлько, as soon as
	рáдостно, joyfully
опýщенный, cast down, lowered, *p.p.p.* of опустИть *prf.*	нéжно, tenderly
	тóчно так-с, exactly
тóпот, trampling	сиЯющий, radiant, *pr.a.p.* of сиЯть *imp.*

[3] -c, historically a contraction of сýдарь, sir, was used when speaking to superiors; otherwise its use was humorous, sarcastic, etc., and often simply a speech habit; it is now *obs.*

щим лицóм молодóй человéк: — от Дáрьи Михáйловны. Дáрья Михáйловна послáла меня к вам-с; я предпочёл иттú пешкóм ... ýтро такóе чудéсное, всегó четыре верстú расстояния. Я прихожý — вас дóма нéт-с. Мнé ваш брáтец говорúт, что вы пошлú в Семёновку, и сáм собирáется в пóле; я вóт с нúм и пошёл-с, к вам навстрéчу. Дá-с. Кáк это приятно!

Молодóй человéк говорúл по-рýсски чúсто и прáвильно, нó с инострáнным произношéнием, хотя трýдно было определúть, с какúм úменно. В чертáх лицá егó было нéчто азиáтское. Длúнный нóс горбúной, большúе неподвúжные глазá навыкате, крýпные крáсные гýбы, покáтый лóб, чёрные, как смóль, вóлосы — всё в нём изобличáло востóчное происхожлéние, нó молодóй человéк именовáлся по фамúлии Пандалéвским и называл своéю рóдиной Одéссу, хотя и воспúтывался гдé-то в Белорýссии, на счёт благодéтельной и богáтой вдовы. Другáя вдовá определúла егó на слýжбу. Вообщé дáмы срéдних лéт охóтно покровúтельствовали Константúну Диомúдычу. Óн и тепéрь жил у богáтой помéщицы,

---

предпочéсть *prf.* [предпочитáть] to prefer

чудéсный, wonderful, delightful

расстояние, distance

брáтец *affect.* of брат, brother

собирáться *imp.* [собрáться], to prepare, make ready for

чúсто, purely, clearly

прáвильно, correctly

инострáнный, foreign

определúть *prf.* [определять], to determine, define

чертá, feature

нéчто, something

азиáтский, Asiatic

горбúна (or горбúнка), high bridge, crook

неподвúжный, immobile, (*here*) staring

навыкате, bulging

крýпный, large, massive

губá, lip

покáтый, receding

чёрный кáк смóль, pitch black, jet black

изобличáть *imp.* [изобличúть], to reveal, betray

востóчный, oriental

происхождéние, origin

именовáться *imp.*, to be called

рóдина, birthplace, native land

воспúтываться *imp.* [воспитáться], to be brought up

на счёт, at the expense (счёт, account)

благодéтельный, beneficent

определúть *prf.* [определять] на слýжбу, to place in service

вообщé, generally, in general

срéдних лет, middle-aged

охóтно, readily, willingly

покровúтельствовать *imp.*, to play the part of protector

помéщица, (woman) landowner (*m.* помéщик)

Да́рьи Миха́йловны Ласу́нской, в ка́честве приёмыша и́ли нахле́бника. Он был весьма́ ла́сков, услу́жлив, чувстви́телен и втайне сластолюби́в, облада́л прия́тным го́лосом, поря́дочно игра́л на фортепья́но и име́л привы́чку, когда́ говори́л с ке́м-нибудь, впива́ться в него́ глаза́ми. Он одева́лся о́чень чи́стенько и пла́тье носи́л чрезвыча́йно до́лго, тща́тельно выбрива́л свой широ́кий подборо́док и причёсывал волосо́к к волоску́.

Алекса́ндра Па́вловна вы́слушала его́ ре́чь до конца́ и обрати́лась к бра́ту.

— Сего́дня мне́ всё встре́чи: сейча́с я разгова́ривала с Лежнёвым.

— А́, с ни́м! Он е́хал куда́-нибудь?

— Да́; и вообрази́, на беговы́х дро́жках, в како́м-то полотня́ном мешке́, ве́сь в пыли́... Како́й он чуда́к!

— Да́, быть мо́жет; то́лько он сла́вный челове́к.

— Кто́ э́то! Г-н Лежнёв? — спроси́л Пандале́вский, как бы удивя́сь.

— Да́, Миха́йло Миха́йлыч Лежнёв, — возрази́л Волы́нцев. — Одна́ко, проща́й, сестра́; мне́ пора́ е́хать

в ка́честве, as, in the capacity of
приёмыш, foster child
нахле́бник, hanger-on, parasite
весьма́ (*book.* for о́чень), very, most
ла́сков *pred.*, affectionate
услу́жлив *pred.*, obliging
чувстви́телен *pred.*, sensitive
втайне, in secret, secretly
сластолюби́в *pred.*, sensual
облада́ть *imp.*, to possess
поря́дочно (*obs.* in this usage) rather well
фортепиа́но (*obs.*; now, роя́ль *m.*), piano
привы́чка, habit
впива́ться *imp.* [впи́ться] глаза́ми, to fix eyes on, stare at
чрезвыча́йно, extremely
тща́тельно, with great care
выбрива́ть *imp.* [вы́брить], to shave clean
подборо́док, chin
причёсывать *imp.* [причеса́ть], to comb
волосо́к *dim.* of во́лос, hair; причёсывать волосо́к к волоску́, to wear one's hair sleek, have a very neat hair do
вы́слушать *prf.* [выслу́шивать], to hear one through
встре́ча, encounter, meeting; всё встре́чи, keep meeting people, one encounter after another
вообрази́, imagine, *imper.* of вообрази́ть *prf.*
полотня́ный, linen *adj.*
пыль *f.*, dust
чуда́к, queer fellow
сла́вный, nice
удивля́ясь, surprised, *p.adv.p.* of удивля́ться *imp.*
одна́ко, well, but, however
пора́, it is time

в по́ле; у тебя́ гречи́ху се́ют. Г-н Пандале́вский тебя́ прово́дит домо́й...

И Волы́нцев пусти́л ло́шадь ры́сью.

— С велича́йшим удово́льствием! — воскли́кнул Константи́н Диоми́дыч и предложи́л Алекса́ндре Па́вловне ру́ку.

Она́ подала́ ему́ свою́, и о́ба отпра́вились по доро́ге в её уса́дьбу.

Вести́ по́д руку Алекса́ндру Па́вловну доставля́ло, повидимому, большо́е удово́льствие Константи́ну Диоми́дычу; о́н выступа́л ма́ленькими шага́ми, улыба́лся, а восто́чные глаза́ его́ да́же покры́лись вла́гой, что́, впро́чем, с ни́ми случа́лось не ре́дко: Константи́ну Диоми́дычу ничего́ не сто́ило умили́ться и проли́ть слезу́. И кому́ бы не́ было прия́тно вести́ по́д руку хоро́шенькую же́нщину, молоду́ю и стро́йную? Об Алекса́ндре Па́вловне вся ...ая губе́рния[4] единогла́сно говори́ла, что она́ пре́лесть, и ...ая губе́рния не ошиба́лась. Оди́н её

гречи́ха, buckwheat
се́ять *imp.* [по-], to sow
проводи́ть *prf.* [провожа́ть], to see home, accompany
рысь *f.*, trot; пусти́ть ло́шадь ры́сью, to trot a horse, ride at a trot
воскли́кнуть *prf.inst.* [восклица́ть], to exclaim
предложи́ть *prf.* [предлага́ть], to offer
отпра́виться *prf.* [отправля́ться], to start, set out
уса́дьба, manor house (with garden and outbuildings)
доставля́ть *imp.* [доста́вить] удово́льствие, to give pleasure / joy
выступа́ть *imp.*, to strut, step along
ша́г, step

покры́ться *prf.* [покрыва́ться], to film over, get covered
вла́га, moisture
впро́чем, incidentally
ничего́ не сто́ит, it costs no effort
умили́ться *prf.* [умиля́ться], to feel moved
проли́ть *prf.* [пролива́ть], (*here*) to shed
слеза́, tear
вести́ по́д руку, to have on one's arm
хоро́шенький, pretty
стро́йный, slender, graceful
единогла́сно, unanimously
пре́лесть *f.*, charm, delight (*here pred.* — is charming)
оди́н её но́сик, her little nose alone

[4] губе́рния (*hist.*), province, administrative territorial unit; now о́бласть.

прямóй, чуть-чуть вздёрнутый нóсик мóг свестú с умá любóго смéртного не говоря́ ужé о её бáрхатных кáрих глáзках, золотúсто-рýсых волосáх, я́мках на крýглых щёчках и другúх красóтах. Нó лýчше всегó в ней бы́ло выражéние её миловúдного лицá: довéрчивое, добро-дýшное и крóткое, онó и трóгало, и привлекáло. Алексáндра Пáвловна глядéла и смея́лась, как ребёнок; бáрыни находúли её прóстенькой... Мóжно ли бы́ло чегó-нибудь ещё желáть?

— Вас Дáрья Михáйловна ко мнé прислáла, говорúте вы? — спросúла онá Пандалéвского.

— Дá-с, прислáла-с, — отвéтил óн, выговáривая бýкву «с», как англúйское «th»: — онú[5] непремéнно желáют и велéли вас убедúтельно просúть, чтóбы вы пожáловали сегóдня к ним обéдать... Онú (Пандалéвский, когдá говорúл о трéтьем лицé, осóбенно о дáме, стрóго

прямóй, straight
чуть-чуть, a tiny bit, slightly
вздёрнутый, tilted
свестú *prf.* [сводúть] с умá, drive out of senses
любóй, any
смéртный, mortal
не говоря́ ужé, to say nothing, not to mention
бáрхатный (*adj.* from бáрхат), velvety, velvet
кáрий, brown (of eyes)
золотúсто-рýсые, golden-brown
ямка (or я́мочка), dimple
крýглый, round
щёчка *dim.* of щекá, cheek
красотá, beauty; красóты, (*here*) charms
выражéние, expression
миловúдное, pretty, sweet
довéрчивый, trusting
добродýшный, good-natured

крóткий, gentle, mild
трóгать *imp.* [трóнуть *inst.*], to move, touch
привлекáть *imp.* [привлéчь], to attract
глядéть *imp.* [по-], to look (about)
бáрыня (*pre-rev.*), lady
прóстенькая *dim.* of простáя, rather simple, ordinary
мóжно ли бы́ло чегó нибýдь ещё желáть, could one wish anything more / better
выговáривая, pronouncing, *pr. adv.p.* of выговáривать *imp.*
убедúтельно, (*here*) insistently; *lit.*, convincing(ly)
пожáловать *prf.* [жáловать] (*cerem. obs.*), to do the honor to come, favor with a visit
стрóго, strictly

[5] The *3d prsn pron.* in the *pl.*, referring to one person, was used by people of lower standing to express respect, *obs.* (cf. the polite *2d prsn pl.* вы still used).

придéрживался мнóжественного числá): — они́ ждут к
себé нóвого гóстя, с котóрым непремéнно желáют вас
познакóмить.
— Ктó э́то?
— Нéкто Му́ффель, барóн, кáмер-ю́нкер из Петер-
бу́рга. Дáрья Михáйловна недáвно с ним познакóмились
у кня́зя Гáрина и с большóй похвалóй о нём отзывáются,
как о любéзном и образóванном молодóм человéке.
Г-н барóн занимáются тáкже литерату́рой, и́ли, лу́чше
сказáть... áх, какáя прелéстная бáбочка! извóльте обра-
ти́ть вáше внимáние... лу́чше сказáть, полити́ческой
экономи́ей. Он написáл статью́ о какóм-то óчень интерéс-
ном вопрóсе — и желáет отдáть её на су́д Дáрье Михáйловне.
— Поли́тико-экономи́ческую статью́?
— С тóчки зрéния языкá-с, Алексáндра Пáвловна,
с тóчки зрéния языкá-с. Вам, я ду́маю, извéстно, что
и в э́том Дáрья Михáйловна знатóк-с. Жукóвский[6] с
ни́ми совéтовался.
— А не педáнт э́тот барóн? — спроси́ла Алексáндра
Пáвловна.

придéрживаться *imp.* (+ *gen.*),
  to adhere to, keep to, stick to
мнóжественное числó, the plural
  (number)
познакóмить *prf.* [знакóмить],
  to have someone meet, introduce
нéкто, one, a certain
кáмер-ю́нкер, gentleman of the
  chamber
князь *m.*, prince
похвалá, praise
отзывáться *imp.* [отозвáться]
  (о + loc.), to speak of, give
  one's opinion on
любéзный, kind, obliging
образóванный, educated, cul-
  tured

прелéстный, delightful, charming
бáбочка, butterfly
извóльте, pray, please, *imper.* of
  извóлить *imp.* (*obs.*) to deign
обрати́ть *prf.* [обращáть] внимáние, to notice, pay attention
статья́, article
су́д, trial, judgment; отдáть *prf.*
  [отдавáть] на су́д, to submit
  to judgment
тóчка, point
зрéние, view; с тóчки зрéния,
  from the point of view
извéстно, it is known
знатóк, expert, connoisseur
совéтоваться *prf.* [по-] (с + instr.), to consult

[6] Жукóвский, Васи́лий Андреевич (1783—1852), famous Russian
poet.

— Никáк нéт-с; Дáрья Михáйловна расскáзывают, что, напрóтив, свéтский человéк в нём сейчáс вúден. О Бетхóвене говорúл с такúм краснорéчием, что дáже стáрый князь почýвствовал востóрг… Это я, признаюсь, послýшал бы; ведь это по моéй чáсти. Позвóльте вам предложúть этот прекрáсный полевóй цветóк.

Александра Пáвловна взялá цветóк и, пройдя нéсколько шагóв, уронúла егó на дорóгу… До дóму её оставáлось шагóв двéсти, не бóлее. Недáвно выстроенный и выбеленный, óн привéтливо выглядывал свóими ширóкими, свéтлыми óкнами из густóй зéлени старúнных лип и клёнов.

— Так кáк же-с прикáжете доложúть Дáрье Михáйловне, — заговорúл Пандалéвский, слегкá обúженный ýчастью поднесённого им цветкá: — пожáлуете вы к обéду? Онú и брáтца вáшего прóсят.

— Дá, мы приéдем, непремéнно. А чтó Натáша?

— Натáлья Алексéевна, слáва Бóгу, здорóвы-с… Нó мы ужé прошлú поворóт к имéнью Дáрьи Михáйловны. Позвóльте мнé расклáняться.

Александра Пáвловна остановúлась.

никáк нет-с, by no means, not in the least
напрóтив, on the contrary
свéтский человéк, man of the world
краснорéчие, eloquence
востóрг, rapture, delight
признавáться *imp.* [признáться], to confess, admit
ведь, (*here*) since, after all
по моéй чáсти, in my line field
полевóй, wild (*lit.*, field *adj.*)
уронúть *prf.* [ронять], to drop, let fall
выбеленный, whitewashed, *p.p.p.* of выбелить *prf.*
привéтливо, hospitably, in a friendly way
выглядывать *imp.* [выглянуть], to look out

густóй, thick
зéлень *f.*, foliage, green
старúнный, ancient
лúпа, linden tree
клён, maple
приказáть *prf.* [прикáзывать], to order, как прикáжете? what would you like (me to)
доложúть *prf.* [доклáдывать], to tell, report, announce
слегкá, slightly
обúженный, offended, hurt, *p.p.p.* of обúдеть *prf.*
ýчасть *f.*, fate, lot
поднесённый, offered, given, *p.p.p.* of поднестú *prf.*
пройтú *prf.* [проходúть], to pass
поворóт, turn
расклáняться *prf.* [расклáниваться], to take one's leave, bow

— А вы́ ра́зве[7] не зайдёте к нам? — спроси́ла она́ нереши́тельным го́лосом.

— Душе́вно бы жела́л-с, но́ бою́сь опозда́ть. Да́рье Миха́йловне уго́дно послу́шать но́вый этю́д Та́льберга[8]: так на́до пригото́виться и подучи́ть. Прито́м я, призна́юсь, сомнева́юсь, что́бы моя́ бесе́да могла́ доста́вить вам како́е-нибудь удово́льствие.

— Почему́ же?...

Пандале́вский вздохну́л и вырази́тельно опусти́л глаза́.

— До свида́ния, Алекса́ндра Па́вловна! — проговори́л он, помолча́в немно́го, поклони́лся и отступи́л ша́г наза́д.

Алекса́ндра Па́вловна поверну́лась и пошла́ домо́й. Константи́н Диоми́дыч та́кже пусти́лся во-своя́си. С лица́ его́ тотча́с исче́зла вся́ сла́дость: самоуве́ренное, почти́ суро́вое выраже́ние появи́лось на нём. Да́же похо́дка Константи́на Диоми́дыча измени́лась: он тепе́рь и шага́л ши́ре, и ступа́л тяжеле́е. Он прошёл версты́

зайти́ *prf.* [заходи́ть], to come in, drop in, call on
нереши́тельный, indecisive, hesitant
душе́вно, sincerely, heartily
(ей, ему́) уго́дно (*pass.* with *dat.*), (she, he) wishes
пригото́виться *prf.* [приготовля́ться], to prepare *intr.*
подучи́ть *prf.* [поду́чивать], to practice
прито́м, besides, moreover
сомнева́ться *imp.* [усомни́ться], to doubt
бесе́да, conversation, talk
почему́ же?, but why?
вырази́тельно, expressive(ly), significant(ly)

помолча́в, after a (short) silence, *p.a.p.* of помолча́ть *prf.*
отступи́ть *prf.* [отступа́ть], to step back, retreat
пусти́лся во-своя́си (*colloq.*), started homeward
исче́знуть *prf.* [исчеза́ть], to disappear
сла́дость *f.*, sweetness
самоуве́ренный, self-confident, self-assured
суро́вый, stern
появи́ться *prf.* [появля́ться], to appear
похо́дка, walk, gait
измени́ться *prf.* [изменя́ться], to change *intr.*
ступа́ть *imp.* [ступи́ть], to tread, step

[7] A question with ра́зве expresses surprise, incredulity: ра́зве вы не зайдёте? — Aren't you coming in? (with the implication, I thought you would). Ра́зве вы не зна́ли, что он верну́лся? — Didn't you know that he has returned? (I thought you did).
[8] Thalberg (1812—71), composer and pianist.

ловéк двадцатú двýх лéт, тóлько что окóнчивший кýрс.
Басúстов был рóслый мáлый, с просты́м лицóм, боль-
шúм нóсом, крýпными губáми и свины́ми глáзками,
некрасúвый и нелóвкий, нó дóбрый, чéстный и прямóй.
Óн одевáлся небрéжно, не стриг волóс, — не из шеголь-
ствá, á от лéни; любúл поéсть, любúл поспáть, нó любúл
тáкже хорóшую кнúгу, горя́чую бесéду и всéй душóй
ненавúдел Пандалéвского.

Дéти Дáрьи Михáйловны обожáли Басúстова и уж
нискóлько егó не боя́лись; со всéми остальны́ми в дóме
óн был на корóткой ногé, чтó не совсéм нрáвилось хо-
зя́йке, как онá ни толковáла о тóм, что для неё предрас-
сýдков не существýет.

— Здрáвствуйте, мои мúленькие! — заговорúл Константúн Диомúдыч: — кáк вы рáно сегóдня гуля́ть
пошлú! А я, — прибáвил óн, обращáясь к Басúстову: —
ужé давнó вы́шел; моя́ стрáсть — наслаждáться прирóдой.

— Вúдели мы, кáк вы́ наслаждáетесь прирóдой, —
пробормотáл Басúстов.

окóнчивший, who had finished,
　p.a.p. of окóнчить *prf.*
кýрс, course (of studies)
рóслый, big, of good stature
мáлый (*adj.* used as noun, *pop.*),
　fellow
свинóй (*adj.* from свинья́), pig-
　like
нелóвкий, clumsy
дóбрый, kind, good-hearted
чéстный, honest
небрéжно, carelessly, casually
стричь *imp.* [о-, по-], to cut
　(hair)
щегольствó, foppishness, ele-
　gance; из щегольствá, out of
　foppishness
горя́чая бесéда, heated discus-
　sion
душá, soul; всеи душóй, whole-
　heartedly

ненавúдеть *imp.*, to hate
обожáть *imp.*, to adore, wor-
　ship
нискóлько, not at all
боя́ться *imp.*, to fear
остальнóй, the rest, remaining
быть на корóткой ногé, to be
　on friendly footing
как ни толковáла, however
　much she maintained
предрассýдок, prejudice
существовáть *imp.*, to exist
обращáясь, addressing, *pr.adv.p.*
　of обращáться *imp.*
стрáсть *f.*, passion
наслаждáться *imp.* [насладúть-
　ся] (+ *instr.*), to enjoy, relish
прирóда, nature
пробормотáть *prf.* [бормотáть],
　to mutter

две́, развя́зно пома́хивая па́лочкой, и вдру[г]
би́лся: о́н уви́дел во́зле доро́ги молоду́ю, доб[ро]
ли́вую крестья́нскую де́вушку, кото́рая выго[нял]
из овса́. Константи́н Диоми́дыч осторо́жно, как [по]
дошёл к де́вушке и заговори́л с ней. Та́ сперва́ мо[лча]
красне́ла и посме́ивалась, наконе́ц, закры́ла гу́бы [рука]
во́м, отвороти́лась и промо́лвила:

— Ступа́й, ба́рин, пра́во...

Константи́н Диоми́дыч погрози́л ей па́льцем и веле́[л]
ей принести́ себе́ василько́в.

— На что́ тебе́ василько́в? Венки́, что́ ли, плести́? —
возрази́ла де́вушка: — да ну́, ступа́й же, пра́во...

— Послу́шай, моя́ любе́зная красо́точка, — на́чал
бы́ло Константи́н Диоми́дыч...

— Да ну́, ступа́й, — переби́ла его́ де́вушка: — ба́-
ричи во́н иду́т.

Константи́н Диоми́дыч огляну́лся. Действи́тельно, по
доро́ге бежа́ли Ва́ня и Пе́тя, сыновья́ Да́рьи Миха́й-
ловны; за ни́ми шёл их учи́тель Баси́стов, молодо́й че-

развя́зно, pertly
пома́хивая, swinging, *pr.adv.p.*
of пома́хивать *imp.*
па́лочка *dim.* of па́лка, cane
оскла́биться *prf.*, to smirk
во́зле, beside, near
смазли́вый (*colloq.*), pretty
крестья́нский *adj.* from крестья́-
нин, peasant
де́вушка, young girl
выгоня́ть *imp.* [вы́гнать], to
drive out, chase
телёнок (теля́та *pl.*), calf
овёс, oats
осторо́жно, cautiously
кот, cat
сперва́, at first
красне́ть *imp.* [по-], to blush
посме́иваться *imp.*, to giggle,
titter
рука́в, sleeve
отвороти́ться *prf. pop.* [отво-
ра́чиваться], to turn away

ступа́й, go along! *imper.* of
ступа́ть *imp.*, to step
ба́рин (*pre-rev.*), sir, master (used
by domestics and serfs)
пра́во! now really!
погрози́ть *prf.* [грози́ть], to
threaten, shake one's finger
па́лец, finger
василёк (васильки́ *pl.*), corn-
flower
на что́ тебе́? what do you want
it for?
вено́к (венки́ *pl.*), wreath
что́ ли (*colloq.*), perhaps
плести́ *imp.* [с-], to plait
да ну́, ступай же, пра́во, come
now, be off, really
любе́зный, dear (*obs.* in this
usage; now used only for
obliging, kind)
красо́точка, little beauty
ба́рич (*pre-rev.*), young master
вон, (over) there
идти́ за, to follow

— Вы материали́ст: уже́ сейча́с Бо́г зна́ет что ду́маете. Я́ ва́с зна́ю!

Пандале́вский, когда́ говори́л с Баси́стовым и́ли подо́бными ему́ людьми́, легко́ раздража́лся и бу́кву «с» произноси́л чи́сто, да́же с ма́леньким сви́стом.

— Что́ же, вы́ у э́той де́вки, небо́сь, доро́гу спра́шивали? — проговори́л Баси́стов.

Он чу́вствовал, что Пандале́вский гляди́т ему́ пря́мо в лицо́, а э́то ему́ бы́ло кра́йне неприя́тно.

— Я повторя́ю, вы́ материали́ст и бо́льше ничего́. Вы непреме́нно жела́ете во всём ви́деть одну́ прозаи́ческую сто́рону...

— Де́ти! — скома́ндовал вдру́г Баси́стов: — ви́дите вы на лугу́ раки́ту: посмо́трим, кто́ скоре́е до неё добежи́т... ра́з! два́! три́!

И де́ти бро́сились во все́ но́ги к раки́те. Баси́стов устреми́лся за ни́ми...

«Мужи́к! — поду́мал Пандале́вский: — испо́ртит о́н э́тих мальчи́шек... Соверше́нный мужи́к!»

И с самодово́льством оки́нув взгля́дом свою́ со́бственную опря́тную и изя́щную фигу́рку, Константи́н

уже́ сейча́с, *(here)* immediately, at once
Бог зна́ет что, God only knows what
подо́бный, like, similar
раздража́ться *imp.* [раздражи́ться], to be / get / irritated
свист, hiss, whistle
де́вка *(vulg.)*, girl, wench
небо́сь *(pop.)*, probably, I bet, surely
кра́йне, extremely
вы непреме́нно жела́ете, you absolutely / definitely / want
скома́ндовать *prf.* [кома́ндовать], to command, order
луг, meadow
раки́та, willow
добежа́ть *prf.* [добега́ть], to reach (running), get to

бро́ситься *prf.* [броса́ться], to dash off, rush to
во все но́ги (more common: со всех ног), as fast as his legs could carry him
устреми́ться *prf.* [устремля́ться], to rush
мужи́к, peasant, boor, bumpkin
испо́ртить *prf.* [по́ртить], to spoil
мальчи́шка *(der.* for ма́льчик), boy
соверше́нный, perfect, absolute
самодово́льство, smugness
оки́нуть *prf.* [оки́дывать] взгля́дом, to glance over
опря́тный, neat
изя́щный, smart, elegant
фигу́рка *dim.* of фигу́ра, figure

Диомúдыч удáрил рáза двá растопы́ренными пáльцами
по рукавý сюртукá, встряхнýл воротникóм и отпрáвился
дáлее. Вернýвшись к себé в кóмнату, óн надéл стáрень-
кий халáт и с озабóченным лицóм сéл за фортепья́но.

II

Дóм Дáрьи Михáйловны Ласýнской считáлся чýть
ли не пéрвым во всéй ...ой губéрнии. Огрóмный, кáмен-
ный, сооружённый по рисýнкам Растрéлли[9] во вкýсе
прошéдшего столéтия, óн велúчественно возвышáлся на
вершúне холмá, у подóшвы котóрого протекáла однá из
глáвных рéк срéдней Россúи. Самá Дáрья Михáйловна
былá знáтная и богáтая бáрыня, вдовá тáйного совéтни-
ка. Хотя́ Пандалéвский и расскáзывал про неё, что онá
знáет всю Еврóпу, да и Еврóпа её знáет! — однáко, Еврóпа её знáла мáло; дáже в Петербýрге онá вáжной
рóли не игрáла; затó в Москвé её всé знáли и éздили к
ней. Онá принадлежáла к вы́сшему свéту и слылá за
жéнщину нéсколько стрáнную, не совсéм дóбрую, нó

удáрить *prf.* [удáрáть], to flick,
　　tap
растопы́ренный, outspread,
　　p.p.p. of растопы́рить *prf.*
встряхнýть *prf.inst.* [встря́хи-
　　вать], to shake
воротнúк, collar
дáлее, further, on; отпрáвиться
　　дáлее, to get on, go farther
халáт, dressing gown
озабóченный, preoccupied, *p.p.p.*
　　of озабóтить *prf.*
считáться *imp.*, to be considered
　　regarded
чýть ли не, perhaps
пéрвый, foremost, first
сооружённый, built, *p.p.p.* of
　　соорудúть *prf.*
вкус, taste
прошéдший, past, *p.a.p.* of
　　пройтú *prf.*

столéтие, century
велúчественно, majestically
возвышáться *imp.* [возвы́сить-
　　ся], to rise, tower
подóшва, foot (of a hill)
протекáть *imp.*, to flow
знáтный, of quality, distin-
　　guished
тáйный, secret *adj.*; тáйный
　　совéтник, privy councilor
да и Еврóпа, and Europe too
игрáть рóль *f.*, to play a part
затó, on the other hand, but
　　then
принадлежáть *imp.* (+ *dat.*), to
　　belong (to)
вы́сший свет, high society
слыть *imp.* [про-], to be reputed,
　　have the reputation
нéсколько, somewhat, rather

　　[9] Растрéлли, Бартоломéо (1701—71), famous architect, who was
born in Italy but spent most of his life in Russia.

чрезвыча́йно у́мную. В мо́лодости она́ была́ о́чень хо-
роша́ собо́ю. Поэ́ты писа́ли ей стихи́, молоды́е лю́ди в
неё влюбля́лись, ва́жные господа́ уха́живали за ней.
Но с тех пор прошло́ лет два́дцать пять или три́дцать, и
пре́жних пре́лестей не оста́лось и следа́. Неуже́ли, —
спра́шивал себя́ нево́льно вся́кий, кто то́лько ви́дел её
в пе́рвый раз: — неуже́ли[10] э́та ху́денькая, жёлтенькая,
востроно́сая и ещё не ста́рая же́нщина была́ когда́-то
краса́вицей? Неуже́ли э́то она́, та са́мая, о кото́рой бря-
ца́ли ли́ры?... И вся́кий вну́тренне удивля́лся переме́н-
чивости всего́ земно́го. Пра́вда, Пандале́вский находи́л,
что у Да́рьи Миха́йловны удиви́тельно сохрани́лись её
великоле́пные глаза́; но ведь тот же Пандале́вский
утвержда́л, что её вся Евро́па зна́ет.

Да́рья Миха́йловна приезжа́ла ка́ждое ле́то к себе́
в дере́вню со свои́ми детьми́ (у неё их бы́ло тро́е: дочь
Ната́лья, семна́дцати лет, и два сы́на, десяти́ и девяти́
лет) и жила́ откры́то, то есть принима́ла мужчи́н, осо́-
бенно холосты́х; провинциа́льных ба́рынь она́ терпе́ть

хоро́ш собо́й, good looking
стихи́ (pl. of стих), poetry, verse
влюбля́ться *imp.* [влюби́ться]
(в + *acc.*), to fall in love
(with)
уха́живать *imp.* (за + *instr.*), to
court
след, trace; не оста́лось и следа́,
not a trace remained
неуже́ли, is it possible that
нево́льно, involuntarily; спра́-
шивал нево́льно, could not
help asking
ху́денький *dim.* of худо́й, thin,
skinny
жёлтенький *dim.* of жёлтый,
yellow
востроно́сый, sharp-nosed
когда́-то, once (in the past)
тот са́мый, the same one, the
very same one
бряца́ть *imp.* (obs.), to ring

ли́ра, lyre
вну́тренне, inwardly
переме́нчивость *f.*, mutability,
change
земно́й, earthly; всё земно́е,
all that is on earth
удиви́тельно, wonderfully, sur-
prisingly
сохрани́ться *prf.* [сохраня́ться],
to be preserved
великоле́пный, splendid, magni-
ficent
утвержда́ть (in this usage *imp.*
only), to maintain, assert
жить откры́то, keep open house
то есть, that is (to say)
принима́ть *imp.* [приня́ть], to
receive
осо́бенно, particularly
холосто́й, unmarried, single
терпе́ть не мог, could not / endure / stand / bear

[10] неуже́ли expresses strong surprise: Could it be? Is it possible?

не могла. Зато и доставалось же ей от этих барынь! Дарья Михайловна, по их словам, была и горда, и безнравственна, и тиранка страшная; а главное — она позволяла себе такие вольности в разговоре, что ужасти! Дарья Михайловна, действительно, не любила стеснять себя в деревне, и в свободной простоте её обхождения замечался лёгкий оттенок презрения столичной львицы к окружавшим её довольно тёмным и мелким существам... Она и с городскими знакомыми обходилась очень развязно, даже насмешливо; но оттенка презрения не было.

Кстати, читатель: заметили ли вы, что человек, необыкновенно рассеянный в кружке подчинённых, никогда не бывает рассеян с лицами высшими? Отчего бы это? Впрочем, подобные вопросы ни к чему не ведут.

доставаться *imp.* [достаться] (*pass.* with *dat.*), to get one's due, be rebuked; (ей)доставалось (she) got rebuked

горд *pred.*, arrogant, proud

безнравственен *pred.*, immoral, dissipated

страшный, frightful

главное, *neut. adj.* used as *n.*, the principal (or, main) thing, above all

позволять *imp.* [позволить], to permit

вольность *f.*, liberty; позволять себе вольности, to take liberties

ужасти! (*pop.*), horrifying! most shocking!

стеснять *imp.* [стеснить], to constrain, hem in

простота, simplicity

обхождение, manner, treatment

замечаться *imp.* (*3d pers.* only), to be noticed, perceived; замечалось, one could notice, (it was) noticeable

лёгкий, (*here*) slight

оттенок, shade, tinge

презрение, disdain, contempt

столичный, big city *adj.* (from столица, capital)

львица, (*lit.*, lioness), social queen, belle

тёмный, obscure

мелкий, insignificant, petty

существо, creature, being, person

обходиться *imp.* [обойтись] (с + *instr.*), to treat

насмешливо, mockingly, sarcastically

кстати, by the way, incidentally

читатель *m.*, reader

рассеянный, absent-minded, distracted

кружок *dim.* of круг, circle

подчинённый, inferior, subordinates, *p.p.p.* of подчинить *prf.* used as *n.*

лицо, (*here*) person

высший, of higher standing, superior

отчего бы это? why should this be so?

ни к чему не ведёт, does not lead to anything

Когда́ Константи́н Диоми́дыч, вы́твердив, наконе́ц, та́льберговский этю́д, спусти́лся из свое́й чи́стой и весё-ленькой ко́мнаты в гости́ную, он уже́ заста́л всё до-ма́шнее о́бщество со́бранным. Сало́н уже́ начался́. На широ́кой куше́тке, подобра́в под себя́ но́ги и вертя́ в рука́х но́вую францу́зскую брошю́ру, расположи́лась хозя́йка; у окна́, за пя́льцами, сиде́ли: с одно́й сторо-ны́ дочь Да́рьи Миха́йловны, а с друго́й m-lle Boncourt — гуверна́нтка, ста́рая и суха́я де́ва лет шести́десяти, с накла́дкой чёрных воло́с под разноцве́тным чепцо́м и хлопча́той бума́гой в уша́х; в углу́, во́зле две́ри, поме-сти́лся Баси́стов и чита́л газе́ту; по́дле него́ Пе́тя и Ва́ня игра́ли в ша́шки, а прислоня́сь к пе́чке и заложи́в ру́ки за́ спину, стоя́л господи́н небольшо́го ро́ста, взъе-ро́шенный и седо́й, с сму́глым лицо́м и бе́гающими чёр-ными гла́зками — не́кто Африка́н Семёнович Пига́сов.

Стра́нный челове́к был э́тот господи́н Пига́сов. Озло-блённый про́тив всего́ и всех — осо́бенно про́тив жён-

---

вы́твердив, having learned by heart, *p.adv.p.* of вы́твердить *prf.*

наконе́ц, at last

спусти́ться *prf.* [спуска́ться], to come down

гости́ная, living room

заста́ть *prf.* [застава́ть], to find (upon arriving)

о́бщество, society, company

дома́шний, domestic; дома́шнее о́бщество, domestic circle

со́бранный, assembled, gathered, *p.p.p.* of собра́ть *prf.*

сало́н, salon

куше́тка, couch

подобра́в под себя́ но́ги, with her legs tucked under

вертя́, turning, *pr.adv.p.* of вер-те́ть *imp.*

брошю́ра, pamphlet

расположи́ться *pr.* [располо-га́ться], to settle oneself

пя́льцы, embroidery frame

гуверна́нтка, governess

суха́я, dry

ста́рая де́ва, old maid, spinster

накла́дка, false front of hair

разноцве́тный, multi-colored

чепе́ц, bonnet, cap

хлопча́тая бума́га (*obs.*; now ва́та), cotton wool

помести́ться *prf.* [помеща́ться], to be settled, take a place

по́дле (+ *gen.*), beside

ша́шки, checkers, draughts

прислоня́сь, leaning, *p.adv.p.* of прислони́ться *prf.*

пе́чка, stove

заложи́в ру́ки за́ спину, with his hands behind his back

взъеро́шенный, disheveled, *p.p.p.* of взъеро́шить *prf.*

седо́й, gray-haired

сму́глый, swarthy

бе́гающий, restless (*lit.*, run-ning), *pr.a.p.* of бе́гать *imp. ind.*

озлоблённый, embittered, *p.p.p.* of озло́бить *prf.*

щин — óн бранѝлся с утрá до вéчера, иногдá óчень мéтко, иногдá довóльно тýпо, но всегдá с наслаждéнием. Раздражѝтельность егó доходѝла до ребя́чества; егó смéх, звýк егó гóлоса, всё егó существó казáлось пропѝтанным жёлчью. Дáрья Михáйловна охóтно принимáла Пигáсова: óн потешáл её своѝми вы́ходками. Онѝ, тóчно, бы́ли довóльно забáвны. Всё преувелѝчивать бы́ло егó стрáстью. Напримéр: о какóм бы несчáстьи при нём ни говорѝли — расскáзывали ли емý, что мóлнией зажглó деревню, что мужѝк себé топорóм рýку отрубѝл — óн вся́кий рáз с сосредотóченным ожесточéнием спрáшивал: «А кáк её зовýт?» тó есть, кáк зовýт жéнщину, от котóрой произошлó тó несчáстие, потомý что, по егó увéрениям, вся́кому несчáстию причѝной жéнщина, стóит тóлько хорошéнько вникнуть в дéло. Пигáсову в жѝзни не повезлó — óн э́ту дýрь и напустѝл на себя́. Óн происходѝл от бéдных родѝтелей.

бранѝться *imp*. to swear, curse
мéтко, pointedly
тýпо, stupidly, dully
наслаждéние, relish, enjoyment, delight
раздражѝельность *f*., irritability
доходѝть *imp*. [дойтѝ] (до + gen.), to verge upon, come to the point of, reach
ребя́чество, childishness
смех, laugh, laughter
звук, sound
пропѝтанный, saturated, *p.p.p.* of пропитáть *prf*.
жёлчь *f*., bile
потешáть *imp*. [потéшить], to amuse
вы́ходка, eccentricity, sally, prank
тóчно (*obs*.) indeed, actually; (in modern usage: exactly, accurately)
забáвный, amusing
преувелѝчвать *imp*. [преувелѝчить], to exaggerate
несчáстье, calamity, disaster, misfortune

при нём, in his presence
мóлния, lightning
зажéчь *prf*. [зажигáть], to set fire
топóр, hatchet, axe
отрубѝть *prf*. [отрубáть], to cut off, chop off
сосредотóченный, concentrated
ожесточéние, exasperation, fury
произойтѝ *prf*. [происходѝть] to occur, happen
увéрение, assertion
причѝна, cause, reason
стóит тóлько, if only one would, all one has to do
вникнуть *prf*. [вникáть] (в + acc.), to go (deeply) into (*fig.*)
дéло, matter
(емý, ей) ... повезлó (*pass*. with *dat*.), (he, she) was lucky, had luck (*inf*.: везтѝ *imp*., по-)
дурь *f*. (*colloq*.), foolish attitude, craze
напустѝть *prf*. [напускáть] на себя́, to adopt, take on (an attitude)

Отец его занимал разные мелкие должности, едва знал
грамоте и не заботился о воспитании сына; кормил,
одевал его — и только. Мать его баловала, но скоро
умерла. Пигасов сам себя воспитал, сам определил себя
в уездное[11] училище, потом в гимназию, выучился язы-
кам: французскому, немецкому и даже латинскому и,
выйдя из гимназии с отличным аттестатом, отправился
в Дерпт,[12] где постоянно боролся с нуждою, но выдержал
трехгодичный курс до конца. Способности Пигасова не
выходили из разряда обыкновенных; терпением и нас-
тойчивостью он отличался, но особенно сильно было в
нём чувство честолюбия, желание попасть в хорошее
общество, не отстать от других, на зло судьбе. Он и
учился прилежно, и в Дерптский университет посту-

должность *f.*, post, job
едва, hardly, scarcely
грамота, reading and writing
заботитьоя *imp.* [по-] (о+ *loc.*),
  to take care, trouble about
воспитание, education, upbringing
кормить *imp.* [на-], to feed
одевать *imp.* [одеть], to clothe
и только, and that is all
баловать *imp.* [из-], to spoil,
  indulge
определить *prf.* [определять]
  (на, в + *acc.*), to place (in
  service, school); определил
  себя got himself placed
уездный *adj.* from уезд (*hist.*),
  district
гимназия, (*pre-rev.*) secondary
  school
выучиться *prf.* [выучиваться],
  to learn, master
отличный, excellent
аттестат, diploma
постоянно, ceaselessly, constantly

бороться *imp.*, to struggle
нужда, poverty, need
выдержать *prf.* [выдерживать],
  to hold out (through)
трехгодичный, three-year
способность *f.*, ability, talent
разряд, category, class; выхо-
  дить из разряда обыкновенных, to go beyond the ordinary
терпение, patience
настойчивость *f.*, perseverance
отличаться *imp.* (+ *instr.*), to
  be noted for
честолюбие, ambition
попасть *prf.* [попадать] (в,
  на + *acc.*), to get (to) (into)
общество, (*here*) good society
отстать *prf.* [отставать], to fall
  behind
на зло + *dat.*, to spite
судьба, fate
прилежно, diligently, assidu-
  ously
поступить *prf.* [поступать] (в,
  на + *acc.*), to enter (school,
  service)

[11] уездный *adj.* from уезд (*hist.*) district; subdivision of губерния,
now район.
[12] Дерпт (German Dorpat), now Tartu, a city in Estonia (was also

пил из честолюбия. Бéдность сердила егó и развила в нём наблюдáтельность и лукáвство. Он выражáлся своеобрáзно; он смóлоду присвóил себé осóбый рóд жёлчного и раздражительного красноречия. Мысли егó не возвышáлись над óбщим уровнем; а говорил он тáк, что мóг казáться не тóлько умным, нó дáже óчень умным человéком. Получив стéпень кандидáта, Пигáсов решил посвятить себя учёному звáнию; нó, в сущности, знáл слишком мáло. И жестóко провалился на диспуте. Неудáча эта взбесила Пигáсова: он брóсил в огóнь всé свои книги и тетрáди и поступил на слýжбу. Сначáла дéло пошлó недýрно: чинóвник он был хоть не óчень распорядительный, затó крáйне самоувéренный и бóйкий; нó емý захотéлось поскорéе выскочить в люди — он

сердить *imp.* [рас-], to anger
развить *prf.* [развивáть], to develop
наблюдáтельность *f.*, keenness, ability to observe
лукáвство, cunning
своеобрáзно, in a peculiar original / fashion
смóлоду, from one's youth
присвóить *prf.* [присвáивать], to adopt, take on
осóбый, special
рóд, kind
жёлчный, bilious, bitter
раздражительный, irritable
мысль *f.*, thought, idea
óбщий, common
уровень *m.*, level
стéпень *f.*, degree
кандидáт, *lit.*, candidate (approx. corresp. to MA)
решить *prf.* [решáть], to decide
посвятить *prf.* [посвящáть], to devote

учёное звáние (*obs.*), academic career
в сущности, in actual fact
жестóко, cruelly, hopelessly
провалиться *prf.* [провáливаться] (*colloq.*), to fail, be flunked
диспут, disputation
неудáча, failure
взбесить *prf.* [бесить], enrage
тетрáдь *f.*, notebook
слýжба, (*here*) government service
недýрно, not bad(ly), fairly well
чинóвник, official, civil servant
распорядительный, efficient
затó, but then, on the other hand
бóйкий, quick, smart
выскочить *prf.* [выскáкивать], to push oneself forward, dart out; выскочить в люди (*colloq.*), to rise; attain rank / importance

---

known as Yuryev, its Russian name); a University was founded there in 1632, by the Swedes, who then controlled the city which they later lost to Russia.

запýтался, споткнýлся и принуждён был вы́йти в отстáвку. Гóда три́ просиде́л óн у себя́ в дереве́ньке и
вдру́г жени́лся на богáтой, полуобразóванной помéщице.
Но нрáв Пигáсова ужé сли́шком оки́с; óн тяготи́лся
семéйной жи́знью... Женá егó, пожи́в с ним нéсколько
лéт, уéхала тайкóм в Москву́ и продалá какóму-то лóв-
кому афери́сту своё имéние, а Пигáсов тóлько что
пострóил в нём усáдьбу. Óн дожи́вáл свóй вéк одинóко,
разъезжáл по сосéдям, котóры́х брани́л за глазá и дáже
в глазá, — и, никогдá кни́ги в ру́ки не брáл. У негó
бы́ло óколо стá дýш;[13] мужики́ егó не бéдствовали.

— А! Constantin! — проговори́ла Дáрья Михáйловна,
как тóлько Пандалéвский вошёл в гости́ную: — Alexandrine бýдет?

— Алексáндра Пáвловна благодари́т и прóсит сказáть, что э́то для неё осóбенное удовóльствие, — возра-
зи́л Константи́н Диоми́дыч, прия́тно расклáниваясь на
всé стóроны и прикасáясь тóлстой, но бéлой ру́чкой с

запу́таться *prf.* [запу́тываться],
  to get entangled
споткну́ться *prf.* [спотыкáться],
  to stumble, make a false
  step
принуждён, compelled, forced,
  pred. p.p.p. of принуди́ть
  prf.
отстáвка, resignation, retirement; вы́йти *prf.* [выходи́ть]
  в отстáвку, to resign
просидéть [сидéть], to stay
нрав, temper, disposition
полуобразóванный, half-educat-
  ed
оки́снуть *prf.* [окисáть], to turn
  sour
тяготи́ться *imp.* (+ *instr.*), to be
  oppressed by, feel something
  as a burden
семéйный *adj.* from семья́, family

тайкóм, in secret
лóвкий, adroit, clever
афери́ст, speculator, swindler
дожи́вáть *imp.* [дожи́ть] свóй
  вéк, to live out one's days /
  life
одинóко, in solitude
разъезжáть *imp.* (по + *dat.*), to
  go on visits, to drive / ride /
  about
брани́ть, to scold, abuse
за глазá, behind the back
в глазá, to the face
бéдствовать *imp.*, to be in
  need
расклáниваясь, bowing, *p.adv.p.*
  of расклáниваться *imp.*
прикасáясь, touching, *p.adv.p.*
  of прикасáться *imp.*
тóлстый, thick

[13] душá, soul, was used as a unit of count in expressing the number
of serfs owned (cf. "heads" of cattle).

ногтя́ми, остри́женными треуго́льником, к превосхо́дно причёсанным волоса́м.

— И Волы́нцев то́же бу́дет?

— И они́-с.

— Так ка́к же, Африка́н Семёныч, — продолжа́ла Да́рья Миха́йловна, обратя́сь к Пига́сову: — по-ва́шему, все́ ба́рышни неесте́ственны?

У Пига́сова гу́бы скрути́лись на́бок.

— Я говорю́, — на́чал о́н неторопли́вым го́лосом — о́н в са́мом си́льном припа́дке ожесточе́ния говори́л ме́дленно и отчётливо: — я говорю́, что ба́рышни вообще́ — о прису́тствующих, разуме́ется, я ума́лчиваю...

— Но э́то не меша́ет ва́м и о ни́х ду́мать, — переби́ла Да́рья Миха́йловна.

— Я о ни́х ума́лчиваю, — повтори́л Пига́сов. — Все́ ба́рышни вообще́ неесте́ственны в вы́сшей сте́пени — неесте́ственны в выраже́нии чу́вств свои́х. Испуга́ется ли, наприме́р, ба́рышня, обра́дуется ли чему́, и́ли опеча́лится, она́ непреме́нно сперва́ прида́ст те́лу своему́ ка-

---

но́готь m. (*pl.* но́гти), nail (on hands, feet)

остри́женный, trimmed, cut, *p.p.p.* of остри́чь *prf.*

треуго́льник, triangle

превосхо́дно, very well, superbly

причёсанный, groomed, *p.p.p.* of причеса́ть *prf.*

обратя́сь, addressing, *p.adv.p.* of обрати́ться *prf.*

по ва́шему, in your opinion, according to you

ба́рышня (*pre-rev.*), young lady, miss

неесте́ственен *pred.*, affected, unnatural

скрути́ться на́бок, to twist curl / to one side

неторопли́вый, unhurried

припа́док, fit, attack

отчётливо, distinctly

прису́тствующие, those present, *p.a.p.* used as *n.* (прису́тствовать *imp.*)

разуме́ется, of course, it goes without saying

ума́лчивать *imp.* [умолча́ть], to pass over in silence

меша́ть *imp.* [по-], to prevent, hinder

в вы́сшей сте́пени, extremely, in the highest degree

испуга́ться *prf.* [пуга́ться], to get scared, frightened

наприме́р, for instance

обра́доваться *prf.* [ра́доваться], to rejoice

опеча́литься *prf.* [печа́литься], to be grieved

прида́ть *prf.* [придава́ть] (+ *dat.*) to give, impart

те́ло, body

кой-нибу́дь э́дакий изя́щный изги́б (и Пига́сов без-
обра́зно вы́гнул сво́й ста́н и оттопы́рил ру́ки) и пото́м
уж кри́кнет: а́х! или засмеётся, или запла́чет.

— Ну́! — заме́тила Да́рья Миха́йловна: — взобра́лся
Африка́н Семёныч на своего́ конька́ — тепе́рь не сле́зет
с него́ до ве́чера.

— Мо́й конёк... А у же́нщин их три́, с кото́рых
они́ никогда́ не слеза́ют.

— Каки́е же э́то три́ конька́?

— Попрёк, намёк и упрёк.

— Зна́ете ли что́, Африка́н Семёныч, — начала́
Да́рья Миха́йловна: — вы недаро́м та́к озлоблены́ на
же́нщин. Кака́я-нибудь, должно́ быть, ва́с...

— Оби́дела, вы хоти́те сказа́ть? — переби́л её Пи-
га́сов.

Да́рья Миха́йловна немно́го смути́лась: она́ вспо́м-
нила о несча́стном бра́ке Пига́сова... и то́лько голово́й
кивну́ла.

— Меня́ одна́ же́нщина то́чно оби́дела, — промо́лвил
Пига́сов; — хоть и до́брая была́, о́чень до́брая...

— Кто́ же э́то така́я?

— Ма́ть моя́, — произнёс Пига́сов, пони́зив го́лос.

— Ва́ша ма́ть? Чём же она́ могла́ вас оби́деть?

— А те́м, что родила́...

како́й нибу́дь э́дакий (*colloq.*),
   some kind of, such a
изя́щный, graceful, elegant
изги́б, bend, twist
безобра́зно, hideously
вы́гнуть *prf.* [выгиба́ть], to
   curve, bend
ста́н, waist, torso
оттопы́рить *prf.* [оттопы́ривать],
   to thrust out
взобра́ться *prf.* [взбира́ться],
   (на + *acc.*) to mount, climb
конёк (*dim.* of конь *m.* horse),
   hobbyhorse
сле́зть *prf.* [слеза́ть], (с + *gen.*)
   to get off, dismount
недаро́м, not without reason

попрёк, rebuke
намёк, insinuation, hint
упрёк, reproach
озлоблён, embittered, *pred.*
   p.p.p. of озло́бить *prf.*
должно́ быть, probably, must
   have
оби́деть *prf.* [обижа́ть], to hurt,
   do wrong to
смути́ться *prf.* [смуща́ться], to
   be embarrassed
бра́к, marriage
кивну́ть *prf. inst.* [кива́ть], to nod
пони́зив, lowering, *p.adv.p.* of
   пони́зить *prf.*
роди́ть *prf.* and *imp.* (*imp. only*:
   рожа́ть) to give birth, bear

Да́рья Миха́йловна намо́рщила бро́ви.

— Мне́ ка́жется, — заговори́ла она́: — разгово́р наш принима́ет невесёлый оборо́т... Constantin, сыгра́йте нам но́вый этю́д Та́льберга... Аво́сь, зву́ки му́зыки укротя́т Африка́на Семёныча. Орфе́й[14] укроща́л же ди́ких звере́й.

Константи́н Диоми́дыч се́л за фортепья́но и сыгра́л этю́д весьма́ удовлетвори́тельно. Снача́ла Ната́лья Алексе́евна слу́шала со внима́нием, пото́м опя́ть приняла́сь за рабо́ту.

— Merci, c'est charmant,[15] — промо́лвила Да́рья Миха́йловна: — люблю́ Та́льберга. Il est si distingué.[16] Что́ вы заду́мались, Африка́н Семёныч?

— Я ду́маю, — на́чал ме́дленно Пига́сов: — что е́сть три́ разря́да эгои́стов: эгои́сты, кото́рые са́ми живу́т и жи́ть даю́т други́м; эгои́сты, кото́рые са́ми живу́т и не даю́т жи́ть други́м; наконе́ц, эгои́сты кото́рые и са́ми не живу́т, и други́м не даю́т... Же́нщины, бо́льшею ча́стию, принадлежа́т к тре́тьему разря́ду.

— Ка́к э́то любе́зно! Одному́ я то́лько удивля́юсь, Африка́н Семёныч, кака́я у вас самоуве́ренность в сужде́ниях; то́чно вы никогда́ ошиби́ться не мо́жете.

намо́рщить *prf.* [мо́рщить], to knit, wrinkle
бро́вь *f.*, eyebrow; намо́рщить бро́ви, to frown
невесёлый, unhappy
принима́ть *imp.* [приня́ть] оборо́т (*fig.*), to take a turn
аво́сь (*pop.* for мо́жет бы́ть), perhaps, maybe
укроти́ть *prf.* [укроща́ть], to tame; укроща́л же, for (he) did tame
ди́кий, wild, savage
зве́рь *m.*, beast
удовлетвори́тельно, satisfactorily

снача́ла, at first
приня́ться *prf.* [принима́ться] (за + *acc.*), to take up, start
заду́маться *prf.* [заду́мываться], to become pensive / thoughtful
дава́ть *imp.* [дать], to let, give
бо́льшею ча́стью, for the most part
любе́зно, kind, obliging
одному́ я то́лько удивля́юсь, only one thing surprises me
самоуве́ренность *f.*, self-assurance
сужде́ние, judgment, opinion
то́чно, as if

[14] Orpheus.
[15] Thank you, it is charming.
[16] He is so distinguished.

— Кто́ говори́т! и я́ ошиба́юсь; мужчи́на то́же мо́-
жет ошиба́ться. Но́ зна́ете ли, кака́я ра́зница ме́жду
оши́бкою на́шего бра́та и оши́бкою же́нщины? Не зна́-
ете? Во́т кака́я: мужчи́на мо́жет, наприме́р, сказа́ть, что
два́жды два́ не четы́ре, а пя́ть и́ли три́ с полови́ною, а
же́нщина ска́жет, что два́жды два́ — стеари́новая све́чка.

— Я уже́ э́то, ка́жется, слы́шала от ва́с... Но́ поз-
во́льте спроси́ть, како́е отноше́ние име́ет ва́ша мы́сль о трёх
рода́х эго́истов к му́зыке, кото́рую вы сейча́с слы́шали?

— Никако́го, да я́ и не слу́шал му́зыки.

— Что́ же вы лю́бите, ко́ли вам и му́зыка не нра́-
вится? литерату́ру, что́ ли?

— Я литерату́ру люблю́, да то́лько не ны́нешнюю.

— Почему́?

— А во́т почему́. Я неда́вно переезжа́л че́рез Оку́
на паро́ме с каки́м-то ба́рином. Паро́м приста́л к кру-
то́му ме́сту: на́до бы́ло вта́скивать экипа́жи на рука́х.
У ба́рина была́ коля́ска претяжёлая. Пока́ перево́зчики
надса́живались, вта́скивая коля́ску на бе́рег, ба́рин та́к
кряхте́л, сто́я на паро́ме, что да́же жа́лко его́ станови́-
лось... Во́т, поду́мал я, но́вое примене́ние систе́мы раз-
деле́ния рабо́т! Так и ны́нешняя литерату́ра: други́е ве-
зу́т, де́ло де́лают, а она́ кряхти́т.

кто́ говори́т! who would say
  such a thing!
ра́зница, difference
на́ш бра́т, (*colloq.*) we, our kind
два́жды, twice
стеари́новый, stearine *adj.*
све́чка, candle
позво́льте, allow, *imper.* of позв-
  во́лить *prf.*
отноше́ние, connection, relation
ко́ли (*pop.* or *poet.* for е́сли), if
ны́нешний, present-day
переезжа́ть *imp.* [перее́хать]
  (+ *acc.*), to cross
Ока́, river Oka
паро́м, ferry
приста́ть *prf.* [пристава́ть], (к
  + *dat.*) to tie up
круто́й, steep

вта́скивать *imp.* [втащи́ть], to
  drag (up, into)
коля́ска, carriage
бе́рег, bank
претяжёлый, very heavy
пока́, while
перево́зчик, ferryman
надса́живаться *imp.* [надсади́ть-
  ся], to strain oneself
кряхте́ть *imp.*, to groan
жа́лко его́ станови́лось, one
  began to feel sorry for him
примене́ние, application
разделе́ние, division; разделе́-
  ние рабо́т, division of labor
  (*now:* разделе́ние труда́)
де́ло де́лать, to do the work, do
  something useful

Дáрья Михáйловна улыбнýлась.

— И э́то называ́ется воспроизведе́нием совреме́нного бы́та, — продолжáл неугомóнный Пигáсов: — глубóким сочýвствием к общéственным вопрóсам! Óх, уж э́ти мнé грóмкие словá!

— А вóт жéнщины, на котóрых вы тáк напада́ете — тé по крáйней мéре не употребля́ют грóмких слóв.

Пигáсов пожáл плечáми.

— Не употребля́ют, потомý что не умéют.

Дáрья Михáйловна слегкá покраснéла.

— Вы начина́ете дéрзости говори́ть, Африкáн Семёныч! — замéтила онá с принуждённой улы́бкой.

Всё зати́хло в кóмнате.

— Гдé это Золотонóша? — спроси́л вдруг оди́н из мáльчиков у Баси́стова.

— В Полтáвской губéрнии, мóй милéйший, — подхвати́л Пигáсов — в сáмой Хохлáндии.[17] (Óн обрáдо-

воспроизведéние, reproduction
совремéнный, contemporary
быт, life (way of life), everyday existence
неугомóнный, irrepressible, indefatigable
глубóкий, deep, profound
сочýвствие, sympathy
общéственный, social
óх уж э́ти мне (expresses irritation, dislike, impatience), Oh! how I dislike these ... Oh! again these ...
грóмкие словá, big / high-flown / words
нападáть *imp.* [напáсть] (на + *acc.*), to attack, fall upon
крáйний, extreme
мéра, measure; по крáйней мéре, at least

употребля́ть *imp.* [употреби́ть], to use
пожáть *prf.* [пожимáть] плечáми, to shrug one's shoulders
слегкá, slightly
покраснéть *prf.* [краснéть], to blush
дéрзость *f.*, impertinence
принуждённый, forced, constrained, *p.p.p.* of принуди́ть *prf.*
улы́бка, smile
зати́хнуть *prf.* [затихáть], to become silent, quiet down
милéйший, dearest
подхвати́ть *prf.* [подхвáтывать], to rejoin, join in, break in
обрáдоваться *prf.* [рáдоваться] (+ *dat.*), to rejoice at, be glad about; обрáдоваться слýчаю, to welcome the chance/occasion

[17] Хохлáндия, *humor.* for Ukraine; from хохóл, as Ukrainians were sometimes mockingly called by Great Russians, and лáндия, land (cf. Голлáндия, Holland); хохóл literally means tuft or lock; Ukrainian Cossacks traditionally wore a long lock on their shaven heads.

вался слу́чаю перемени́ть разгово́р.) — Во́т, мы толко-
ва́ли о литерату́ре, — продолжа́л о́н: — е́сли б у меня́
бы́ли ли́шние де́ньги, я́ бы сейча́с сде́лался малоросси́й-
ским поэ́том.

— Э́то ещё что́? хоро́ш поэ́т! — возрази́ла Да́рья
Миха́йловна: — ра́зве вы зна́ете по-малоросси́йски?

— Нима́ло; да э́то и не ну́жно.

— Ка́к не ну́жно?

— Да та́к, не ну́жно. Сто́ит то́лько взя́ть ли́ст бу-
ма́ги и написа́ть наверху́: «Ду́ма»; пото́м нача́ть та́к:
«го́й, ты до́ля моя́, до́ля!» и́ли: «по-пид горо́ю, по-пид
зеленою, гра́е, гра́е воропа́е, го́п! го́п!» и́ли что́-нибудь
в э́том ро́де. И де́ло в шля́пе. Печа́тай и издава́й. Мало-
ро́сс прочтёт, подопрёт руко́ю щёку и непреме́нно за-
пла́чет, — така́я чувстви́тельная душа́!

— Поми́луйте! — восклиќнул Баси́стов. — Что́ вы
э́то тако́е говори́те? Э́то ни с че́м не сообра́зно. Я́ жи́л
в Малоро́ссии, люблю́ её и язы́к её зна́ю... «гра́е, гра́е
воропа́е» — соверше́нная бессмы́слица.

— Мо́жет быть, а хохо́л всё-таки запла́чет. Вы гово-
ри́те: язы́к... Да ра́зве существу́ет малоросси́йский

перемени́ть *prf.* [меня́ть], to
  change
разгово́р, conversation
толкова́ть *imp.*, to discourse,
  talk
ли́шний, extra
малоросси́йский (*pre-rev.*), Little
  Russian (Ukrainian)
э́то ещё что? and what next?
нима́ло, not in the least
сто́ит то́лько, all you have to
  do is
ли́ст, sheet
Ду́ма, meditation (Ukrainian
  folk ballad)
Го́й, ты до́ля моя́ до́ля, Hey,
  thou my lot, my lot!
в э́том ро́де, of that sort
де́ло в шля́пе, you've got it
  in the bag, the matter is
  settled

печа́тай, print, *imper.* of печа́-
  тать *imp.*
издава́й, publish, *imper.* of изда-
  ва́ть *imp.*
подпере́ть *prf.* [подпира́ть], to
  prop
щека́, cheek
запла́кать *prf.* [пла́кать], to cry
чувстви́тельный, sensitive
поми́луйте!, (*lit.*, have mercy!)
  Good gracious! Heavens!
восклиќнуть *prf.* [восклица́ть],
  to exclaim
сообра́зно (с + *instr.*), in ac-
  cordance, compliance (with);
  ни с че́м не сообра́зно, makes
  to sense at all
Малоро́ссия (*pre-rev.*), Little
  Russia (Ukraine)
бессмы́слица, nonsense
всё-таки, nevertheless

язы́к? Я попроси́л ра́з одного́ хохла́ перевести́ сле́дую-
щую, пéрвую попáвшуюся мнé фрáзу: «граммáтика éсть
искýсство прáвильно читáть и писáть». Знáете, кáк óн
э́то перевёл: «храмáтыка е выскýсьтво прáвыльно чы-
тáты ы пысáты...» Чтó ж, э́то язы́к, по-вáшему? само-
стоя́тельный язы́к?

Баси́стов хотéл возражáть.

— Остáвьте егó, — промóлвила Дáрья Михáйловна:
— ведь вы знáете, от негó крóме парадóксов ничегó не
услы́шишь.

Пигáсов язви́тельно улыбнýлся. Лакéй вошёл и до-
ложи́л о приéзде Алексáндры Пáвловны и её брáта.

Дáрья Михáйловна встáла навстрéчу гостя́м.

— Здрáвствуйте, Alexandrine! — заговори́ла онá,
подходя́ к нéй: — кáк вы умнó сдéлали, что приéхали...
Здрáвствуйте, Сергéй Пáвлыч!

Волы́нцев пожáл Дáрье Михáйловне рýку и подошёл к Натáлье Алексéевне.

— А что, э́тот барóн, вáш нóвый знакóмый, приéдет
сегóдня? — спроси́л Пигáсов.

— Дá, приéдет.

— Óн, говоря́т, вели́кий филóсоф: тáк и бры́зжет
Гéгелем.[18]

Дáрья Михáйловна ничегó не отвечáла, усади́ла
Алексáндру Пáвловну на кушéтку и самá помести́лась
вóзле неё.

— Филосóфия, — продолжáл Пигáсов: — вы́сшая

перевести́ *prf.* [переводи́ть], to
   translate
слéдующий, the following
пéрвый попáвшийся, the first
   (one) chanced upon
искýсство, art
самостоя́тельный, independent
остáвьте, leave, *imper.* of остáвить *prf.*
лакéй, footman
язви́тельно, caustically, sarcastically

пожáть *prf.* [пожимáть] рýку,
   to press the hand, shake hands
говоря́т, they say
тáк и (used before a verb to
   stress intensity of action),
   positively, just, simply
бры́згать *imp.* [бры́знуть *inst.*],
   to spout
усади́ть *prf.* [усáживать], to seat
вы́сшая тóчка зрéния, higher
   point of view

[18] Hegel.

то́чка зре́ния! Во́т ещё сме́рть моя́: э́ти вы́сшие то́чки зре́ния. И что́ мо́жно увида́ть све́рху? Небо́сь, коли захо́чешь ло́шадь купи́ть, не с каланчи́ на неё смотре́ть ста́нешь!

— Ва́м э́тот баро́н хоте́л привезти́ статью́ каку́ю-то? — спроси́ла Алекса́ндра Па́вловна.

— Да́, статью́, — отвеча́ла с преувели́ченною небре́жностью Да́рья Миха́йловна: — об отноше́ниях торго́вли к промы́шленности в Росси́и... Но́ не бо́йтесь: мы её здесь чита́ть не ста́нем... я ва́с не за те́м позвала́. Le baron est aussi aimable que savant.[19] И та́к хорошо́ говори́т по-ру́сски! C'est un vrai torrent... il vous entraîne.[20]

— Та́к хорошо́ по-ру́сски говори́т, — проворча́л Пига́сов: — что заслу́живает францу́зской похвалы́.

— Поворчи́те ещё, Африка́н Семёныч, поворчи́те... Э́то о́чень идёт к ва́шей взъеро́шенной причёске... Одна́ко, что́ же о́н не е́дет? Зна́ете ли что́, messieurs et mesdames, — приба́вила Да́рья Миха́йловна, взгляну́в круго́м: — пойдёмте в са́д... До обе́да ещё о́коло ча́су оста́лось, а пого́да сла́вная...

Всё о́бщество подняло́сь и отпра́вилось в са́д.

Са́д у Да́рьи Миха́йловны доходи́л до са́мой реки́. В нём бы́ло мно́го ста́рых ли́повых алле́й, золоти́сто-

---

сме́рть моя́, it will be the death of me, I abominate
каланча́, watchtower
ста́нешь (*fut. prf.* used as auxiliary *v.*), you would, will
преувели́ченный, exaggerated, *p.p.p.* of преувели́чить *prf.*
небре́жность *f.*, carelessness, nonchalance
торго́вля, trade
промы́шленность *f.*, industry
бо́йтесь, fear, *imper.* of боя́ться *imp.*
не за те́м, not for that purpose
проворча́ть *prf.* [ворча́ть], to grumble

заслу́живать *imp.* [заслужи́ть], to deserve
идти́ *imp. det.* (к + *dat.*), to go with, suit
причёска, coiffure, hair do
взгляну́в, glancing, having looked, *p.adv.p.* of взгляну́ть *prf.*
круго́м, around
о́бщество, company, society
подня́ться *prf.* [поднима́ться], to rise
доходи́ть *imp.* [дойти́] (до + *gen.*), to extend to, reach
до са́мой реки́, right to the river
ли́повый *adj.* of ли́па, linden
алле́я, avenue
золоти́сто тёмный, darkgolden

---

[19] The baron is as amiable as he is learned.
[20] Positively a torrent... he carries you along.

тёмных и души́стых, с изумру́дными просвéтами по концáм, мнóго бесéдок из акáций и сирéни.

Волы́нцев вмéсте с Натáльей и m-lle Boncourt забрали́сь в сáмую глушь сáда. Волы́нцев шёл ря́дом с Натáльей и молчáл. M-lle Boncourt слéдовала немнóго поóдаль.

— Чтó же вы дéлали сегóдня? — спроси́л наконéц Волы́нцев, подёргивая концы́ свои́х прекрáсных темнору́сых усóв.

Óн чертáми лицá óчень походи́л на сестру́; нó в выражéнии их бы́ло мéньше игры́ и жи́зни, и глазá егó, краси́вые и лáсковые, гляде́ли кáк-то гру́стно.

— Да ничегó, — отвечáла Натáлья: — слу́шала, как Пигáсов брани́тся, вышивáла по канвé, читáла.

— А чтó такóе вы читáли?

— Я читáла... истóрию крестóвых похóдов, — проговори́ла Натáлья с небольшóй запи́нкой.

Волы́нцев посмотрéл на неё.

— Á! — произнёс óн наконéц, — э́то должнó быть интерéсно.

Óн сорвáл вéтку и нáчал вертéть éю по вóздуху. Они́ прошли́ ещё шагóв двáдцать.

изумру́дный *adj.* of изумру́д, emerald

просвéт, opening, clear space, gap,

по концáм, at the ends

бесéдка, arbor

акáция, acacia

сирéнь *f.*, lilac

забрáться *prf.* [забирáться], (в, на + *acc.*) to get into on

сáмый, the very

глушь *f.*, remote spot

поóдаль, at a / some / distance

подёргивая, pulling, *pr.adv.p.* of подёргивать *imp.*

конéц, tip

ру́сый, light-brown; тёмнору́сый, dark chestnut

чертá, feature

игрá, play

лáсковый, caressing

кáк-то, somewhat

гру́стно, sad, melancholy

взгля́д, look, glance

вышивáть *imp.* [вы́шить], to embroider

канвá, (embroidery) canvas

крестóвый похóд, Crusade

запи́нка, hesitation

произнести́ *prf.* [произноси́ть], to say, pronounce

сорвáть *prf.* [срывáть], to break off

вéтка, branch

вертéть *imp.*, to twirl

шагóв двáдцать, about 20 paces

— Что́ э́то за баро́н, с кото́рым ва́ша ма́тушка по-
знако́милась? — спроси́л опя́ть Волы́нцев.

— Ка́мер-ю́нкер, прие́зжий; maman его́ о́чень хва́лит.

— Ва́ша ма́тушка спосо́бна увлека́ться.

— Э́то дока́зывает, что она́ ещё о́чень молода́ се́рд-
цем, — заме́тила Ната́лья.

— Да́. Я ско́ро пришлю́ вам ва́шу ло́шадь. Она́ уже́
почти́ совсе́м вы́езжена. Мне́ хо́чется, что́бы она́ с ме́ста
поднима́ла в гало́п, и я́ э́того добью́сь.

— Merci... Одна́ко, мне́ со́вестно. Вы са́ми её выез-
жа́ете... э́то, говоря́т, о́чень тру́дно...

— Что́бы доста́вить ва́м мале́йшее удово́льствие, вы
зна́ете, Ната́лья Алексе́евна, я гото́в... я... и не таки́е
пустяки́...

Волы́нцев замя́лся.

Ната́лья дружелю́бно взгляну́ла на него́ и ещё раз
сказа́ла: merci.

— Вы зна́ете, — продолжа́л Серге́й Па́влыч по́сле
до́лгого молча́нья: — что не́т тако́й ве́щи... Но́ к чему́
я э́то говорю́! Ведь вы всё зна́ете.

В э́то мгнове́ние в до́ме прозвене́л ко́локол.

что́ это за, what sort of
ма́тушка (*obs. resp.* or *affect.*),
  mother
познако́миться *prf.* [знако́мить-
ся] (с + *instr.*), to make the
acquaintance of
прие́зжий (*adj.* used as *n.*), new-
comer, stranger
хвали́ть *imp.* [по-], to praise
спосо́бен *pred.*, capable, apt
увлека́ться *imp.* [увле́чься], to
be carried away
дока́зывать *imp.* [доказа́ть], to
prove
молода́ се́рдцем, her heart is
young, she has a young heart
заме́тить *prf.* [замеча́ть], to
remark
вы́езжен, trained, broken in,
pred. p.p.p. of вы́ездить *prf.*

с ме́ста поднима́ть в гало́п, to
start out at a gallop
доби́ться *prf.* (+ *gen.*) to achieve
attain (through effort); [доби-
ва́ться *imp.*], to strive for, try
to obtain
(мне, ему́) со́вестно (*pass.* with
dat.), (I, he) feel(s) embarrassed
выезжа́ть *imp.* [вы́ездить], to
break in
мале́йший, slightest
пустя́к, trifle
замя́ться *prf.*, to falter
дружелю́бно, kindly, amiably
взгляну́ть *prf. inst.* [взгля́ды-
вать], to give a look, glance
мгнове́ние, moment, instant
прозвене́ть *prf.* [звене́ть], to
sound
ко́локол, bell

— Ah! la cloche du dîner![21] — воскли́кнула m-lle Boncourt: — rentrons.[22]

Баро́н к обе́ду не прие́хал. Его́ прожда́ли с полчаса́.
Разгово́р за столо́м не кле́ился. Серге́й Па́влыч то́лько
посма́тривал на Ната́лью, во́зле кото́рой сиде́л, и усе́рд-
но налива́л ей воды́ в стака́н. Пандале́вский тще́тно
стара́лся заня́ть сосе́дку свою́, Алекса́ндру Па́вловну:
о́н ве́сь закипа́л сла́достью, а она́ чу́ть не зева́ла.

Баси́стов ката́л ша́рики из хле́ба и ни о чём не ду́-
мал; да́же Пига́сов молча́л, и когда́ Да́рья Миха́йловна
заме́тила ему́, что о́н о́чень нелюбе́зен сего́дня, угрю́мо
отве́тил: когда́ же я быва́ю любе́зным? Э́то не моё
де́ло... — И, усмехну́вшись го́рько, приба́вил: — по-
терпи́те мале́нько. Ведь я квас, du prostoi ру́сский
квас;[23] а во́т ваш ка́мер-ю́нкер...

— Бра́во! — воскли́кнула Да́рья Миха́йловна. —
Пига́сов ревну́ет, зара́нее ревну́ет!

Но́ Пига́сов ничего́ не отве́тил ей и то́лько посмостре́л
исподло́бья.

с полчаса́, about a half hour
разгово́р не кле́ился, the con-
　versation flagged
посма́тривать, *imp.*, to throw
　glances, keep glancing
налива́ть *imp.* [нали́ть], to pour,
　pour out
стака́н, tumbler, glass
тще́тно, vainly
заня́ть *prf.* [занима́ть], to enter-
　tain
сосе́дка *f.*, neighbor *m.*
закипа́ть *imp.* [закипе́ть], to
　bubble
ката́ть *imp. ind.*, to roll *trans.*
ша́рик (*dim.* of шар), little ball

нелюбе́зен *pred.*, unkind, un-
　gracious
угрю́мо, gloomily, gloomy
когда́ же я быва́ю, when am I ever
э́то не моё де́ло, it is not my
　concern
усмехну́вшись, smiling, *p.adv.p.*
　of усмехну́ться *prf.*
го́рько, bitterly
потерпи́те, have patience, *imper.*
　of потерпе́ть *prf.*
мале́нько (*colloq.*), a little
а вот, (*here*) whereas, as for
ревнова́ть *imp.*, to be jealous
зара́нее, beforehand
исподло́бья, with a frown

[21] Ah! the bell for dinner!
[22] Let's go in.
[23] квас is a fermented, usually homemade drink popular in Russia;
Pigasov uses the word symbolically to describe his own unpretentious,
almost plebeian, but genuinely Russian nature; he humorously french-
ifies просто́й, plain, simple ("du prostoi"), deriding the use of French
in Russian high society.

Прóбило сéмь часóв, и всé опя́ть собралúсь в гостúную.

— Вúдно, не бýдет, — сказáла Дáрья Михáйловна.

Нó вóт раздáлся стук экипáжа, небольшóй тарантáс въéхал на двóр, и чéрез нéсколько мгновéний лакéй вошёл в гостúную и пóдал Дáрье Михáйловне письмó на серéбряном поднóсе. Онá пробежáла егó до концá и, обратя́сь к лакéю, спросúла:

— А гдé же господúн, котóрый привёз э́то письмó?

— В экипáже сидúт-с. Прикáжете приня́ть-с?

— Просú.

Лакéй вы́шел.

— Вообразúте, какáя досáда, — продолжáла Дáрья Михáйловна: — барóн получúл предписáние тотчáс вернýться в Петербýрг. Óн прислáл мнé свою́ стáтью с однúм господúном Рýдиным, свoúм прия́телем. Барóн хотéл мнé егó представить — óн óчень егó хвалúл. Нó кáк э́то досáдно! Я надéялась, что барóн поживёт здéсь...

— Дмúтрий Николáевич Рýдин, — доложúл лакéй.

III

Вошёл человéк лéт тридцатú пятú, высóкого рóста, нéсколько сутýловатый, курчáвый, смýглый, с лицóм непрáвильным, нó вырaзúтельным и ýмным, с жúдким

блéском в бы́стрых темноси́них глазáх, с прямы́м ши-
рóким нóсом и краси́во очéрченными губáми. Плáтье на
нём бы́ло не нóво и у́зко, слóвно óн из негó вы́рос.

Óн провóрно подошёл к Дáрье Михáйловне и, по-
клоня́сь корóтким поклóном, сказáл ей, что óн давнó
желáл имéть чéсть представиться ей и что прия́тель
егó, барóн, óчень сожалéл о тóм, что не мóг прости́ться
ли́чно.

Тóнкий звýк гóлоса Рýдина не соотвéтствовал егó
рóсту и егó ширóкой груди́.

— Сади́тесь... óчень рáда, — промóлвила Дáрья
Михáйловна и, познакóмив егó со всéм óбществом, спро-
си́ла, здéшний ли óн, и́ли заéзжий.

— Моё имéние в Т...ой губéрнии, — отвéтил Рýдин,
держá шля́пу на колéнях: — а здéсь я недáвно. Я приéхал по дéлу и посели́лся покá в вáшем уéздном гóроде.

— У когó?

— У дóктора. Óн мóй стари́нный товáрищ по уни-
верситéту.

— А́! У дóктора... Егó хвáлят. Óн, говоря́т, своё
дéло знáет. А с барóном вы давнó знакóмы?

— Я ны́нешней зимóй в Москвé с ним встрéтился и
тепéрь провёл у негó óколо недéли.

— Óн óчень ýмный человéк — барóн.

блéск, gleam
очéрченный, shaped, outlined
　p.p.p. of очерти́ть *prf.*
плáтье, clothes
у́зок *pred.*, tight
слóвно, as though
вы́расти *prf.* [вырастáть] (из +
　gen.), to grow out of
провóрно, briskly
поклоня́сь, bowing, *p.adv.p.* of
　поклони́ться *prf.*
поклóн, bow
имéть чéсть *f.*, to have the honor
прости́ться *prf.* [прощáться],
　to say good-by
ли́чно, personally
тóнкий, thin, high-pitched

соотвéтствовать *imp.* (+ *dat.*), to
　correspond, be in line / har-
　mony / (with)
грудь *f.*, chest, breast
здéшний, resident, of this place
заéзжий (*adj.* used as *n.*), visitor,
　stranger
колéно (колéни *pl.*), knee
посели́ться *prf.* [поселя́ться], to
　settle down, take up one's
　quarters
уéздный *adj.* of уéзд (*pre-rev.*),
　district
разумéть *imp.* (*pop.obs.*), to
　understand, comprehend
провести́ *prf.* [проводи́ть] врéмя,
　to spend time

— Да́-с.

Да́рья Миха́йловна поню́хала узело́к носово́го платка́, пропи́танный одеколо́ном.

— Вы слу́жите? — спроси́ла она́.

— Кто́? я́-с?

— Да́.

— Не́т... Я в отста́вке.

Наступи́ло небольшо́е молча́ние. Общий разгово́р возобнови́лся.

— Позво́льте полюбопы́тствовать, — на́чал Пига́сов, обратя́сь к Ру́дину: — вам изве́стно содержа́ние статьи́, при́сланной господи́ном баро́ном?

— Изве́стно.

— Статья́ эта тракту́ет об отноше́ниях торго́вли... и́ли не́т... промы́шленности к торго́вле в на́шем оте́честве... Та́к, ка́жется, вы изво́лили вы́разиться, Да́рья Миха́йловна?

— Да́, она́ об э́том... — проговори́ла Да́рья Миха́йловна и приложи́ла ру́ку ко лбу́.

— Я́, коне́чно, в э́тих дела́х судья́ плохо́й, — продолжа́л Пига́сов: — но я до́лжен созна́ться, что мне́ са́мое загла́вие статьи́ ка́жется чрезвыча́йно... ка́к бы э́то сказа́ть поделика́тнее?... чрезвыча́йно тёмным и запу́танным.

поню́хать *prf.* [ню́хать], to sniff, smell

узело́к *dim.* of у́зел, knot

носово́й плато́к, handkerchief

одеколо́н, eau de Cologne

служи́ть *imp.*, to be in service, serve

наступи́ть *prf.* [наступа́ть] to come (the coming or setting in, of a period of time or condition)

возобнови́ться *prf.* [возобновля́ться], to be resumed, renewed

полюбопы́тствовать *prf.* [любопы́тсвовать], to inquire (любопы́тство, curiosity)

содержа́ние, subject matter, content

при́сланный, sent, *p.p.p.* of присла́ть *prf.*

трактова́ть *imp.* (*book*), to treat, discuss

оте́чество, fatherland

изво́лить *imp.*, to deign

приложи́ть *prf.* [прикла́дывать], to put, bring to

судья́ *m.*, judge

созна́ться *prf.* [сознава́ться] (в + *loc.*), to confess, admit (something)

са́мый, the very

загла́вие, title

запу́танный, intricate, confused, *p.p.p.* of запу́тать *prf.*

— Почему́ же оно́ вам та́к ка́жется?

Пига́сов усмехну́лся и посмотре́л вско́льзь на Да́рью Миха́йловну.

— А ва́м оно́ я́сно? — проговори́л о́н, сно́ва обрати́в своё ли́сье ли́чико к Ру́дину.

— Мне́? Я́сно.

— Гм... Коне́чно, э́то вам лу́чше зна́ть.

— У вас голова́ боли́т? — спроси́ла Алекса́ндра Па́вловна Да́рью Миха́йловну.

— Не́т. Э́то у меня́ так... C'est nerveux.[24]

— Позво́льте полюбопы́тствовать, — заговори́л опя́ть носовы́м го́лоском Пига́сов: — ваш знако́мый, господи́н баро́н Му́ффель... та́к, ка́жется, их зову́т?

— То́чно та́к.

— Господи́н баро́н Му́ффель специа́льно занима́ется полити́ческой эконо́мией, и́ли то́лько так, посвяща́ет э́той интере́сной нау́ке часы́ досу́га, остаю́щегося среди́ све́тских удово́льствий и заня́тий по слу́жбе?

Ру́дин при́стально посмотре́л на Пига́сова.

— Баро́н в э́том де́ле дилета́нт, — отвеча́л он, слегка́ красне́я: — но́ в его́ статье́ е́сть мно́го пра́вильного и любопы́тного.

— Не могу́ спо́рить с ва́ми, не зна́я статьи́... Но́, сме́ю спроси́ть, сочине́ние ва́шего прия́теля, баро́на Му́ффеля, вероя́тно, бо́лее приде́рживается о́бщих рассужде́ний, не́жели фа́ктов?

— В нём е́сть и фа́кты, и рассужде́ния, осно́ванные на фа́ктах.

вско́льзь, fleetingly
ли́сий (*adj.* from лиса́), foxlike
ли́чико *dim.* of лицо́, face
вам лу́чше зна́ть, you are the one to know it
носово́й, nasal
нау́ка, science, learning
досу́г, leisure
остаю́щийся, remaining, *pr.a.p.* of остава́ться *imp.*
среди́, among

све́тский, of the world, worldly
при́стально, fixedly
любопы́тный, interesting, curious
спо́рить *imp.* [по-], to argue
сме́ть *imp.* [по-], to dare
сочине́ние, a work (of literature), writing
рассужде́ние, theorizing, reasoning
не́жели (obs. for чем), than
осно́ванный, based, founded, *p.p.p.* of основа́ть *prf.*

[24] It's just my nerves.

— Тáк-с, тáк-с; по моемý мнéнию... а я три гóда в Дéрпте жил... всé эти, так называемые, óбщие рассуждéния, гипóтезы, системы... извинúте меня, я провинциáл, прáвду-мáтку рéжу прямо... никудá не годятся. Это всё тóлько ýмствование — этим тóлько людéй морóчат. Передавáйте, господá, фáкты, и бýдет с вас.

— В сáмом дéле! — возразúл Рýдин. — Ну, а смысл фáктов передавáть слéдует?

— Óбщие рассуждéния! — продолжáл Пигáсов: — смéрть моя эти óбщие рассуждéния, обозрéния, заключéния! Всё это оснóвано на так называемых убеждéниях; всякий толкýет о своúх убеждéниях и ещё уважéния к ним трéбует, нóсится с нúми... Эх!

И Пигасов потряс кулакóм в вóздухе. Пандалéвский рассмеялся.

— Прекрáсно! — промóлвил Рýдин: — стáло быть, по-вáшему, убеждéний нéт?

— Нéт — и не существýет.

— Это вáше убеждéние?

— Дá.

— Кáк же вы говорúте, что их нéт? Вóт вам ужé однó, на пéрвый слýчай.

мнéние, opinion
так называемый, so-called
прáвду мáтку рéзать, to tell the truth bluntly, blurt the truth straight out
ýмствование, (vain) philosophizing, sophistry
морóчить *imp.*, to fool
передавáть *imp.* [передáть], to give, render
бýдет, that will do, enough; бýдет с вáс, that will do for you
в сáмом дéле, indeed! actually
смысл, meaning, sense
слéдует, one does have to, ought to
обозрéние, survey

заключéние, deduction
убеждéние, conviction
всякий, anyone
и ещё, and what is more, and even
уважéние, respect
трéбовать *imp.* [по-] (+ *gen.*), to demand
нóситься *imp. ind.* (с + *instr.*), to fuss over, cherish
потрястú *prf.* [потрясáть], to brandish, shake
кулáк, fist
рассмеяться *prf.*, to burst out laughing
стáло быть, consequently, then, so
на пéрвый слýчай, to start with, at the first instance

Всё в ко́мнате улыбну́лись и перегляну́лись.

— Позво́льте, позво́льте, одна́ко, — на́чал было Пига́сов...

Но́ Да́рья Миха́йловна захло́пала в ладо́ши, воскли́кнула: «бра́во, бра́во! разби́т Пига́сов, разби́т!» и тихо́нько вы́нула шля́пу из ру́к Ру́дина.

— Погоди́те ра́доваться, суда́рыня! — заговори́л с доса́дой Пига́сов. — Недоста́точно сказа́ть, с ви́дом превосхо́дства, о́строе словцо́: на́до доказа́ть, опрове́ргнуть... Мы отби́лись от предме́та спо́ра.

— Позво́льте, — хладнокро́вно заме́тил Ру́дин: — де́ло о́чень про́сто. Вы́ не ве́рите в по́льзу о́бщих рассужде́ний, вы́ не ве́рите в убежде́ния...

— Не ве́рю, не ве́рю, ни во что́ не ве́рю.

— О́чень хорошо́. Вы́ ске́птик.

— Не ви́жу необходи́мости употребля́ть тако́е учё́ное сло́во. Впро́чем...

— Не перебива́йте же! — вмеша́лась Да́рья Миха́йловна.

«Куси́, куси́, куси́!» сказа́л про себя́ в э́то мгнове́нье Пандале́вский и ве́сь оскла́бился.

перегляну́ться *prf.* [перегля́дываться], to exchange glances
на́чал было, had barely started
захло́пать *prf. inch.* [хло́пать], to clap
ладо́нь *f.* (ладо́ши *dim. pl.*), palm; захло́пать в ладо́ши, clap one's hands
разби́т, defeated, *pred. p.p.p.* of разби́ть *prf.*
тихо́нько, very gently
вы́нуть *prf.* [вынима́ть], to remove, take out
погоди́те *imper.* (no *inf.*), wait a little
ра́доваться *imp.* [по-, об-], to rejoice
суда́рыня, (*obs.*), madam
недоста́точно, not enough, insufficient
ви́д, air
превосхо́дство, superiority

о́стрый, sharp, keen, witty
словцо́ (dim. of сло́во), word, remark
на́добно (*obs.*), it is necessary
опрове́ргнуть *prf.* [опроверга́ть], to refute, disprove
отби́ться *prf.* (от + *gen.*), to digress, get away from
предме́т, subject
спо́р, argument, controversy
хладнокро́вно, calmly, coolly, cold-bloodedly
по́льза, use, good
ни во что́, in anything
необходи́мость *f.*, necessity
впро́чем, however
не перебива́йте, don't interrupt, *imper.* of перебива́ть *imp.*
вмеша́ться *prf.* [вме́шиваться], to interpose
куси́, куси́! bite! get him!
весь оскла́бился, grinned broadly

— Это слово выража́ет мою́ мысль, — продолжа́л Ру́дин. — Вы его́ понима́ете: отчего́ же не употребля́ть его́? Вы ни во что́ не ве́рите… Почему́ же ве́рите вы в фа́кты?

— Ка́к почему́? Во́т прекра́сно! Фа́кты де́ло изве́стное, вся́кий зна́ет, что́ тако́е фа́кты… Я́ сужу́ о них по о́пыту, по со́бственному чу́вству.

— Да ра́зве чу́вство не мо́жет обману́ть вас? Чу́вство вам говори́т, что со́лнце вокру́г земли́ хо́дит… и́ли, мо́жет быть, вы не согла́сны с Копе́рником? Вы и ему́ не ве́рите?

Улы́бка опя́ть промча́лась по все́м ли́цам, и глаза́ все́х устреми́лись на Ру́дина. «А о́н челове́к не глу́пый,» поду́мал ка́ждый.

— Вы всё изво́лите шути́ть, — заговори́л Пига́сов. — Коне́чно, э́то о́чень оригина́льно, но́ к де́лу не идёт.

— В то́м, что́ я сказа́л до сих по́р, — возрази́л Ру́дин: — к сожале́нию, сли́шком ма́ло оригина́льного. Это всё о́чень давно́ изве́стно и ты́сячу ра́з бы́ло гово́рено. Де́ло не в то́м…

— А в чём же? — спроси́л не без на́глости Пига́сов.

В спо́ре о́н сперва́ подтру́нивал над проти́вником, пото́м станови́лся гру́бым, а наконе́ц ду́лся и умолка́л.

— Во́т в чём, — продолжа́л Ру́дин: — я́, признаю́сь, не могу́ не чу́вствовать и́скреннего сожале́ния, когда́ у́мные лю́ди при мне́ напада́ют…

— На систе́мы? — переби́л Пига́сов.

де́ло изве́стное, common knowledge
суди́ть, to judge
о́пыт, experience; по о́пыту, by experience
обману́ть *prf.* [обма́нывать], to deceive
промча́ться *prf.* [мча́ться], to flit
вы изво́лите, it is your pleasure / fancy
шути́ть *imp.* [по-], to joke, jest
к де́лу не идёт, it is irrelevant, has nothing to do with it

до сих по́р, so far
к сожале́нию, unfortunately
де́ло (не) в то́м, the point is (not)
на́глость *f.*, impudence, insolence
подтру́нивать *imp.* [подтруни́ть] (над + *instr.*), to tease, chaff
проти́вник, opponent, adversary
гру́бый, rude
ду́ться *imp.* [на-], to sulk
и́скренний, sincere
сожале́ние, regret
при мне́, in my presence

— Дá, пожáлуй, хоть на систéмы. Чтó вáс пугáет так э́то слóво? Вся́кая систéма оснóвана на знáнии оснóвных закóнов, начáл жи́зни.

— Да их узнáть, откры́ть их нельзя́... поми́луйте!

— Позвóльте. Конéчно, не вся́кому они́ достýпны, и человéку свóйственно ошибáться. Однáко, вы, вероя́тно, согласи́тесь со мнóю, что, напримéр, Ньютóн откры́л хотя́ нéкоторые из э́тих основны́х закóнов. Он бы́л гéний, полóжим; нó откры́тия гéниев тéм и вели́ки, что станóвятся достоя́нием всéх. Стремлéние к отыскáнию óбщих начáл в чáстных явлéниях éсть однó из коренны́х свóйств человéческого умá, и вся́ нáша образóванность...

— Вóт вы кудá-с! — переби́л растя́нутым гóлосом Пигáсов. — Я практи́ческий человéк и во всé э́ти метафизи́ческие тóнкости не вдаю́сь и не хочý вдавáться.

— Прекрáсно! Это в вáшей вóле. Нó замéтьте, что сáмое вáше желáние бы́ть исключи́тельно практи́ческим человéком éсть ужé своегó рóда систéма, теóрия...

— Образóванность! говори́те вы, — подхвати́л Пи-

пожáлуй, perhaps, if you wish

хоть, even, also

пугáть *imp.* [ис-, на-], to alarm, frighten

оснóван, founded, based, *pred. p.p.p.* of основáть *prf.*

знáние, knowledge

основнóй, fundamental, basic

закóн, law

начáло (*obs.* in this usage), principle, law, basis

откры́ть *prf.* [открывáть], to discover

достýпен *pred.*, accessible

человéку свóйственно ошибáться, to err is human

полóжим, let us admit / assume, assuming

тéм и вели́к, great precisely for

достоя́ние (*book.*), property

стремлéние, striving, effort

отыскáние (*obs.*), discovery

чáстный, particular

явлéние, phenomenon

кореннóй, basic

свóйство, characteristic, trait

образóванность *f.*, knowledge, education

вóт вы кудá, that's what you're after

растя́нутый, drawling, drawn out, *p.p.p.* of растянýть *prf.*

тóнкость *f.*, subtlety

вдавáться *imp.* [вдáться] (в + *acc.*), to go into (*fig.*)

вóля, will, free will; в вáшей вóле, up to you

сáмое вáше желáние, your very desire

исключи́тельно, nothing but, exclusively

своегó рóда, of a kind, in its way

гасов: — вот ещё чем вздумали удивить! Очень нужна
она, эта хвалёная образованность! Гроша медного не
дам я за вашу образованность!

— Однако, как вы дурно спорите, Африкан Семёныч! — заметила Дарья Михайловна, внутренно весьма
довольная спокойствием и изящной учтивостью нового
своего знакомого. — «C'est un homme comme il faut», —
подумала она, с доброжелательным вниманием взглянув в лицо Рудину. «Надо его приласкать». Эти послед-
ние слова она мысленно произнесла по-русски.

— Образованность я защищать не стану, — продолжал, помолчав немного, Рудин: — она не нуждается в
моей защите. Вы её не любите... у всякого свой вкус.
Притом, это завело бы нас слишком далеко. Позвольте
вам только напомнить старинную поговорку: «Юпитер,
ты сердишься: стало быть, ты виноват». Я хотел сказать, что все эти нападения на системы, на общие рас-
суждения и т. д. потому особенно огорчительны, что
вместе с системами люди отрицают вообще знание, на-
уку и веру в неё, стало быть, и веру в самих себя, в
свои силы. А людям нужна эта вера. Скептицизм всегда
отличался бесплодностью и бессилием...

вот ещё чем вздумали ..., that's
  what you thought up to ...
удивить *prf.* [удивлять], to
  astonish
хвалёный (*colloq.*), much lauded,
  much praised
грош, half a kopeck, penny
медный, copper
дурно, improperly, badly
учтивость *f.*, courtesy
знакомый (adj. used as *n.*),
  acquaintance
доброжелательный, benevolent
приласкать *prf.*, to treat with
  affection
мысленно, mentally, in thought
защищать *imp.* [защитить], to
  defend
не стану, I shall not

нуждаться *imp.* (в + *loc.*), to
  be in need of
притом, moreover, besides
завести *prf.* заводить, to lead,
  take; это завело бы нас
  слишком далеко, this would
  lead (or, take) us too far
напомнить *prf.* [напоминать], to
  remind
поговорка, adage, saying
сердиться *imp.* [рас-, *inch*], to
  be angry
виноват *pred.*, wrong, at fault
огорчителен *pred.*, distressing
отрицать *imp.*, to negate, deny
вера, faith
силы, powers
бесплодность *f.*, fruitlessness,
  sterility
бессилие, impotence

— Это всё словá! — пробормотáл Пигáсов.

— Мóжет быть. Нó позвóльте вам замéтить, что, говоря: «это всё словá!» — мы чáсто сáми желáем отдéлаться от необходи́мости сказáть чтó-нибудь подельнéе одни́х слóв.

— Чегó-с? — спроси́л Пигáсов и прищу́рил глазá.

— Вы пóняли, чтó я хотéл сказáть вам, — возрази́л с невóльным, но тотчáс сдéржанным, нетерпéнием Ру́дин. — Повторяю, éсли у человéка нéт крéпкого начáла, в котóрое óн вéрит, нéт пóчвы, на котóрой óн стои́т твéрдо, кáк мóжет óн отдáть себé отчёт в потрéбностях, в значéнии, в бу́дущности своегó нарóда? кáк мóжет он знáть, чтó он дóлжен сáм дéлать, éсли...

— Чéсть и мéсто! — отры́висто проговори́л Пигáсов, поклони́лся и отошёл в стóрону, ни на когó не гля́дя.

Ру́дин посмотрéл на` негó, усмехну́лся слегкá и умóлк.

— Агá! обрати́лся в бéгство! — заговори́ла Дáрья Михáйловна. — Не беспокóйтесь, Дми́трий... Извини́те, — прибáвила онá с привéтливой улы́бкой: — кáк вас по бáтюшке?

— Николáич.

— Не беспокóйтесь, любéзный Дми́трий Николáич! Óн никогó из нáс не обману́л. Óн желáет показáть ви́д, что не *хóчет* бóльше спóрить... Óн чу́вствует, что

это всё словá, all this is merely words

отдéлаться *prf.* [отдéлываться], to rid (oneself), get rid

подельнéе (*compr.* of дéльный), more pertinent, more telling

прищу́рить *prf.* [прищу́ривать], to squint

сдéржанный, repressed, restrained, *p.p.p.* of сдержáть *prf.*

нетерпéние, impatience

крéпкий, strong, firm

начáло, (here) principle, basis

пóчва, ground

отдáть себé отчёт (в + *loc.*); to realize, understand

потрéбность *f.*, need

значéние, significance

бу́дущность *f.*, the future

чéсть и мéсто, honor to whom honor is due

отры́висто, abruptly

агá!, aha!

обрати́ться *prf.* [обращáться] в бéгство, to turn to flight, beat a retreat

привéтливый, friendly, affable

кáк вас по бáтюшке, what is your patronymic (*obs.*; now: как вáше и́мя-óтчество)

показáть *prf.* [покáзывать] ви́д, to pretend, give the appearance

не *может* спо́рить с ва́ми. А вы лу́чше подся́дьте-ка [25] к нам побли́же, да поболта́емте.

Ру́дин пододви́нул своё кре́сло.

— Ка́к это мы до сих по́р не познако́мились? — продолжа́ла Да́рья Миха́йловна. — Э́то меня́ удивля́ет... Чита́ли ли вы э́ту кни́гу? C'est de Tocqueville, vous savez.[26]

И Да́рья Миха́йловна протяну́ла Ру́дину францу́зскую брошю́ру.

Ру́дин взя́л то́ненькую книжо́нку в ру́ки, переверну́л в не́й не́сколько страни́ц и, положи́в её обра́тно на сто́л, отвеча́л, что со́бственно э́того сочине́ния г-на Токви́ля о́н не чита́л, но ча́сто размышля́л о затро́нутом им вопро́се. Разгово́р завяза́лся. Ру́дин сперва́ как бу́дто колеба́лся, не реша́лся выска́зываться, не находи́л сло́в, но наконе́ц разгоре́лся и заговори́л. Че́рез че́тверть часа́ оди́н его́ го́лос раздава́лся в ко́мнате. Всё столпи́лись в кружо́к о́коло него́.

Оди́н Пига́сов остава́лся в отдале́нии, в углу́, по́дле ками́на. Ру́дин говори́л умно́, горячо́, де́льно; вы́казал

подсе́сть *prf.* [подса́живаться], to take a seat near, join
поболта́ть *prf.* [болта́ть], to (have a) chat
пододви́нуть *prf.* [пододвига́ть], to move up closer
как э́то...? how is it that...? how come...?
протяну́ть *prf.* [протя́гивать], to hand, pass
то́ненький *dim.* of то́нкий, thin
книжо́нка (*der.* of кни́га), booklet
переверну́ть *prf.* [перевора́чивать], to turn (over)
со́бственно, as a matter of fact, actually
размышля́ть *imp.*, to meditate
затро́нутый, touched upon,*p.p.p.* of затро́нуть *prf.*

разгово́р завяза́лся, a conversation started / began (завя́заться *prf.* [завя́зываться])
колеба́ться *imp.* [по-], to hesitate
реша́ться *imp.* [реши́ться], to bring oneself to, resolve to
вы́сказаться *prf.* [выска́зываться], to express oneself
разгоре́ться *prf.* [разгора́ться], to flare up
столпи́ться *prf.* [толпи́ться], to cluster, crowd
в отдале́нии, at a distance
ками́н, fireplace
умно́, cleverly
горячо́, fervently
де́льно, sensibly, effectively
вы́казать *prf.* [выка́зывать], to display

[25] The particle -ка added to an *imper.* makes this *imper.* sound like an invitation or a suggestion rather than like a command.
[26] It is by Tocqueville, you know.

мнóго знáния, мнóго начи́танности. Никтó не ожидáл найти́ в нём человéка замечáтельного... Óн был тáк посрéдственно одéт, о нём тáк мáло ходи́ло слýхов. Всéм непоня́тно казáлось и стрáнно, каки́м это óбразом вдрýг, в дерéвне, мóг появи́ться такóй ýмница. Тем бóлее удиви́л óн и, мóжно сказáть, очаровáл всéх, начинáя с Дáрьи Михáйловны... Онá горди́лась своéй нахóдкой и ужé зарáнее дýмала о тóм, как онá вы́ведет Рýдина в свéт. В пéрвых её впечатлéниях бы́ло мнóго почти́ дéтского, несмотря́ на её годá. Алексáндра Пáвловна, прáвду сказáть, понялá мáло изо всегó, чтó говори́л Рýдин, нó былá óчень удивленá и обрáдована; брáт её тóже диви́лся; Пандалéвский наблюдáл за Дáрьей Михáйловной и зави́довал; Пигáсов дýмал: «Дáм пятьсóт рублéй — ещё лýчше соловья́ достáну!...» Нó бóльше всéх бы́ли пораженьı́ Баси́стов и Натáлья. У Баси́стова чуть дыхáнье не захвати́ло; он сидéл всё врéмя с раскры́тым ртóм и вы́пученными глазáми — и слýшал, слýшал, как óтроду не слýшал никогó, а у Натáльи лицó

начи́таность *f.*, wide reading, erudition
замечáтельный, remarkable, extraordinary
посрéдственно, rather poorly
слух, rumor; ходи́ло мáло слýхов, few rumors had gone round, (he) was little spoken of
ýмница *m.* and *f.*, a clever / bright / sensible / person
тем бóлее, all the more
очаровáть *prf.* [очарóвывать], to enchant, charm
начиная́ (с + *gen.*), beginning with, *pr.adv.p.* of начинáть *imp.*
горди́ться *imp.* (+ *instr.*), to be proud (of)
нахóдка, find, godsend
свéт, world; вы́вести в свéт, to present to society, make known

дéтский, childish, child's
несмотря́ (на + *acc.*), despite
прáвду сказáть, to tell the truth
обрáдован, pleased, delighted, *pred. p.p.p.* of обрáдовать *prf.*
диви́ться *imp.*, to marvel
наблюдáть *imp.* (за + *instr.*), to watch, observe
зави́довать *imp.* [по-] (+ *dat.*), to envy
соловéй, nightingale
достáть *prf.* [доставáть], to get
поражён, struck, amazed, *pred. p.p.p.* of порази́ть *prf.*
захвати́ло дыхáние, to be breathless
вы́пученный, protruding, bulging, *p.p.p.* of вы́пучить *prf.*
óтроду не, never in one's born days

покры́лось а́лой кра́ской, и взор её, неподви́жно устремлённый на Ру́дина, и потемне́л и заблиста́л...

— Каки́е у него́ сла́вные глаза́! — шепну́л ей Во-
лы́нцев.

— Да, хоро́ши.

— Жаль то́лько, что ру́ки велики́ и красны́.

Ната́лья ничего́ не отве́тила.

По́дали чай. Разгово́р стал бо́лее о́бщим, но́ уже́ по
одно́й внеза́пности, с кото́рой всё замолка́ли, лишь
то́лько Ру́дин раскрыва́л рот, мо́жно бы́ло суди́ть о си́ле
произведённого им впечатле́ния. Да́рье Миха́йловне
вдруг захоте́лось подразни́ть Пига́сова. Она́ подошла́
к нему́ и вполго́лоса проговори́ла: «Что́ же вы молчи́те
и то́лько улыба́етесь язви́тельно? Попыта́йтесь-ка, схва-
ти́тесь с ним опя́ть,» и не дожда́вшись его́ отве́та, по-
дозвала́ руко́ю Ру́дина.

— Вы про него́ ещё одно́й ве́щи не зна́ете, — сказа́-
ла она́ ему́, ука́зывая на Пига́сова: — он ужа́сный
ненави́стник же́нщин, беспреста́нно напада́ет на них;
пожа́луйста, обрати́те его́ на пу́ть и́стины.

а́лый, crimson
кра́ска, hue, flush, color
взор, gaze
неподи́жно, immovably
устремлённый, fixed, *p.p.p.* of
  устреми́ть *prf.*
потемне́ть *prf.* [темне́ть], to
  darken
заблиста́ть *prf. inch.* [блиста́ть],
  to shine
шепну́ть *prf. inst.* [шепта́ть], to
  whisper
жаль, it is a pity
вели́к *pred.*, (too) big
по́дали чай, tea was served
внеза́пность *f.*, suddenness
замолка́ть *imp.* [замо́лкнуть], to
  fall silent
лишь то́лько, as soon as, the
  moment

подразни́ть *prf.* [дразни́ть], to
  tease
вполго́лоса, in an undertone, in
  a low voice
попыта́йтесь, try, *imper.* of
  попыта́ться *prf.*
схвати́ться *prf.* [схва́тываться],
  to grapple
не дожда́вшись, not having
  waited long enough, *p.adv.p.*
  of дожда́ться *prf.*
подозва́ть *prf.* [подзыва́ть], to
  call to (one)
ука́зывая, pointing, *pr.adv.p.* of
  ука́зывать *imp.*
ненави́стник, hater
беспреста́нно, incessantly
и́стина (*book.*), verity, truth;
обрати́ть *prf.* [обраща́ть] на
  пу́ть и́стины, to set on the
  path of truth

Рýдин посмотрéл на Пигáсова... поневóле свысокá: óн был вы́ше негó двумя́ головáми. Жёлчное лицó Пигáсова побледнéло.

— Дáрья Михáйловна ошибáется, — нáчал óн нéрвным гóлосом: — я не на одни́х жéнщин нападáю: я до всегó человéческого рóда не большóй охóтник.

— Чтó же вам моглó дáть такóе дурнóе мнéние о нём? — спроси́л Рýдин.

Пигáсов гля́нул емý пря́мо в глазá.

— Вероя́тно, изучéние сóбственного сéрдца, в котóром я с кáждым днём открывáю всё бóлее и бóлее дря́ни. Я́ сужý о други́х по себé. Мóжет быть, э́то и несправедли́во, и я горáздо хýже други́х; нó чтó прикáжете дéлать? привы́чка!

— Я вас понимáю и сочýвствую вáм, — возрази́л Рýдин. — Какáя благорóдная душá не испытáла жáжды самоунижéния? Нó не слéдует останáвливаться на э́том безвы́ходном положéнии.

— Покóрно благодарю́ за вы́дачу моéй душé аттестáта в благорóдстве, — возрази́л Пигáсов: — а положéние моё ничегó, недýрно, так что éсли дáже éсть из негó вы́ход, то Бóг с ни́м! я́ егó искáть не стáну.

поневóле, involuntarily

свысокá, haughtily, condescendingly

двумя́ головáми, by two heads

побледнéть *prf.* [бледнéть], to turn pale

человéческий рóд, human race

небольшóй охóтник (до + *gen.*), not particularly fond of

дурнóй, bad, poor

дрянь *f.*, trash

суди́ть други́х по себé, to judge of others by oneself

несправедли́во, unjust(ly)

прикáзывать *imp.* [приказáть], to give orders, order; что прикáжете дéлать? what is there to be done?

сочýвствовать *imp.* (+ *dat.*), to sympathize

благорóдный, noble

испытáть *prf.* [испы́тывать], to experience, feel

жáжда, thirst, yearning

самоунижéние, self-abasement

безвы́ходный, hopeless, from which there is no way out

положéние, situation

покóрно благодарю́, I thank you humbly

вы́дача, the granting, issue

благорóдство, nobility, nobleness

ничегó, not bad

тáк что, so that

вы́ход, way out, issue

Бóг с ни́м, never mind (it, him); let's leave (it / him / alone)

искáть *imp.* [по-,], to seek, look for, search

— Нó э́то зна́чит — извини́те за выраже́ние — пред-
почита́ть удовлетворе́ние своего́ самолю́бия жела́нию
бы́ть и жи́ть в и́стине...

— Да ещё бы! — воскли́кнул Пига́сов: — самолю́-
бие — э́то и я́ понима́ю, и вы́, наде́юсь, понима́ете, и
вся́кий понима́ет: а и́стина — что тако́е и́стина? Где́
она́, э́та и́стина?

— Вы повторя́етесь, предупрежда́ю вас, — заме́тила
Да́рья Миха́йловна.

Пига́сов по́днял пле́чи.

— Так что́ ж за беда́? Я спра́шиваю: где и́стина?
Да́же фило́софы не зна́ют, что сна́ тако́е. Кант[27] гово-
ри́т: вот она́, мол,[28] что́; а Ге́гель — не́т, врёшь, она́
вот что́.

— А вы зна́ете, что говори́т о ней Ге́гель? — спро-
си́л, не возвыша́я го́лоса, Ру́дин.

— Я повторя́ю, — продолжа́л разгорячи́вшийся Пи-
га́сов: — что я́ не могу́ поня́ть, что тако́е и́стина. По-
мо́ему, её во́все и не́т на све́те, то́ есть, сло́во-то есть,
да само́й ве́щи не́ту.

— Фи! Фи! — воскли́кнула Да́рья Миха́йловна: —
ка́к вам не сты́дно э́то говори́ть, ста́рый вы гре́шник!
И́стины нет? Для чего́ же жи́ть по́сле э́того на све́те?

— Да уж я ду́маю, Да́рья Миха́йловна, — возрази́л
с доса́дой Пига́сов: — что ва́м, во вся́ком слу́чае, ле́гче
бы́ло бы жи́ть без и́стины, чем без ва́шего по́вара Сте-

предпочита́ть *imp.* [предпо-
чéсть], to prefer
удовлетворéние, satisfaction
самолю́бие, pride, self-respect
да ещё бы! I should think / say /
so! Why, of course!
повтря́ться *imp.* [повтори́ться],
to repeat oneself
предупрежда́ть *imp.* [предуп-
реди́ть], to warn
так что ж за беда́? where / what
/ is the harm in that?
[27] Kant.

врёшь (2d *prsn. sing.*) from
врать *imp.*) humbug! nonsense! (*lit.*, you are lying!)
не возвыша́я, without raising
pr.adv.p. of возвыша́ть *imp.*
разгорячи́вшийся, angered, excited, *p.a.p.* of разгорячи́ться
prf.
гре́шник sinner
во вся́ком слу́чае, in any
case
по́вар, cook

[28] мол (contraction of one of the personal forms of мóлвить, to
say), used *colloq.* to indicate indirect quotation: he said, they say, etc.

пáна, котóрый такóй мáстер варúть бульóны! И на чтó вам úстина, скажúте на мúлость?

— Шýтка не возражéние, — замéтила Дáрья Михáй-ловна: — осóбенно, когдá похóжа на клеветý...

Пигáсов с сéрдцем отошёл в стóрону.

А Рýдин заговорúл о самолюбúи, и óчень дéльно заговорúл. Он докáзывал, что человéк без самолюбúя ничтóжен, что самолюбúе — архимéдов рычáг, котóрым зéмлю с мéста мóжно сдвúнуть, но что в тó же врéмя тóт тóлько заслýживает название человéка, кто умéет овладéть свойм самолюбúем, как всáдник конём, кто свою лúчность принóсит в жéртву óбщему блáгу...

— Себялюбие, — тáк заключúл óн: — самоубúйство. Себялюбúвый человéк засыхáет, слóвно одинóкое, бесплóдное дéрево; нó самолюбúе, как дéятельное стремлéние к совершéнству, éсть истóчник всегó велúкого... Дá! человéку нáдо сломúть упóрный эгоúзм своéй лúчности, чтобы дáть ей прáво себя выскáзывать!

— Не мóжете ли вы одолжúть мне карандáшик? — обратúлся Пигáсов к Басúстову.

мáстер, expert
варúть *imp.* [с-], to cook, prepare
бульóн, broth
скажúте на мúлость, tell me if you please / kindly
шýтка, joke, jest
возражéние, (*here*) answer
похóж *pred.* (на + *acc.*), resembles similar to
клеветá, slander
с сéрдцем, angrily (сéрдце, heart)
ничтóжен, *pred.* insignificant, worthless
архимéдов рычáг, Archimedes' lever
назвáние, appellation, name
овладéть *prf* [овладевáть] (+ *instr.*), to control, master
всáдник, horseman
жéртва, sacrifice; приносúть *imp.* [принестú] в жéртву, to sacrifice

блáго, welfare, good
себялюбие, self-love, selfishness
заключúть *prf.* [заключáть], to conclude
самоубúйство, suicide
засыхáть *imp.* [засóхнуть], to wither, dry up
одинóкий, solitary, lonely
бесплóдный, sterile, which does not bear fruit
дéятельный, effective, active
совершéнство, perfection
истóчник, source
сломúть *prf. fig.*, to break, crush
упóрный, obstinate
лúчность *f.*, personality
выскáзывать *imp.* [выскáзать] себя, to express / manifest / oneself
одолжúть *prf.* [одáлживать], to lend

Басúстов не тотчáс пóнял, чтó у негó спрáшивал Пигáсов.

— Зачéм вам карандáш? — проговорúл он наконéц.

— Хочý записáть вот эту послéднюю фрáзу г. Рýдина. Не записáв, позабýдешь, чегó дóброго! А согласúтесь сáми, такáя фрáза всё равнó, что большóй шлем в ералáши.

— Есть вéщи, над котóрыми смеáться и трунúть грешнó, Африкáн Семёныч! — с жáром проговорúл Басúстов и отвернýлся от Пигáсова.

Мéжду тéм Рýдин подошёл к Натáлье. Онá встáла; лицó её вы́разило замешáтельство.

Волы́нцев, сидéвший пóдле неё, тóже встáл.

— Я вúжу фортепьáно, — нáчал Рýдин мáгко и лáсково, как путешéствующий прúнц: — не вы́ ли игрáете на нём?

— Дá, я игрáю, — проговорúла Натáлья, — нó не óчень хорошó. Вот Константúн Диомúдыч горáздо лýчше меня́ игрáет.

Пандалéвский вы́ставил своё лицó и оскáлил зýбы.

— Напрáсно вы это говорúте, Натáлья Алексéевна: вы игрáете нискóлько не хýже меня́.

— Знáете ли вы «Erlkönig» Шýберта? — спросúл Рýдин.

— Знáет, знáет! — подхватúла Дáрья Михáйловна.

— Садúтесь, Constantin ... А вы лю́бите мýзыку, Дмúтрий Николáич?

чегó дóбраго, (expresses apprehension or fear) one may, God forbid!

всё равнó, что, exactly like

большóй шлем, grand slam (cards)

ералáш, ruff (old card game)

трунúть *imp.* (над + *instr.*), to tease, chaff

жар, heat, fever, ardor; с жáром, heatedly

отвернýться *prf.* [отворáчиваться] (от + *gen.*), to turn away (from)

мéжду тéм, meanwhile

замешáтельство, confusion, embarrassment

вы́ставить *prf.* [выставля́ть], to advance, push forward

зуб, tooth; оскáлить *prf.* [оскáливать] зýбы, to show one's teeth

напрáсно, in vain, to no purpose; напрáсно вы это говорúте, you are wrong in saying this

подхватúть *prf.* [подхвáтывать], to rejoin; to join in, chime in

Рýдин тóлько наклони́л слегка́ гóлову и провёл рукóй по волоса́м, как бы готóвясь слýшать... Пандалéвский заигра́л.

Ната́лья ста́ла вóзле фортепья́но, пря́мо напрóтив Рýдина. С пéрвым звýком лицó его при́няло прекра́сное выраже́ние. Егó тёмноси́ние глаза́ мéдленно блужда́ли, и́зредка остана́вливаясь на Ната́лье. Пандалéвский кóнчил.

Рýдин ничегó не сказа́л и подошёл к раскры́тому окнý. Души́стая мгла́ лежа́ла мя́гкой пеленóю над са́дом; дремóтной свéжестью дыша́ли бли́зкие дерéвья. Звёзды ти́хо тéплились. Рýдин погляде́л в тёмный са́д — и оберну́лся.

— Э́та мýзыка и э́та нóчь, — заговори́л он: — напóмнили мнé моё студéнческое врéмя в Герма́нии: на́ши схóдки, на́ши серена́ды...

— А вы бы́ли в Герма́нии? — спроси́ла Да́рья Миха́йловна.

— Я провёл гóд в Гейдельбéрге [29] и óколо гóда в Берли́не.

— И одева́лись студéнтом? Говоря́т, они́ та́м ка́к-то осóбенно одева́ются.

— В Гейдельбéрге я носи́л больши́е сапоги́ со шпóрами и венге́рку со шнурка́ми, и вóлосы отрасти́л до са́мых плéч... В Берли́не студéнты одева́ются, как всé лю́ди.

наклони́ть *prf.* [наклоня́ть], to bend
провести́ *prf.* [проводи́ть] рукóй (по + *dat.*), to pass one's hand over
готóвясь, getting ready, preparing, *pr.adv.p.* of готóвиться *imp.*
пря́мо прóтив, directly opposite
блужда́ть *imp.*, to rove about, wander around
и́зредка, now and then
мгла, haze, mist
пелена́, veil
дремóтный, slumberous, drowsy

свéжесть *f.*, freshness, coolness
ти́хо, softly
тéплиться *imp.*, to shimmer, gleam
схóдка, gathering, meeting
одева́ться студéнтом, to dress in student fashion
сапóг, boot
шпóра, spur
венге́рка, hussar / Hungarian jacket
шнурóк *dim.* of шнур, cord, braid
отрасти́ть *prf.* [отра́щивать], to grow *trans.*

[29] Heidelberg.

— Расскажи́те нам что́-нибудь из ва́шей студе́нче-
ской жи́зни, — промо́лвила Алекса́ндра Па́вловна.

Ру́дин на́чал расска́зывать. Расска́зывал о́н не со-
все́м уда́чно. В описа́ниях его́ недостава́ло кра́сок. О́н
не уме́л смеши́ть. Впро́чем, Ру́дин от расска́зов свои́х
заграни́чных похожде́ний ско́ро перешё́л к о́бщим рас-
сужде́ниям о значе́нии просвеще́ния и нау́ки, об универ-
ситéтах и жи́зни университе́тской вообще́. Широ́кими и
сме́лыми черта́ми наброса́л о́н грома́дную карти́ну. Всё
слу́шали его́ с глубо́ким внима́нием. О́н говори́л мастер-
ски́, увлека́тельно, не совсе́м я́сно ... но са́мая э́та нея́с-
ность придава́ла осо́бенную пре́лесть его́ реча́м.

Оби́лие мы́слей меша́ло Ру́дину выража́ться опреде-
лё́нно и то́чно. О́бразы сменя́лись о́бразами; сравне́ния,
то́ неожи́данно сме́лые, то́ порази́тельно ве́рные, возни-
ка́ли за сравне́ниями. Не самодово́льной изы́скан-
ностью о́пытного говоруна́ — вдохнове́нием дыша́ла его́
нетерпели́вая импровиза́ция. О́н не иска́л сло́в: они́
са́ми послу́шно и свобо́дно приходи́ли к нему́ на уста́, и

уда́чно, well, successfully
описа́ние, description
недостава́ть *imp.* [недоста́ть], to
  lack, be lacking
смеши́ть *imp.*, [рас-], to make
  people laugh
перейти́ *prf.* [переходи́ть], (к
  + *dat.*) to turn (to), switch
похожде́ние, adventure
сме́лый, bold, daring
черта́, line
наброса́ть *prf.* [набра́сывать], to
  sketch
грома́дный, vast, huge
мастерски́, masterfully
увлека́тельно,   fascinatingly,
  captivatingly
я́сно, clearly
са́мая э́та, this very
нея́сность *f.*, lack of clarity,
  obscurity
ре́чь *f.*, speech, discourse
оби́лие, abundance, exuberance

определё́нно, definitely, expli-
  citly
то́чно, accurately, with precision
о́браз, image
сменя́ться *imp.* [смени́ться], to
  follow, alternate, give place
  (to)
сравне́ние, comparison
то́ ... то́, now ... now
неожи́данно, unexpectedly
порази́тельно, strikingly
ве́рный, true
возника́ть *imp.* [возни́кнуть], to
  arise
самодово́льный, self-satisfied,
  smug
изы́сканность *f.*, refinement(s),
  sophistication
о́пытный, experienced
говору́н, speechmaker
вдохнове́ние, inspiration
послу́шно, obediently
уста́ (*obs. poet. pl.* only), lips

ка́ждое сло́во, каза́лось, так и лило́сь пря́мо из души́, пыла́ло всем жа́ром убежде́ния. Ру́дин владе́л едва́ ли не вы́сшей та́йной — му́зыкой красноре́чия. Он уме́л, ударя́я по одни́м стру́нам серде́ц, заставля́ть сму́тно звене́ть и дрожа́ть все други́е. Ино́й слу́шатель, пожа́луй, и не понима́л в то́чности, о чём шла речь; но каки́е-то заве́сы раскрыва́лись пе́ред его́ глаза́ми, что́-то лучеза́рное загора́лось впереди́.

Всё мы́сли Ру́дина каза́лись обращёнными в бу́дущее; э́то придава́ло им что́-то стреми́тельное и молодо́е... Сто́я у окна́, не гля́дя ни на кого́ в осо́бенности, он говори́л, и, вдохновлённый о́бщим сочу́вствием и внима́нием, бли́зостью молоды́х же́нщин, красото́ю но́чи, увлечённый пото́ком со́бственных ощуще́ний, он возвы́сился до красноре́чия, до поэ́зии... Са́мый звук его́ го́лоса, сосредото́ченный и ти́хий увели́чивал обая́ние; каза́лось, его́ уста́ми говори́ло что́-то вы́сшее, для него́ самого́ неожи́данное... Ру́дин говори́л о том, что придаёт ве́чное значе́ние вре́менной жи́зни челове́ка.

— По́мню я одну́ скандина́вскую леге́нду, — так

ли́ться *imp.* [по-, *inch.*], to flow
всем жа́ром, with all the fire
убежде́ние, conviction
владе́ть *imp.*, to possess, own
едва́ ли не, perhaps
та́йна, mystery
ударя́я, striking, *pr.adv.p.* of ударя́ть *imp.*
одни́, (*here*) some
струна́, string, chord
сму́тно, vaguely, indistinctly
ино́й, some
в то́чности, exactly
о чём шла / идёт / речь? what is it / was it / all about?
заве́са, veil
поднима́ться *imp.* [подня́ться], to rise
лучеза́рный, radiant
загора́ться *imp.* [загоре́ться], to blaze up

обращённый, directed, turned, *p.p.p.* of обрати́ть *prf.*
бу́дущее (*neut. adj.* used as *n.*), the future
стреми́тельный, impetuous
в осо́бенности, in particular
вдохновлённый, inspired, *p.p.p.* of вдохнови́ть *prf.*
бли́зость *f.*, nearness
увлечённый, carried away, *p.p.p.* of увле́чь *prf.*
пото́к, torrent
ощуще́ние, sensation, feeling
увели́чивать *imp.* [увели́чить], to increase
обая́ние, charm, fascination
что-то вы́сшее, something of a higher nature
неожи́данный, unexpected, startling
ве́чный, eternal
вре́менный, transitory, temporal

кончил он, — царь сидит со своими воинами в тёмном и длинном сарае вокруг огня. Дело происходит ночью, зимой. Вдруг небольшая птичка влетает в раскрытые двери и вылетает в другие. Царь замечает, что эта птичка — как человек в мире: прилетела из темноты и улетела в темноту, и недолго побыла в тепле и свете... «Царь, — возражает самый старый из воинов: — птичка и во тьме не пропадёт и найдёт гнездо своё...» Точно, наша жизнь быстра и ничтожна; но всё великое совершается через людей. Сознание быть орудием тех высших сил должно заменить человеку все другие радости: в самой смерти найдёт он свою жизнь, своё гнездо...

Рудин остановился и опустил глаза с улыбкой невольного смущения.

— Vous êtes un poète[30] — вполголоса проговорила Дарья Михайловна.

И все с ней внутренно согласились — все, исключая Пигасова. Не дождавшись конца длинной речи Рудина, он тихонько взял шляпу и, уходя, озлобленно прошептал стоявшему близ двери Пандалевскому:

— Нет! Поеду к дуракам!

Впрочем, никто его не удерживал и не заметил его отсутствия.

Люди внесли ужин, и полчаса спустя все разъеха-

царь *m.*, tsar
воин, warrior
сарай, shed, barn
дело происходит, this takes place
тьма, darkness
пропасть *prf.* [пропадать], to get lost
гнездо, nest
найти *prf.* [находить], to find
совершаться *imp.* [совершиться], to be accomplished / performed
сознание, consciousness
орудие, tool, instrument

высшие силы, higher powers
заменить *prf.* [заменять], to replace, substitute
невольный, involuntary
смущение, embarrassment
согласиться *prf.* [соглашаться], to agree
исключая, with the exception of, except
озлобленно, with irritation, angrily
удерживать *imp.* [удержать], to detain, hold back
отсутствие, absence
люди, (*here*) servants

---

[30] You are a poet.

лись и разошлись. Дарья Михайловна упросила Рудина
остаться ночевать. Александра Павловна, возвращаясь
с братом домой в карете, несколько раз принималась
ахать и удивляться необыкновенному уму Рудина. Волынцев соглашался с ней, однако заметил, что он иногда
выражается немного темно ... то есть не совсем вразумительно, прибавил он, желая, вероятно, пояснить свою
мысль; но лицо его омрачилось, и взгляд, устремлённый в угол кареты, казался ещё грустнее.

Пандалевский, ложась спать и снимая свой выши-
тые шёлком помочи, проговорил вслух: «очень ловкий
человек!» и вдруг, сурово взгянув на своего казачка-
камердинера, приказал ему выйти. Басистов целую ночь
не спал и не раздевался, он до самого утра всё писал
письмо одному своему товарищу в Москву; а Наталья
хотя и разделась, и легла в постель, но тоже ни на минуту не уснула и не закрывала даже глаз. Подпёрши
голову рукою, она глядела пристально в темноту и
тяжёлый вздох часто приподнимал её грудь.

IV

На другое утро, Рудин только что успел одеться, как
явился к нему человек от Дарьи Михайловны с пригла-
шением придти к ней в кабинет и выпить с ней чай.

разойтись *prf.* [расходиться] to
  leave (on foot, dispersion of a
  group)
упросить *prf.* [упрашивать], to
  persuade, entreat
ночевать *imp.* and *prf.* [пере-,
  prf.], to stay overnight
карета, carriage
приниматься *imp.* [приняться],
  to begin, set to
ахать *imp.* [ахнуть *inst.*], to Oh
  and Ah over
ум, mind
вразумительно, intelligibly
пояснить *prf.* [пояснять], to
  clarify, explain
омрачиться *prf.* [омрачаться],
  to darken, become gloomy,
  cloud over

грустнее *comp.* of грустный, sad,
  melancholy
снимая, taking off, *pr.adv.p.* of
  снимать *imp.*
вышитый, embroidered, *p.p.p.* of
  вышить *prf.*
шёлк, silk
помочи, suspenders
вслух, aloud
сурово, sternly
уснуть *prf.* to fall asleep, go to
  sleep
подпёрши, propping, *p.adv.p.* of
  подпереть *prf.*
вздох, sigh
приподнимать *imp.* [припо-
  днять], to raise (slightly)
человек, (here) **servant**

Ру́дин заста́л её одну́. Она́ о́чень любе́зно с ним по-
здоро́валась, осведоми́лась, хорошо́ ли о́н провёл но́чь,
сама́ налила́ ему́ ча́шку ча́ю, спроси́ла да́же, дово́льно
ли са́хару, предложи́ла ему́ папиро́ску и ра́за два́
опя́ть повтори́ла, что удивля́ется, ка́к она́ давно́ с ни́м
не познако́милась. Ру́дин се́л было не́сколько поода́ль;
но Да́рья Миха́йловна указа́ла ему́ на пу́ф стоя́вший
по́дле её кре́сла, и, слегка́ наклоня́сь в его́ сто́рону,
начала́ расспра́шивать его́ об его́ семе́йстве, об его́ на-
ме́рениях. Да́рья Миха́йловна говори́ла небре́жно, слу́-
шала рассе́янно, но Ру́дин о́чень хорошо́ понима́л, что
она́ уха́живала за ним, чуть не льсти́ла ему́. Неда́ром
же она́ устро́ила э́то у́треннее свида́ние, неда́ром оде́-
лась про́сто, но изя́щно. Впро́чем, Да́рья Миха́йловна
ско́ро переста́ла его́ расспра́шивать: она́ начала́ ему́
расска́зывать о себе́, о свое́й мо́лодости, о лю́дях, с ко-
то́рыми она́ встреча́лась. Ру́дин с уча́стием слу́шал её
разглаго́льствования, хотя́ — стра́нное де́ло! — о како́м
бы лице́ ни заговори́ла Да́рья Миха́йловна, на пе́рвом
пла́не остава́лась всё-таки она́, она́ одна́, а то́ лицо́
ка́к-то скра́дывалось и исчеза́ло. Зато́ Ру́дин узна́л в
подро́бностях, что и́менно Да́рья Миха́йловна говори́ла
тако́му-то изве́стному сано́внику, како́е она́ име́ла вли-
я́ние на тако́го-то знамени́того поэ́та. Су́дя по расска́зам
Да́рьи Миха́йловны, мо́жно было поду́мать, что всё за-

поздоро́ваться *prf.* [здоро́вать-
ся], to greet
осведоми́ться *prf.* [осведомля́ть-
ся], to inquire
пу́ф, hassock, footstool
семе́йство, family
наме́рение, intention, plan
небре́жно, nonchalantly, casually
рассе́янно, absent-mindedly
льсти́ть *imp.* [по-], to flatter
неда́ром, not without reason
устро́ить prf. [устра́ивать], to
arrange
изя́щно, elegantly

уча́стие, sympathy, interest
разглаго́льствование, verbiage
всё-таки, still, all the same
на пе́рвом пла́не, in the foreground
скра́дываться *imp.*, to fade
away, shrink away
исчеза́ть *imp.* [исче́знуть] to
vanish, disappear
подро́бность *f.*, detail
тако́му-то, to such and such
сано́вник, dignitary
влия́ние, influence
су́дя (по + *dat.*), judging (by),
pr.adv.p. of суди́ть *imp.*

мечáтельные лю́ди послéднего двадцатипятилéтия тóлько о тóм и мечтáли, кáк бы повидáться с нéй, кáк бы заслужи́ть её расположéние. Онá говори́ла о них прóсто, без осóбенных востóргов и похвáл, как о свои́х, называ́я ины́х чудакáми.

А Рýдин слýшал, покýривая папирóску и молчáл, лишь и́зредка вставля́я в рéчь разболтáвшейся бáрыни небольши́е замечáния. Óн умéл и люби́л говори́ть; вести́ разговóр бы́ло не по нём, нó óн умéл тáкже слýшать. Вся́кий, когó óн тóлько не запýгивал сначáла, довéрчиво распускáлся в егó прису́тствии: тáк охóтно и одобри́тельно следи́л óн за ни́тью чужóго расскáза. В нём бы́ло мнóго добродýшия, — того осóбенного добродýшия, котóрым испóлнены лю́ди, привы́кшие чýвствовать себя́ вы́ше други́х. В спóрах óн рéдко давáл выскáзываться своемý проти́внику и подавля́л егó своéй стреми́тельной и стрáстной диалéктикой.

Дáрья Михáйловна говори́ла по-рýсски. Онá щеголя́ла знáнием роднóго языкá, хотя́ галлици́змы, францýзские словá, попалáдись у неё частéнько. Онá с намéрением употребля́ла простые нарóдные оборóты, нó не всегдá удáчно. Ýхо Рýдина не оскорбля́лось стрáнной

мечтáть *imp.*, to (day)dream
расположéние, favor, inclination
востóрг, rapture
ины́е, others
чудáк, eccentric, crank
вставля́я, inserting, *pr.adv.p.* of вставля́ть *imp.*
вести́ разговóр, to carry on a conversation
не по нём, not to his taste
запýгивать *imp.* [запугáть], to scare, alarm
довéрчиво, confidently
распускáться *imp.* [распусти́ться], to open up, blossom up
прису́тствие, presence
одобри́тельно, approvingly
ни́ть *f.*, thread (of argument)
чужóй, someone else's; other people's

добродýшие, good nature
испóлнен *pred.*, (+*gen.*) filled (*fig.*)
привы́кший, accustomed, *p.a.p.* of привы́кнуть *prf.*
спóр, argument
подавля́ть *imp.* [подави́ть], to overwhelm, suppress
стрáстный, passionate
щеголя́ть *imp.* [щегольнýть], to flaunt, show off
роднóй, native
галлици́зм, Gallicism (literally translated French idiom)
попадáться *imp.* [попáсться], to occur
частéнько (*colloq.*), fairly often
нарóдный, vernacular, popular
оскорбля́ться *imp.* [оскорби́ться], to take offense

пестротóю рéчи в устáх Дáрьи Михáйловны, да и вряд
ли имéл óн на э́то — у́хо.

Дáрья Михáйловна утоми́лась наконéц и, прислоня́сь
головóй к зáдней подýшке крéсла, устреми́ла глазá на
Рýдина и умóлкла.

— Я тепéрь понимáю, — нáчал мéдленным гóлосом
Рýдин: — я понимáю, почемý вы кáждое лéто приез-
жáете в дерéвню. Вáм э́тот óтдых необходи́м; деревéн-
ская тишинá, пóсле столи́чной жи́зни, освежáет и укре-
пля́ет вас. Я увéрен, что вы должны́ глубокó чýвствовать красотý прирóды.

Дáрья Михáйловна и́скоса посмотрéла на Рýдина.

— Прирóда... дá... дá, конéчно... я ужáсно её
люблю́; нó знáете ли, Дми́трий Николáич, и в дерéвне
нельзя́ без людéй. А здéсь почти́ никогó нéт. Пигáсов
сáмый у́мный человéк здéсь.

— Вчерáшний серди́тый стари́к? — спроси́л Рýдин.

— Дá, э́тот... В дерéвне, впрóчем, и óн годи́тся —
хоть рассмеши́т иногдá.

— Óн человéк не глýпый, — возрази́л Рýдин: — нó
óн на лóжной дорóге. Я не знáю, согласи́тесь ли вы со
мнóю, Дáрья Михáйловна, нó в отрицáнии — в отрицáнии пóлном и всеóбщем — нéт благодáти. Отрицáйте
всё, и вы легкó мóжете прослы́ть за у́мницу: э́то улóвка

пестротá, motley diversity
вряд ли, hardly; it is improbable
утоми́ться *prf.* [утомля́ться], to
    grow tired
зáдний, back *adj.*
подýшка, cushion
óтдых, rest, relaxation
необходи́м *pred.*, indispensable,
    essential
деревéнский (*adj.* of дерéвня),
    rustic, country
тишинá, quiet (*n.*)
освежáть *imp.* [освежи́ть], to
    refresh
укрепля́ть *imp.* [укрепи́ть], to
    strengthen
и́скоса, askance, sidelong

ужáсно, awfully
серди́тый, angry
годи́ться *imp.* [при-], to be of
    use, good for something
хоть, at least
рассмеши́ть *prf.* [смеши́ть], to
    make (one) laugh
лóжный, wrong
отрицáние, negation, denial
всеóбщий, universal, general
благодáть *f.*, blessing, bliss
отрицáйте, deny, *imper.* of отри-
    цáть *imp.*
прослы́ть *prf.* [слы́ть] (за +
    acc.), to get the reputation of,
    be known as
улóвка, trick; catch

извéстная. Добродýшные лю́ди сейчáс готóвы заключи́ть, что вы стóйте вы́ше того́, чтó отрицáете. А э́то чáсто непрáвда. Во-пéрвых, во всём мóжно найти́ пя́тна, а во-вторы́х, éсли дáже вы и дéло говори́те, — вáм же хýже; вáш ýм, напрáвленный на однó отрицáние, беднéет, сóхнет. Удовлетворя́я вáше самолю́бие, вы лиши́тесь и́стинных наслаждéний созерцáния; жи́знь — сýщность жи́зни — ускользáет от вáшего мéлкого и жёлчного наблюдéния, и вы кóнчите тéм, что бýдете ругáться и смеши́ть. Порицáть имéет прáво тóлько тóт, кто лю́бит.

— Voilà m-r Pigassoff enterré,[31] — проговори́ла Дáрья Михáйловна. — Какóй вы мáстер определя́ть человéка! Впрóчем, Пигáсов, вероя́тно, и не пóнял бы вáс. А лю́бит óн тóлько сóбственную свою́ осóбу.

— И брани́т её для того́, чтóбы имéть прáво брани́ть други́х, — подхвати́л Рýдин.

Дáрья Михáйловна засмея́лась.

— Ктó же ещё у вас тут éсть? — спроси́л, помолчáв, Рýдин.

Дáрья Михáйловна стряхнýла пя́тым пáльцем пéпел с папирóсы.

— Да бóльше почти́ никогó нéт. Ли́пина, Алексáндра Пáвловна, котóрую вы вчерá ви́дели: онá óчень милá, — нó и тóлько. Брáт её — тóже прекрáсный человéк, un parfait honnête homme.[32] Кня́зя Гáрина вы знáете. Вóт

пятнó, stain, blot
дéло говори́ть, to talk sense
вам же хýже, so much the worse for you
беднéть *imp.* [о-], to be impoverished
сóхнуть *imp.* [вы́-, за-], to dry up
удовлетворя́я, satisfying, gratifying, *pr.adv.p.* of удовлетворя́ть *imp.*
лиши́ться *prf.* [лишáться] (+ *gen.*), to be deprived (of)
и́стинный, true, genuine
созерцáние, contemplation

сýщность *f.*, essence
ускользáть *imp.* [ускользнýть], to slip away, escape
жёлчный, bilious, bitter, peevish
наблюдéние, observation
порицáть *imp.*, to censure, find fault
имéть прáво, to have the right
осóба (*obs.* or *iron.*), person
стряхнýть *prf.* [стря́хивать], to shake (off)
пéпел, ashes
но и тóлько, but nothing more

[31] There is Mr. Pigasov (dead and) buried.
[32] A perfect gentleman.

и всё. Есть ещё два-три соседа, но те уже совсём
ничего. Барынь я, вы знаете, не вижу. Есть ещё один
сосед, очень, говорят, образованный, даже учёный человек, но чудак ужасный, фантазёр. Alexandrine его знает
и, кажется, к нему неравнодушна... Вот вам бы
заняться ею, Дмитрий Николаич: это милое существо;
её надо только развить немножко, непременно надо её
развить!

— Она очень симпатична, — заметил Рудин.

— Совершённое дитя, Дмитрий Николаич, ребёнок
настоящий, хотя она была замужем. Если б я была
мужчина, я только в таких бы женщин влюблялась.

— Неужёли?

— Непременно. Такие женщины, по крайней мере,
свежи, а уж под свежесть подделаться нельзя.

— А подо всё другое можно? — спросил Рудин и
засмеялся, что с ним случалось очень редко. Когда он
смеялся, лицо его принимало странное, почти старческое
выражение, глаза ёжились, нос морщился...

— А кто же такой этот, как вы говорите, чудак, к
которому, г-жа Липина неравнодушна? — спросил он.

— Некто Лежнёв, Михайло Михайлыч, здёшний по-
мёщик.

Рудин изумился и поднял голову.

— Лежнёв, Михайло Михайлыч? — спросил он: —
разве он ваш сосед?

— Да. А вы его знаете?

Рудин помолчал.

— Я его знал прежде... давно. Ведь он, кажется,

фантазёр, eccentric
неравнодушен (к + dat.) pred.,
  not indifferent, attracted by
вам бы заняться ей, you ought
  to take some interest in her
симпатичен pred., likable
дитя neut. (book. or poet.), child
настоящий, real
неужёли? really? You don't
  say!
подделаться prf. [подделывать-

ся] (под + acc.), to counterfeit,
  imitate
старческий, senile
ёжиться imp. [съ-], to shrivel
  up; (here) to squint
морщиться imp. [с-], to wrinkle
  intr.
изумиться prf. [изумляться], to
  be amazed, astonished
прежде, in former times, once

богáтый человéк? — прибáвил он, пощи́пывая рукóю бахромý крéсла.

— Дá, богáтый, хотя́ одевáется ужáсно и éздит на беговы́х дрóжках, как прикáзчик. Я желáла залучи́ть егó к себé: óн, говоря́т, умён; у меня́ с ним дéло éсть... Ведь, вы знáете, я́ самá распоряжáюсь мои́м имéнием.

Рýдин наклони́л гóлову.

— Дá, самá, — продолжáла Дáрья Михáйловна: — я́ никаки́х инострáнных глýпостей не ввожý, придéрживаюсь своегó, рýсского, и, ви́дите, делá, кáжется, идýт недýрно, — прибáвила онá, проведя́ рукóй кругóм.

— Я всегдá был убеждён, — замéтил вéжливо Рýдин: — в крáйней несправедли́вости тéх людéй, котóрые откáзывают жéнщинам в практи́ческом смы́сле.

Дáрья Михáйловна прия́тно улыбнýлась.

— Вы óчень снисходи́тельны, — промóлвила онá: — нó что я хотéла сказáть? О чём мы говори́ли? Дá! о Лежнёве. У меня́ с ним дéло по размежевáнию. Я́ егó нéсколько рáз приглашáла к себé, и дáже сегóдня я́ егó жду; нó óн, Бóг егó знáет, не éдет... такóй чудáк!

Вошёл дворéцкий, человéк высóкого рóста, седóй и плеши́вый, в чёрном фрáке, бéлом гáлстуке и бéлом жилéте.

— Чтó ты? — спроси́ла Дáрья Михáйловна и, слегкá

пощи́пывая, picking at, *pr.adv.p.* of пощи́пывать *imp.*
бахромá, fringe
прикáзчик, steward
залучи́ть *prf.* [залучáть], to entice, get (one) to come
вводи́ть *imp.* [ввести́], to introduce
проведя́ рукóй кругóм, with a circular gesture of the arm
убеждён, convinced, *pred. p.p.p.* of убеди́ть *prf.*
вéжливо, politely, courteously
несправедли́вость *f.*, injustice

откáзывать *imp.* (в + *loc.*) [отказáть], to deny
практи́ческий смысл, practical sense
снисходи́телен *pred.*, lenient, condescending
размежевáние, boundary demarcation, delimitation
дворéцкий, butler, major-domo
плеши́вый, with a bald patch
фрак, tail coat
гáлстук, tie
жилéт, vest
чтó ты? what is it? what do you want?

обратясь к Рудину, прибавила вполголоса: — N'est ce pas, comme il ressemble à Canning?[33]

— Михайло Михайлыч Лежнёв приехали, — доложил дворецкий: — прикажете принять?

— Ах, Боже мой! — воскликнула Дарья Михайловна: — вот лёгок на помине. Проси!

Дворецкий вышел.

— Такой чудак, приехал наконец, но некстати: наш разговор прервал.

Рудин поднялся с места; но Дарья Михайловна его остановила:

— Куда же вы? Мы можем говорить и при вас. А я желаю, чтобы вы и его определили, как Пигасова. Останьтесь.

Рудин хотел было что-то сказать, но подумал и остался.

Михайло Михайлыч, уже знакомый читателю, вошёл в кабинет. На нём было то же серое пальто, и в загорелых руках он держал ту же старую фуражку. Он спокойно поклонился Дарье Михайловне и подошёл к чайному столу.

— Наконец-то вы пожаловали к нам, мосьё Лежнёв! — проговорила Дарья Михайловна. — Прошу садиться. Вы, я слышала, знакомы, — продолжала она, указывая на Рудина.

Лежнёв взглянул на Рудина и как-то странно улыбнулся.

— Я знаю господина Рудина, — сказал он с небольшим поклоном.

— Мы вместе были в университете, — заметил вполголоса Рудин и опустил глаза.

— Мы и после встречались, — холодно проговорил Лежнёв.

лёгок на помине, speak of the devil
проси! ask (him) in, *imper.* of проси́ть *itp.*

некстати, inopportunely
останьтесь, stay, *imper.* of остаться *prf.*
загорелый, tanned, bronzed

[33] Don't you think he looks like Canning? (George Canning 1770—1827, British prime minister).

Дáрья Михáйловна посмотрéла с нéкоторым изумлéнием на обóих и попросúла Лежнёва сéсть. Он сéл.

— Вы желáли меня вúдеть, — нáчал он: — насчёт размежевáния?

— Дá, насчёт размежевáния, нó я и тáк желáла вас вúдеть. Ведь мы́ блúзкие сосéди и чуть не рóдственники.

— Óчень вам благодáрен, — возразúл Лежнёв: — что же касáется размежевáния, тó мы́ с вáшим управля́ющим совершéнно покóнчили э́то дéло: я́ на всé его предложéния соглáсен.

— Я́ э́то знáла.

— Тóлько óн мнé сказáл, что без лúчного свидáния с вáми бумáги подписáть нельзя́.

— Дá; э́то у меня́ уж тáк заведенó. Кстáти, позвóльте спросúть, ведь у вáс, кáжется, всé мужикú на обрóке?[34]

— Тóчно тáк.

— И вы сáми хлопóчете о размежевáнии? Это похвáльно.

Лежнёв помолчáл.

— Вóт я́ и явúлся для лúчного свидáния, — проговорúл он.

Дáрья Михáйловна усмехнýлась.

— Вúжу, что явúлись. Вы говорúте э́то такúм тóном... Вам, должнó быть, óчень не хотéлось ко мнé éхать.

изумлéние, amazement
насчёт (+ *gen.*), about, concerning
и тáк, anyway
чýть не, almost, nearly
что касáется (+ *gen.*), as for
управля́ющий, manager, steward, *pr.a.p.* of управля́ть *imp.* used as n.
покóнчить *prf.*, to settle
предложéние, proposition, offer
свидáние, meeting, interview

заводúть *imp.* [завестú], to establish, introduce; так заведенó, that's the established rule
кстáти, by the way
обрóк (*hist.*), quitrent (paid by serfs to the landowner)
тóчно тáк, exactly, quite right
хлопотáть *imp.*, to trouble / busy / oneself
похвáльно, praiseworthy, laudable

34 обрóк (*hist.*), quitrent, paid by the serfs to the landowner in money or in kind; usually preferred by the peasants to the бáрщина (corvée), system under which they acquitted themselves in labor.

— Я никуда́ не е́зжу, — возрази́л флегмати́чески Лежнёв.

— Никуда́? А к Алекса́ндре Па́вловне вы е́здите?

— Я с её бра́том давно́ знако́м.

— С её бра́том! Впро́чем, я никого́ не принужда́ю... Но́, извини́те меня́, Миха́йло Миха́йлыч, я ста́рше вас года́ми и могу́ вас пожури́ть: что́ вам за охо́та жить бирюко́м? Или мо́жет быть *мой* до́м ва́м не нра́вится? я вам не нра́влюсь?

— Я вас не зна́ю, Да́рья Миха́йловна, и потому́ вы́ мне́ не нра́виться не мо́жете. До́м у вас прекра́сный; но́, признаю́сь вам открове́нно, я не люблю́ стесня́ть себя́. У меня́ и фра́ка прили́чного не́т, перча́ток не́т, да я и не принадлежу́ к ва́шему кру́гу.

— По рожде́нию, по воспита́нию вы принадлежи́те к нему́, Миха́йло Миха́йлыч! Vous êtes des nôtres.[35]

— Рожде́ние и воспита́ние в сто́рону, Да́рья Миха́йловна! Де́ло не в то́м...

— Челове́к до́лжен жи́ть с людьми́, Миха́йло Миха́йлыч! Что́ за охо́та сиде́ть, как Диоге́н[36] в бо́чке?

— Во-пе́рвых, ему́ та́м бы́ло о́чень хорошо́; а во-вторы́х, почему́ вы зна́ете, что я не с людьми́ живу́? Да́рья Миха́йловна закуси́ла гу́бы.

— Э́то друго́е де́ло! Мне́ остаётся то́лько сожале́ть о то́м, что я́ не удосто́илась попа́сть в число́ люде́й, с кото́рыми вы зна́етесь.

принужда́ть *imp.* [прину́дить], to force

пожури́ть *prf.* [жури́ть], to lecture, rebuke

что за охо́та вам . . ., what pleasure do you find . . ., what makes you . . .

бирю́к, lone wolf (бирюко́м *instr.*, like a)

открове́нно, frankly

прили́чный, decent

перча́тка, glove

круг, circle

в сто́рону, aside

бо́чка, barrel

закуси́ть гу́бы, to bite one's lips

удосто́иться *prf.* [удоста́иваться] (+ *gen.*), to be considered worthy, be honored

попа́сть *prf.* [попада́ть], (в, на + *acc.*) to get (to, into); попа́сть в число́, to be included in the number of

[35] You are one of us.
[36] Diogenes.

— Мосьё Лежнёв, — вмешáлся Рýдин: — кáжется, преувелúчивает весьмá похвáльное чýвство — любóвь к свобóде.

Лежнёв ничегó не отвéтил и тóлько взглянýл на Рýдина. Наступúло небольшóе молчáние.

— Итáк-с, — нáчал Лежнёв, поднимáясь: — Я могý считáть нáше дéло покóнченным и сказáть вáшему управляющему, чтóбы óн прислáл мне бумáги.

— Мóжете... хотя́, признáться, вы тáк нелюбéзны... мнé бы слéдовало отказáть вам.

— Да ведь э́то размежевáние горáздо вы́годнее для вáс, чем для меня́.

Дáрья Михáйловна пожáла плечáми.

— Вы не хотúте дáже позáвтракать у меня́? — спросúла онá.

— Покóрно вас благодарю́: я никогдá не зáвтракаю, да и тороплю́сь домóй.

Дáрья Михáйловна встáла.

— Я вас не удéрживаю, — промóлвила онá, подходя́ к окнý: — не смéю вас удéрживать.

Лежнёв нáчал расклáниваться.

— Прощáйте, мосьё Лежнёв! Извинúте, что побеспокóила вас.

— Ничегó, помúлуйте, — возразúл Лежнёв и вы́шел.

— Какóв? — спросúла Дáрья Михáйловна у Рýдина. — Я слыхáла про негó, что óн чудáк; нó ведь уж э́то из рýк вóн!

— Óн страдáет тóй же болéзнью, как и Пигáсов, — проговорúл Рýдин: — желáньем бы́ть оригинáльным. Тóт прикúдывается Мефистóфелем, э́тот — цúником. Ведь э́то тóже своегó рóда расчёт: надéл на себя́ человéк мáску равнодýшия и лéни, авóсь ктó-нибудь подýмает:

нелюбéзный, ungracious, unkind
вы́годнее (*comp.* of вы́годный), more advantageous
обеспокóить *prf.* [беспокóить], to trouble
помúлуйте! (*here*) I assure you! please!

какóв! how do you like him! what do you think of him!
э́то из рýк вóн! this is the limit!
прикúдываться *imp.* [прикúнуться] (+ *instr.*), to pose as, pretend to be
расчёт, calculation
равнодýшие, indifference

во́т челове́к, ско́лько тала́нтов в себе́ погуби́л! А погля-
де́ть попри́стальнее — и тала́нтов-то в нём ника́ких не́т.

— Вы ужа́сный челове́к на определе́ния. От ва́с не
скро́ешься.

— Вы ду́маете? — промо́лвил Ру́дин. — Впро́чем, —
продолжа́л он: — по-настоя́щему, мне́ бы не сле́довало
говори́ть о Лежнёве: я́ его́ люби́л, люби́л, как дру́га ...
но́ пото́м, всле́дствие разли́чных недоразуме́ний ...

— Вы рассо́рились?

— Не́т. Но́ мы расста́лись, и расста́лись, ка́жется,
навсегда́.

— То́-то, я заме́тила, что во всё вре́мя его́ посеще́-
ния вам бы́ло как бу́дто не по себе́ ... Одна́ко я весьма́
вам благода́рна за сего́дняшнее у́тро. Я́ чрезвыча́йно
прия́тно провела́ вре́мя. Но́ на́до же и че́сть знать. От-
пуска́ю вас до за́втрака, а сама́ иду́ занима́ться дела́ми.
Мо́й секрета́рь, вы его́ ви́дели — Constantin, c'est lui qui
est mon secrétaire,[37] — должно́ быть, уже́ ждёт меня́.
Рекоменду́ю его́ вам: о́н прекра́сный, о́чень услу́жливый
молодо́й челове́к и в соверше́нном восто́рге от ва́с. До
свида́ния, cher Дми́трий Никола́ич! Ка́к я благода́рна
баро́ну за то́, что о́н познако́мил меня́ с ва́ми!

И Да́рья Миха́йловна протяну́ла Ру́дину ру́ку. О́н
сперва́ пожа́л её, пото́м поднёс к губа́м и вы́шел в за́лу,
а из за́лы на терра́су. На терра́се о́н встре́тил Ната́лью.

погуби́ть *prf.* [губи́ть], ruin, kill
а погляде́ть попри́стальней и...
  but (to) look a little closer,
  and ...
скры́ться *prf.* [скрыва́ться], to
  hide
по-настоя́щему, actually, really
всле́дствие (+ *gen.*), in consequence; as a result of ...
разли́чные, different, various
недоразуме́ние, misunderstanding
рассо́риться *prf.* [ссо́риться], to
  quarrel
расста́ться *prf.* [расстава́ться],
  to part

навсегда́, forever
то́-то, that's why, now I see why
посеще́ние, visit
(вам) не по себе́ (*pass.* with *dat.*),
  (you) feel ill at ease, are not
  yourself
на́до и че́сть знать, one should
  not abuse the kindness ...
  (*i. e.,* it is time to leave)
отпуска́ть *imp.* [отпусти́ть], to
  let go, release
услу́жливый, obliging
протяну́ть *prf.* [протя́гивать],
  to stretch (out)
поднести́ *prf.* [подноси́ть] (к +
  dat.), to bring (to)

[37] Constantine—it is he who is my secretary.

V

Дóчь Дáрьи Михáйловны, Натáлья Алексéевна, с
пéрвого взгля́да моглá не понрáвиться. Онá ещё не
успéла развúться, былá худá, смуглá, держáлась немнóго сутýловато. Нó черты́ её лицá бы́ли красúвы и прá-
вильны, хотя́ слúшком великú для семнадцатилéтней дéвушки. Осóбенно хорóш был её чúстый и рóвный лóб
над тóнкими, как бы надлóмленными посередúне бро-
вя́ми. Онá говорúла мáло, слýшала и гляdéla внимáтельно, почтú прúстально, — тóчно онá себé во всём
хотéла отдáть отчёт. Онá чáсто оставáлась неподвúжной,
опускáла рýки и задýмывалась; на лицé её выражáлась
тогдá внýтренняя рабóта мы́сли... Едвá замéтная улы́бка
поя́вится [38] вдруг на губáх и скрóется; большúе, тёмные глазá тúхо поды́мутся... «Qu'avez-vous?»[39] спрóсит
её m-lle Boncourt и начнёт бранúть её, говоря́, что молодóй дéвушке неприлúчно задýмываться и принимáть
рассéянный вúд. Нó Натáлья не былá рассéянна; напрóтив, онá учúлась прилéжно, читáла и рабóтала охóтно.
Онá чýвствовала глубокó и сúльно, нó тáйно; онá и в
дéтстве рéдко плáкала, а тепéрь дáже вздыхáла рéдко,
и тóлько бледнéла слегкá, когдá чтó-нибудь её огор-

с пéрвого взгля́да, at first glance
худ *pred.*, thin, skinny
смугл *préd.*, swarthy
держáться *imp.*, to carry one-
　self
сутýловато *pred.*, stooped, with
　a stoop
рóвный, smooth
надлóмленный, broken, forming
　an angle, a circumflex, *p.p.p.*
　of надломúть *prf.*
оставáться *imp.* [остáться], to
　stay, remain
опускáть *imp.* [опустúть] to
　lower, let drop

подымáться *imp.* [подня́ться],
　to rise
бранúть *imp.*, to scold, abuse
неприлúчно, indecent(ly), im-
　proper(ly)
рассéянный, absent-minded;
　принимáть рассéянный вúд,
　to take on an absent-minded
　look
прилéжно, diligently
бледнéть *imp.* [по-], to pale
вздыхáть *imp.* [вздохнýть], to
　sigh
огорчáть *imp.* [огорчúть], to
　grieve, distress

[38] The *prf. verbs* here do not have a future meaning; in this
narrative passage, they describe customary—typical—actions in the
past or in the present.
[39] What is the matter with you?

чáло. Мáть её считáла добронрáвной, благоразýмной дéвушкой: называ́ла её в шýтку: mon honnête homme de fille,[40] нó не была́ сли́шком высóкого мнéния об её ýмственных способностях. «Натáша у меня́, к счáстью, холодна́, — говáривала она́: — не в меня́... тем лýчше. Она́ бýдет счáстлива». Дáрья Михáйловна ошиба́лась. Впрóчем, рéдкая мáть понимáет дóчь сво́ю.

Натáлья люби́ла Дáрью Михáйловну, нó не вполнé ей доверя́ла.

— Тебé нéчего от меня́ скрыва́ть, — сказáла ей однáжды Дáрья Михáйловна: — а тó бы ты скры́тничала: ты́ себé на умé...

Натáлья погляде́ла мáтери в лицó и подýмала: «Отчегó же не бы́ть себé на умé?»

Когдá Рýдин встрéтил её на террáсе, она́ вмéсте с m-lle Boncourt шла́ в кóмнату, чтóбы надéть шля́пу и отпрáвиться в сáд. У́тренние её заня́тия ужé кóнчились. Натáлью перестáли держáть, как дéвочку, m-lle Boncourt давнó ужé не давáла ей урóков по мифолóгии и геогрáфии; нó Натáлья должнá была́ кáждое ýтро читáть исторические кни́ги, путешéствия и другúе назидáтельные сочинéния — при нéй. Выбира́ла их Дáрья Михáйловна, бýдто бы приде́рживаясь осóбой, своéй систéмы. На сáмом дéле, она́ прóсто передавáла Натáлье всё, что ей присыла́л францýз-книгопродáвец из Петербýрга, исключáя, разумéется, ромáнов Дюмá-фиса[41] и Комп. Эти

добронрáвный, well-behaved	а тó бы, otherwise
благоразýмный, sensible	скры́тничать *imp.*, to be secretive
ýмственный, mental, intellectual	
к счáстью, fortunately	себé на умé, to keep one's own counsel
она́ не в меня́, she does not take after me	
	отпрáвиться *prf.*[отправля́ться], to set out
тем лýчше, so much the better	
доверя́ть *imp.* [довéрить], to trust	путешéствие, travel
	назидáтельный, edifying
тебé нéчего ..., you have nothing (to) ...	на сáмом дéле, in fact, in reality
скрывáть *imp.* [скры́ть], to hide *trans.*	книгопродáвец, bookseller
	Комп (áния), Company

[40] My honest man of a daughter.
[41] Alexandre Dumas fils (1824—95), French dramatist and novelist.

ромáны Дáрья Михáйловна читáла самá. M-lle Boncourt осóбенно строго и кисло посмáтривала чéрез очки свой, когдá Натáлья читáла историческиe книги: по понятиям стáрой францýженки, вся истóрия былá напóлнена непозволительными вещáми, хотя онá самá из великих мужéй дрéвности знáла почемý-то тóлько одногó Камбиза,[42] а из новéйших времён — Людóвика XIV и Наполеóна, котóрого терпéть не моглá. Нó Натáлья читáла и такиe книги, существовáния котóрых m-lle Boncourt не подозревáла: онá знáла наизýсть всегó Пýшкина . . .

Натáлья слегкá покраснéла при встрéче с Рýдиным.

— Вы идёте гулять? — спросил он её.

— Дá. Мы идём в сáд.

— Мóжно итти с вáми?

Натáлья взлянýла на m-lle Boncourt.

— Mais certainement, monsieur, avec plaisir,[43] — поспéшно проговорила стáрая дéва.

Рýдин взял шляпу и пошёл вмéсте с ними.

Натáлье было спервá нелóвко итти рядом с Рýдиным по однóй дорóжке; потóм ей немнóго лéгче стáло. Óн нáчал расспрáшивать её о её занятиях, о тóм, кáк éй нрáвится дерéвня. Онá отвечáла не без рóбости, нó без тóй тороплúвой застéнчивости, котóрую тáк чáсто и выдаю́т, и принимáют за стыдлúвость. Сéрдце у неё бúлось.

кисло, sourly
очки, spectacles
понятие, notion, idea
напóлнен, (+ *instr.*) filled, *pred.*
  p.p.p. of напóлнить *prf.*
непозволительный, not permissible, inadmissible
муж, (*poet.*) man
дрéвность *f.*, antiquity
почемý-то, for some reason
терпéть *imp.*, to stand, bear
существовáние, existence
подозревáть *imp.*, to suspect
наизýсть, by heart

поспéшно, hastily, promptly
(ей, ему) нелóвко (*pass.* with *dat.*), (she, he) feels / is / ill at ease / awkward
рóбость *f.*, shyness
тороплúвый, hurried
застéнчивость *f.*, timidity, shyness
выдавáть *imp.* [выдать] (за + *acc.*), to make pass for, pass off as
принимáть *imp.* [принять] (за + *acc.*), to take for
стыдлúвость *f.*, bashfulness

---

[42] Cambysis, King of Persia, 529—522 B.C.
[43] But of course, sir, with pleasure.

— Вы не скучáете в дерéвне? — спросúл Рýдин, окúдывая её боковы́м взóром.

— Кáк мóжно скучáть в дерéвне? Я óчень рáда, что
мы здéсь. Я здéсь óчень счáстлива.

— Вы́ счáстливы... Это велúкое слóво. Впрóчем, это
понятно: вы́ мóлоды.

Рýдин произнёс это послéднее слóво кáк-то стрáнно:
не тó óн завúдовал Натáлье, не тó óн жалéл её.

— Дá! Мóлодость! — прибáвил он. — Вся цéль
наýки — дойтú сознáтельно до тогó, чтó мóлодости
даётся дáром.

Натáлья внимáтельно посмотрéла на Рýдина: онá не
понялá егó.

— Я сегóдня цéлое ýтро разговáривал с вáшей мá-
тушкой, — продолжáл он: — онá необыкновéнная жéнщина. Я понимáю, почемý всé нáши поэ́ты дорожúли её
дрýжбой. А вы любúте стихú? — прибáвил он, помолчáв
немнóго.

«Óн меня́ экзаменýет,» подýмала Натáлья и промóлвила:

— Дá, óчень люблю́.

— Поэ́зия — язы́к богóв. Я сáм люблю́ стихú. Нó не в
однúх стихáх поэ́зия: онá разлитá вездé, онá вокрýг нас...
Взглянúте на э́ти дерéвья на э́то нéбо — отовсю́ду вéет
красотóю и жúзнью; а гдé красотá и жúзнь, тáм и поэ́зия.

— Ся́демте здéсь, на скамью́, — продолжáл он. —
Вóт тáк. Мнé почемý-то кáжется, что когдá вы при-
вы́кнете ко мнé (и óн с улы́бкой посмотрéл ей в лицó),
мы бýдем прия́тели с вáми. Кáк вы дýмаете?

окúдывая взóром, taking in with
  a glance
боковóй, sidelong
не тó ... не тó ..., was it that
  (he) ..., or was it that
цель *f.*, aim, object
наýка, learning
сознáтельно, consciously
давáться *imp.* [дáться] (*pass.*
  with *dat.*), to be given (to)
дáром, free, for nothing

дорожúть *imp.* (+ *instr.*), to
  value, cherish, esteem
экзаменовáть *imp.* to quiz, submit to an examination
разлúт, diffused, *pred. p.p.p.* of
  разлúть *prf.*
вездé, everywhere
скамья́, bench
привы́кнуть *prf.* [привкáть] (к
  + *dat.*), to get used / accustomed / to

«Óн обращáется со мнóй, как с дéвочкой,» подýмала опя́ть Натáлья и, не зня́я, чтó сказáть, спросúла егó, дóлго ли он намéрен остáться в дерéвне.

— Всё лéто, óсень, а мóжет быть, и зúму. Я, вы знáете, человéк óчень небогáтый; делá мой расстрóены, да и притóм мнé ужé наскýчило таскáться с мéста на мéсто. Порá отдохнýть.

Натáлья изумúлась.

— Неужéли вы нахóдите, что вáм порá отдыхáть? — спросúла онá рóбко.

Рýдин повернýлся лицóм к Натáлье.

— Чтó вы хотúте этим сказáть?

— Я хочý сказáть, — возразúла онá с нéкоторым смущéнием, — что отдыхáть мóгут другúе; а вы́... вы́ должны́ трудúться, старáться бы́ть полéзным. Комý же, как не вáм...

— Благодарю́ за лéстное мнéние, — перебúл её Рýдин. — Бы́ть полéзным... легкó сказáть! (Óн провёл рукóю по лицý.) Бы́ть полéзным! — повторúл он. — Éсли б дáже бы́ло во мнé твёрдое убеждéние, кáк я могý бы́ть полéзным, éсли б я дáже вéрил в свой сúлы, гдé найтú úскренние, сочýвствующие дýши?...

И Рýдин тáк безнадёжно махнýл рукóю и тáк печáльно понúк головóю, что Натáлья невóльно спросúла себя́: егó ли востóрженные, ды́шащие надéждой рéчи онá слы́шала наканýне?

— Впрóчем, нéт, — прибáвил он, внезáпно встряхнýв

расстрóен, disturbed, upset, *pred.p.p.p.* of расстрóить *prf.*

наскýчить *prf.*, to bore; (мне) наскýчило (*pass.* with *dat.*) (I am) tired of

таскáться *imp. indet.* тащúться *imp. det.*, to drag (oneself) about / along

отдохнýть *prf.* [отдыхáть], to rest

трудúться *imp.*, to work, toil

старáться *imp.* [по-], try, do one's best

комý как не вáм, who if not you

полéзный, useful

лéстный, flattering

безнадёжно, hopelessly

поникáть *imp.* [понúкнуть], to droop / hang / one's head

ды́шащий, breathing, *pr.a.p.* of дышáть *imp.*

надéжда, hope

наканýне, the day before, on the eve

внезáпно, suddenly

встряхнýв, shaking, *p.adv.p.* of встряхнýть *prf.*

своей льви́ной гри́вой: — э́то вздо́р, и вы пра́вы. Благодарю́ вас, Ната́лья Алексе́евна, благодарю́ вас и́скренно. (Ната́лья реши́тельно не зна́ла, за что́ он её благодари́т.) Ва́ше одно́ сло́во напо́мнило мне́ мой до́лг, указа́ло мне́ мою́ доро́гу... Да́, я до́лжен де́йствовать. Я не до́лжен скрыва́ть свой тала́нт, е́сли он у меня́ есть; я не до́лжен растра́чивать свои си́лы на одну́ болтовню́, пусту́ю, бесполе́зную болтовню́, на одни́ слова́...

И слова́ его́ полили́сь реко́ю. Он говори́л прекра́сно, горячо́, убеди́тельно — о позо́ре малоду́шия и ле́ни, о необходи́мости де́лать де́ло. Он уверя́л, что не́т благоро́дной мы́сли, кото́рая бы не нашла́ себе́ сочу́вствия, что непо́нятными остаю́тся то́лько те́ лю́ди, кото́рые ли́бо ещё са́ми не зна́ют, чего́ хотя́т, ли́бо не стоя́т того́, что́бы их понима́ли. Он говори́л до́лго и око́нчил те́м, что ещё раз поблагодари́л Ната́лью Алексе́евну и соверше́нно неожи́данно сти́снул ей ру́ку, промо́лвив: «Вы прекра́сное, благоро́дное существо́!»

Э́та во́льность порази́ла m-lle Boncourt, кото́рая, несмотря́ на сорокале́тнее пребыва́ние в Росси́и, с трудо́м понима́ла по-ру́сски и то́лько удивля́лась краси́вой быстроте́ и пла́вности ре́чи в уста́х Ру́дина. Впро́чем, он в её глаза́х был че́м-то вро́де виртуо́за и́ли арти́ста; а от подо́бного ро́да люде́й, по её поня́тиям, невозмо́жно бы́ло тре́бовать соблюде́ния прили́чий.

льви́ный (*adj.* from лев), leonine, lionlike
гри́ва, mane
вздо́р, nonsense
реши́тельно, absolutely
до́лг, duty, debt
растра́чивать *imp.* [растра́тить], to spend in vain, squander
болтовня́, idle talk
поли́лся реко́ю, flowed in a torrent / stream
позо́р, disgrace
малоду́шие, cowardice, faint-heartedness
уверя́ть *imp.* [уве́рить], to maintain, assure

ли́бо... ли́бо, either... or
сти́снуть *prf.* [сти́скивать], to press, squeeze
промо́лвив, having said, saying, *p. adv. p.* of промо́лвить *prf.*
во́льность *f.*, liberty
порази́ть *prf.* [поража́ть], to startle
пребыва́ние, stay *n.*
пла́вность *f.*, smoothness
вро́де, a kind of, something like a
виртуо́з, virtuoso
соблюде́ние, observance
прили́чие, decorum, propriety

Oнá встáла и, порывисто попрáвив на себé плáтье, объявила Натáлье, что порá итти домóй, тем бóлее, что monsieur Volinsoff (тáк онá называла Волынцева) хотéл быть к зáвтраку.

— Да вóт и óн! — прибáвила онá, взглянув в однý из аллéй, ведýщих от дóму.

Действительно, Волынцев, показáлся невдалекé.

Óн подошёл нерешительным шáгом, издали расклáнялся со всéми и, с болéзненным выражéнием на лицé обратясь к Натáлье, проговорил:

— Á! вы гуляете?

— Дá, — отвéтила Натáлья: — мы ужé шли домóй.

— Á! — произнёс Волынцев. — Чтó ж, пойдёмте. И всé пошли к дóму.

— Кáк здорóвье вáшей сестры? — спросил, каким-то осóбенно лáсковым гóлосом, Рýдин у Волынцева. Óн и наканýне был óчень с ним любéзен.

— Покóрно благодарю. Онá здорóва. Онá сегóдня, мóжет быть, бýдет... Вы, кáжется, о чём-то рассуждáли, когдá я подошёл?

— Дá, у нáс был разговóр с Натáльей Алексéевной. Онá мне сказáла однó слóво, котóрое сильно на меня подéйствовало...

Волынцев не спросил, какóе это было слóво, и всё в глубóком молчáньи возвратились в дóм Дáрьи Михáйловны.

Пéред обéдом опять состáвился салóн. Пигáсов, однáко, не приéхал. Рýдин нé был в удáре; óн всё застáвлял Пандалéвского игрáть из Бетхóвена. Волынцев молчáл и поглядывал нá пол. Натáлья не отходила от мáтери и тó задýмывалась, тó принимáлась за рабóту. Басистов не спускáл глáз с Рýдина, всё выжидáя, не

<hr>

порывисто, abruptly
попрáвив, having adjusted, adjusting, *p.adv.p.* of попрáвить *prf.*, to set right, fix
объявить *prf.* [объявлять], to announce, declare
тем бóлее (что . . .), especially, since . . ., the more so, since...

невдалекé, not far off
издали, from afar
болéзненный, pained, sickly
быть в удáре, to be in good form / vein
не спускáть глаз, not take one's eyes off

скáжет ли óн чегó-нибудь ýмного. Тáк прошлó часá трѝ довóльно однообрáзно. Алексáндра Пáвловна не приéхала к обéду — и Волы́нцев, как тóлько встáли из-за столá, тотчáс ускользнýл, не простя́сь ни с кéм.

Емý бы́ло тяжелó. Óн давнó любѝл Натáлью и всё собирáлся сдéлать ей предложéние... Онá к немý благоволѝла — нó сéрдце её оставáлось спокóйным: óн э́то я́сно вѝдел. Óн и не надéялся внушѝть ей чýвство бóлее нéжное и ждáл тóлько мгновéнья, когдá онá совершéнно привы́кнет к немý, сблѝзится с нѝм. Чтó же моглó взволновáть егó? какýю перемéну замéтил он в э́ти двá дня́? Натáлья обращáлась с нѝм тóчно тáк же, как и прéжде.

Запáла ли емý в дýшу мысль, что óн, быть мóжет, вóвсе не знáет нрáва Натáльи, что онá емý ещё бóлее чуждá, чем он дýмал, — рéвность ли проснýлась в нём, смýтно ли почýял он чтó-то недóброе... нó тóлько óн страдáл, как ни уговáривал самогó себя́.

Когдá óн вошёл к своéй сестрé, у неё сидéл Лежнёв.

— Чтó это ты тáк рáно вернýлся? — спросѝла Алексáндра Пáвловна.

— Тáк!

однообрáзно, monotonously

простя́сь, having taken, leave, said good-by, *p.adv.p.* of проститься *prf.*

емý бы́ло тяжелó, his heart was heavy

собирáться *imp.* [собрáться], to intend to

сдéлать предложéние (+ *dat.*), to propose to

благоволѝть *imp.*, to have a kind feeling (for / toward)

внушѝть *prf.* [внушáть], to inspire

нéжный, tender

сблѝзиться *prf.* [сближáться], to draw closer

взволновáть *prf.* [волновáть], to upset, worry

перемéна, change

обращáться *imp. only* in this usage (с + *instr.*), to treat

запáла в дýшу мы́сль, the idea sank deep into his heart

чужд *pred.*, alien

рéвность *f.*, jealousy

проснýться *prf.* [просыпáться], to awaken, wake up *intr.*

смýтно, vaguely, confusedly

почýять *prf.* [чýять], to sense

недóброе (*neut.adj.* used as *n.*), evil, misfortune

но тóлько, but in any case, anyway

страдáть *imp.*, to suffer

как ни, however much / hard

уговáривать *imp.* [уговорѝть], to persuade, reason

тáк! just because ..., for no special reason

— Рýдин тáм?

— Тáм.

Волы́нцев брóсил фурáжку и сéл.

Алексáндра Пáвловна с жи́востью обрати́лась к немý:

— Пожáлуйста, Серёжа, помоги́ мнé убеди́ть э́того упря́мого человéка (онá указáла на Лежнёва) в тóм, что Рýдин необыкновéнно умён и красноречи́в.

Волы́нцев промычáл чтó-то.

— Да я нискóлько с вáми не спóрю, — нáчал Лежнёв: — я не сомневáюсь в умé и красноречии г. Рýдина; я говорю́ тóлько, что óн мнé не нрáвится.

— А ты егó рáзве ви́дел? — спроси́л Волы́нцев.

— Ви́дел сегóдня ýтром у Дáрьи Михáйловны. Ведь óн у неё тепéрь вели́ким визи́рем. Придёт врéмя, онá и с ни́м расстáнется, — онá с одни́м Пандалéвским никогдá не расстáнется, —.нó тепéрь óн цари́т. Ви́дел егó, кáк же! Óн сиди́т — а онá меня́ емý покáзывает: гляди́те, бáтюшка, каки́е у нас вóдятся чудаки́. Я́ не заводскáя лóшадь — к вы́водке не привы́к. Я взя́л да[44] уéхал.

— Да зачéм ты бы́л у неё?

— По размежевáнию; да э́то вздóр: éй прóсто хотéлось посмотрéть на мою́ физионóмию.

— Вас оскорбля́ет егó превосхóдство — вóт что! — заговори́ла с жáром Алексáндра Пáвловна: — вóт чегó вы емý прости́ть не мóжете. А я́ увéрена, что, крóме умá, у негó и сéрдце должнó бы́ть отли́чное. Вы взгляни́те на егó глазá, когдá óн...

живость *f.*, vivacity, eagerness
убеди́ть *prf.* [убеждáть], to convince, persuade
упря́мый, obstinate, stubborn
промычáть *prf.* [мычáть], to moo, mutter
вели́кий визи́рь, Grand Vizier
цари́ть *imp.*, to reign
кáк же! of course (I did)!
бáтюшка, (*obs.*) my good sir, my friend

води́ться *imp.*, to be found
заводскáя лóшадь, stud horse
вы́водка, the trotting out for show
я взя́л да уéхал, so I simply left; I up and left
оскорбля́ть *imp.* [оскорби́ть]; to offend
вóт чтó! that's what it is!
прости́ть *prf.* [прощáть], to forgive

---

[44] взять with the conjunctions да, и, or да и and followed by another verb expresses the carrying out of a sudden decision: "I up and left."

— «О че́стности высо́кой говори́т...,» — подхвати́л Ле́жнёв.

— Вы меня́ рассе́рдите, и я заплачу́. Я́ от души́ сожале́ю, что не пое́хала к Да́рье Миха́йловне и оста́лась с ва́ми. Вы́ э́того не сто́ите. По́лноте дразни́ть меня́, — приба́вила она́ жа́лобным го́лосом. — Вы лу́чше расскажи́те мне́ об его́ мо́лодости.

— О мо́лодости Ру́дина?

— Ну, да́. Ведь вы́ мне́ сказа́ли, что хорошо́ его́ зна́ете и давно́ с ним знако́мы.

Ле́жнёв встал и прошёлся по ко́мнате.

— Да́, — на́чал он: — я́ его́ хорошо́ зна́ю. Вы хоти́те, чтобы я рассказа́л вам его́ мо́лодость? Изво́льте. Роди́лся он в Т...ве от бе́дных поме́щиков. Оте́ц его́ ско́ро у́мер. Он оста́лся оди́н у ма́тери. Она́ была́ женщина добре́йшая и души́ в нём не ча́яла; и всё, каки́е бы́ли у неё де́нежки, употребля́ла на него́. Получи́л он своё воспита́ние в Москве́, сперва́ на счёт како́го-то дя́ди, а пото́м, когда́ он подро́с и опери́лся, на счёт одного́ бога́того князька́, с кото́рым сдружи́лся. Пото́м он поступи́л в университе́т. В университе́те я узна́л его́ и сошёлся с ним о́чень те́сно. О на́шем тогда́шнем житьё-бытьё я поговорю́ с ва́ми когда́-нибудь по́сле. Тепе́рь не могу́. Пото́м он уе́хал за грани́цу...

Ле́жнёв продолжа́л расха́живать по ко́мнате; Алекса́ндра Па́вловна следи́ла за ним взо́ром.

— Из-за грани́цы, — продолжа́л он: — Ру́дин писа́л

рассерди́ть *prf.* [серди́ть], to make angry

по́лноте, (*colloq.*) stop; that will do; that's enough

жа́лобный, plaintive

пройти́сь *prf.* [проха́живаться], to pace, take a few steps

души́ не ча́ять, to worship, adore

де́нежки *humor. aff.* of де́ньги, money

подрасти́ *prf.* [подраста́ть], to grow up; подро́с *p. m. sing.*

опери́ться *prf.* [опера́ться], to become a fledgling, *fig.* become more independent

князёк (*dim. der.* of князь *m.*), princeling

сдружи́ться *prf.*, to become good friends

сойти́сь *prf.* [сходи́ться], to become friends / intimates, take up (with)

житьё-бытьё (*colloq.*), life, mode of existence, living

расха́живать *imp.*, to pace, walk back and forth

своéй мáтери чрезвычáйно рéдко и посетúл её всегó одúн рáз, днéй на дéсять... Старýшка и скончáлась без негó, на чужúх рукáх, нó до сáмой смéрти не спускáла глаз с егó портрéта. Я к ней éздил когдá жúл в Т...ве. Дóбрая былá жéнщина и гостеприúмная; вишнёвым варéньем, бывáло,[45] всё меня́ угощáла. Онá любúла своегó Мúтю без пáмяти. Господá печóринской[46] шкóлы скáжут вам, что мы всегдá лю́бим тéх, котóрые сáми мáло спосóбны любúть; а *мнé* так кáжется, что всё мáтери лю́бят своúх детéй, осóбенно отсýтствующих. Потóм я встрéтился с Рýдиным за граnúцей. Тáм к немý однá бáрыня привязáлась, из нáших рýсских, сúний чулóк какóй-то, ужé немолодóй и некрасúвый, как онó и слéдует сúнему чулкý. Óн довóльно дóлго с ней возúлся и, наконéц, её брóсил... úли нéт, виновáт: онá егó брóсила. И я тогдá егó брóсил. Вóт и всё.

Лежнёв умóлк, провёл рукóю по лбý и, слóвно устáлый, опустúлся на крéсло.

— А знáете ли чтó, Михáйло Михáйлыч, — началá Александрá Пáвловна: — вы, я вúжу, злóй человéк; прáво, вы не лýчше Пигáсова. Я увéрена, что всё, чтó вы сказáли, прáвда, что вы ничегó не присочинúли, и

посетúть *prf.* [посещáть], to visit
скончáться *prf.*, to pass away, decease
не спускáть глаз, not to take the eyes off
гостеприúмный, hospitable
вишнёвый *adj.* of вúшня, cherry
варéнье, preserves
бывáло, used to
угощáть *imp.* [угостúть], to offer, treat to
любúть без пáмяти, to love to distraction
отсýтствующий, who is absent, *pr.a.p.* of отсýтствовать *imp*

привязáться *prf.* [привя́зываться] (к + *dat.*), to become attached
сúний чулóк, blue-stocking
как онó и слéдует, as it should be
возúться *imp.* (с + *instr.*) (*colloq.*), to carry on / mess about / (with)
брóсить *prf.* [бросáть], to leave, give up, abandon
виновáт! I'm sorry! pardon me
слóвно, as if
злóй, wicked, malicious
присочинúть *prf.* [присочиня́ть] (*colloq.*), to make up, invent

---

[45] бывáло with a verb denotes a repeated or habitual action in the past (cf. "used to" or "would").

[46] from Печóрин — central character of Lermontov's *A Hero of Our Time* (1840), a representative of the Byronic tradition in Russia.

между тем, в каком неприязненном свете вы всё это представили! Эта бедная старушка, её преданность, её одинокая смерть, эта барыня... К чему это всё?... Знаете ли, что можно жизнь самого лучшего человека изобразить в таких красках, — и ничего не прибавляя, заметьте, — что всякий ужаснётся! Ведь это тоже своего рода клевета!

Лежнёв встал и опять прошёлся по комнате.

— Я вовсе не желал заставить вас ужаснуться, Александра Павловна, — проговорил он наконец. — Я не клеветник. А впрочем, — прибавил он, подумав немного: — действительно, в том, что вы сказали, есть доля правды. Я не клеветал на Рудина; но — кто знает! — может быть, он с тех пор успел измениться — может быть, я несправедлив к нему.

— А! вот видите... Так обещайте же мне, что вы возобновите с ним знакомство, узнаете его хорошенько и тогда уже выскажете мне своё окончательное мнение о нём.

— Извольте... Но что же ты молчишь, Сергей Павлыч?

Волынцев вздрогнул и поднял голову, как будто его разбудили.

— Что мне говорить? Я его не знаю. Притом, у меня сегодня голова болит.

— Ты, точно, что-то бледен сегодня, — заметила Александра Павловна: — здоров ли ты?

— У меня голова болит, — повторил Волынцев и вышел вон.

между тем, and yet
неприязненный, inimical, unfavorable
свет, light
преданность *f.*, devotion
к чему это? what is all this for?
изобразить *prf.* [изображать], to picture, depict
прибавляя, adding, *pr.adv.p.* of прибавлять *imp.*
заметьте, mark you, observe *imper.* of заметить *prf.*

ужаснуться *prf.* [ужасаться], to be horrified (by)
клеветник, slanderer
доля, part, element, some
клеветать *imp.* (на + *acc.*), to slander
возобновить *prf.* [возобновлять] renew, to resume
вздрогнуть *prf.* [вздрагивать], to start, shudder
разбудить *prf.* [будить], to wake (up) *trans.*

Алексáндра Пáвловна и Лежнёв посмотрéли емý
вслéд и обменя́лись взгля́дом, но ничегó не сказáли друг
дрýгу. Ни для негó, ни для неё нé было тáйной, чтó
происходи́ло в сéрдце Волы́нцева.

VI

Прошлó двá мéсяца сли́шком. В течéние всегó э́того
врéмени Рýдин почти́, не выезжáл от Дáрьи Михáйловны. Онá не моглá обойти́сь без негó. Рассказывать
емý о себé, слýшать егó рассуждéния стáло для неё по-
трéбностью. Он однáжды хотéл уéхать под тéм пред-
лóгом, что у негó вы́шли всé дéньги: онá далá емý пятьсóт рублéй. Он зáнял тáкже у Волы́нцева рублéй двéсти.
Пигáсов горáздо рéже прéжнего посещáл Дáрью Михáйловну: Рýдин дави́л егó свои́м присýтствием. Впрóчем, давлéние э́то испы́тывал не оди́н Пигáсов.

— Не люблю́ я э́того ýмника, — говáривал он: —
выражáется он неестéственно. Словá употребля́ет всё
таки́е дли́нные. Ты чихнёшь, — óн тебé сейчáс стáнет
докáзывать, почемý ты и́менно чихнýл, а не кáшлянул...
Хвáлит он тебя́ — тóчно в чи́н производит... Начнёт самогó себя́ брани́ть, с гря́зью себя́ смешáет, — нý, дýмаешь, тепéрь на свéт Бóжий гляде́ть не стáнет. Какóе!
Повеселéет дáже, слóвно гóрькой вóдки вы́пил.

Пандалéвский побáивался Рýдина и осторóжно за

двá сли́шком, over two, more
  than two
обойти́сь *prf.* [обходи́ться], to
  manage / do / without
предлóг, pretext
вы́шли дéньги, money was
  gone
заня́ть *prf.* [занимáть], to bor-
  row
дави́ть *imp.*, to oppress
давлéние, pressure, oppression
ýмник, clever fellow
чихнýть *prf. inst.* [чихáть], to
  sneeze

кáшлянуть *prf. inst.* [кáшлять],
  to cough
чин, rank
производи́ть, to promote
гря́зь *f.*, mud, filth, dirt
смешáть *prf.* [смéшивать], to
  mix, blend; с гря́зью себя́
  смешáть, to drag oneself
  through the mire
свéт Бóжий, God's world
какóе! not a bit! but no!
повеселéть *prf.* [веселéть], to
  turn / grow / cheerful
побáиваться *imp.* (+ *gen.*), to
  be a little afraid of

ним уха́живал. Волы́нцев находи́лся в стра́нных отно-
ше́ниях с ним. Ру́дин называ́л его́ ры́царем, превозноси́л
его́ в глаза́ и за глаза́; но Волы́нцев не мо́г полюби́ть
его́ и вся́кий ра́з чу́вствовал нево́льное нетерпе́ние и до-
са́ду, когда́ то́т принима́лся в его́ же прису́тствии разби-
ра́ть его́ досто́инства. «Уж не смеётся ли о́н надо мно́ю?»
ду́мал он, и враждебно шевели́лось в нём се́рдце. Во-
лы́нцев стара́лся переломи́ть себя́; но о́н ревнова́л к
нему́ Ната́лью. Да и са́м Ру́дин, хотя́ всегда́ шу́мно
приве́тствовал Волы́нцева, хотя́ называ́л его́ ры́царем и
занима́л у него́ де́ньги, едва́ ли был к нему́ располо́жен.
Тру́дно бы́ло бы определи́ть, что́, со́бственно, чу́вство-
вали э́ти два́ челове́ка, когда́, сти́скивая по-прия́тельски
оди́н друго́му ру́ки, они́ гляде́ли друг дру́гу в глаза́...
    Баси́стов продолжа́л благогове́ть пе́ред Ру́диным и
лови́ть на лету́ ка́ждое его́ сло́во. Ру́дин ма́ло обраща́л
на него́ внима́ния. Ка́к-то ра́з о́н провёл с ним це́лое
у́тро, толкова́л с ним о са́мых ва́жных мировы́х вопро́-
сах и зада́чах и возбуди́л в нём живе́йший восто́рг; но
пото́м о́н его́ бро́сил... Ви́дно, о́н то́лько на слова́х
иска́л чи́стых и пре́данных ду́ш. С Лежнёвым, кото́рый

отноше́ния *pl.*, terms, relations
ры́царь *m.*, knight
превозноси́ть *imp.* [превоз-
    нести́], to exalt, laud, extol
разбира́ть *imp.* [разобра́ть], to
    analyze, discuss, take apart
досто́инство, merit, good quality
уж не смеётся ли о́н надо
    мно́ю? is it that he is making
    fun of me?
враждебно, with animosity
шевели́ться *imp.* [по-], to stir,
    move
стара́ться *imp.* [по-], to try, do
    one's best
переломи́ть *prf.* себя́, to master
    one's self, restrain one's feelings
он ревновал к нему́ (Ру́дину)
    Ната́лью, he was jealous of
    Natalie's feelings for him (for
    Rudin)

шу́мно, effusively, noisily
приве́тствовать *imp.*, to greet
едва́ ли, hardly
располо́жен, well disposed,
    pred.p.p.p. of расположи́ть
    prf.
что́ со́бственно, exactly what
благогове́ть *imp.* (перед + in-
    str.), to stand in awe
лови́ть *imp.* [с-, and пойма́ть],
    to catch
на лету́, on the wing
обраща́ть *imp.* [обрати́ть]
    внима́ние (на + acc.), to pay
    attention, notice
зада́ча, problem, task
возбуди́ть *imp.* [возбужда́ть], to
    arouse, excite
живе́йший, most vivid
на слова́х, in words
пре́данный, devoted

нáчал éздить к Дáрье Михáйловне, Рýдин дáже в спóр не вступáл и как бýдто избегáл его. Лежнёв тáкже обходи́лся с ним хóлодно, а впрóчем, не выскáзывал своегó окончáтельного мнéния о нём, чтó óчень смущáло Алексáндру Пáвловну. Онá преклонáлась перед Рýдиным; но и Лежнёву онá вéрила. Всé в дóме Дáрьи Михáйловны покорáлись при́хоти Рýдина: малéйшие желáния его исполнáлись. Порáдок дневны́х занáтий от негó зави́сел. Ни однá partie de plaisir[47] не составлáлась без негó. Впрóчем, óн не большóй был охóтник до всáких внезáпных поéздок и затéй и учáствовал в ни́х, как взрóслые в дéтских и́грах, с лáсковым и слегкá скучáющим благоволéнием. Затó óн входи́л во всё: толковáл с Дáрьей Михáйловной о распоряжéниях по имéнию, о воспитáнии детéй, о хозáйстве, вообщé о делáх; выслýшивал её, не тяготи́лся дáже мелочáми, предлагáл преобразовáния и нововведéния. Дáрья Михáйловна восхищáлась и́ми

вступáть *imp.* [вступи́ть] (в + *acc.*), to enter (into), join
спóр, argument
избегáть *imp.* [избéгнуть, избежáть] (+ *gen.*), to avoid, escape
смущáть *imp.* [смути́ть], to embarrass, disturb
преклонáться *imp.* (перед + *instr.*), to admire, worship
покорáться *imp.* [покори́ться] (+ *dat.*), to submit, resign oneself to
при́хоть *f.*, fancy, whim
исполнáться *imp.* [испóлниться], to be fulfilled, be carried out
порáдок, order
дневнóй, day's
зави́сеть *imp.* (от + *gen.*), to depend on
состáвиться *prf.* [составлáться], to be organized, formed
не большóй охóтник (до + *gen.*), not very fond of
всáкие, all sorts, all and sundry

внезáпный, sudden, impromptu
поéздка, trip, excursion
затéя, venture, undertaking
учáствовать *imp.*, to take part, participate
взрóслый (*adj.* used as *n.*), grown-up, adult
скучáющий, bored, *pr.a.p.* of скучáть *imp.*
благоволéние, kindness, benevolence
входи́ть во всё, to be concerned with everything
распоряжéние, instruction, management
хозáйство, farming, farm management
мéлочь *f.*, detail, trifle
предлагáть *imp.* [предложи́ть], to propose, suggest
преобразовáние, reform
нововведéние, innovation
восхищáться *imp.* [восхити́ться] (+ *instr.*), to go into raptures over, be enthusiastic about

47 excursion, jaunt.

на словáх — и тóлько. В дéле хозя́йства онá придéржи-
валась совéтов своегó управля́ющего, пожилóго одно-
глáзого малорóсса, добродýшного и хи́трого плутá.

Пóсле самóй Дáрьи Михáйловны Рýдин ни с кéм
тáк чáсто и тáк дóлго не бесéдовал, как с Натáльей. Óн
тайкóм давáл ей кни́ги, поверя́л ей свои́ плáны, читáл
ей пéрвые страни́цы предполагáемых статéй и сочинé-
ний. Смы́сл их чáсто оставáлся недостýпным для Натáльи. Впрóчем, Рýдин, казáлось, и не óчень забóтился
о тóм, чтóбы онá егó понимáла, — ли́шь бы слýшала
егó. Бли́зость егó с Натáльей былá не совсéм по нутрý
Дáрье Михáйловне. «Нó, — дýмала онá, — пускáй онá
с ним поболтáет в дерéвне. Онá забавля́ет егó, как дéвочка. Бедý большóй нéт, а онá всё-таки поумнéет...
В Петербýрге я э́то всё переменю́...»

Дáрья Михáйловна ошибáлась. Не как дéвочка бол-
тáла Натáлья с Рýдиным: онá жáдно внимáла егó речáм,
онá старáлась вни́кнуть в их значéние; онá отдавáла
на сýд егó свои́ мы́сли, свои́ сомнéния; óн был её настáв-
ником, её вождём. Покá — однá головá у неё кипéла...
нó молодáя головá недóлго кипи́т однá. Каки́е слáдкие
мгновéнья переживáла Натáлья, когдá, бывáло, в садý,

и тóлько, and that was all
совéт, advice
одноглáзый, one-eyed
пожилóй, elderly
хи́трый, sly
плут, crook, swindler
бесéдовать *imp.*, to talk, converse
поверя́ть *imp.* [повéрить], to
    confide, entrust
предполагáемый, projected, *pr.*
    p.p. of предполагáть *imp.*, to
    intend, suppose
недостýпный, inaccessible
ли́шь бы, so long as, if only
(ей, емý) по нутрý (*colloq. pass.*
    with *dat.*), to (her, his) taste /
    liking; (ей, емý) не по нутрý,
    it goes against the grain with
    (her, him)
пускáй, let

поболтáть *prf.* [болтáть], to chat
забавля́ть *imp.* [позабáвить], to
    amuse
всё-таки, still, at any rate
поумнéть *prf.* [умнéть], to grow
    wiser, improve one's mind
жáдно, greedily, avidly
внимáть *imp.* внять (*poet.obs.*)
    (+ dat.), to listen (to)
сомнéние, doubt
настáвник, preceptor, teacher
вóждь *m.*, guide, leader
покá, so far
однá головá, only the head / mind
кипéть *imp.* [за-, *inch.*], to
    seethe, be in fever *fig.*
переживáть *imp.* [пережи́ть], to
    live through, experience
когдá бывáло, when, as it hap-
    pened sometimes

на скамéйке, в лёгкой, сквознóй тенú ясеня, Рýдин начнёт читáть ей гётевского Фáуста, Гóффмана,[48] úли Пúсьма Беттúны,[49] úли Новáлиса,[50] беспрестáнно останáвливаясь и толкýя тó, чтó ей казáлось тёмным! Онá по-немéцки говорúла плóхо, как почтú всé нáши бáрышни, нó понимáла хорошó, а Рýдин был вéсь погружён в гермáнскую поэзию, в гермáнский романтúческий и филосóфский мúр, и увлекáл её за собóй в тé заповéдные стрáны. Невéдомые, прекрáсные, раскрывáлись онú пéред её внимáтельным взóром; со странúц кнúги, котóрую Рýдин держáл в рукáх, дúвные óбразы, нóвые, свéтлые мысли тáк и лилúсь звенящими стрýями ей в дýшу.

— Скажúте, Дмúтрий Николáич, — началá онá однáжды, сúдя у окнá за пяльцами: — ведь вы нá зиму поéдете в Петербýрг?

— Не знáю, — возразúл Рýдин, опускáя на колéни кнúгу, котóрую перелúстывал: — éсли бýдут срéдства, поéду.

Óн говорúл вяло: óн чýвствовал устáлость и бездéйствовал с сáмого утрá.

скамéйка, bench
сквознóй, transparent
тéнь *f.*, shade, shadow
ясень *m.*, ash-tree
толкýя, interpreting, *pr.adv.p.*
   of толковáть *imp.*
погружён, immersed, plunged,
   pred. p.p.p. of погрузúть *prf.*
увлекáть *imp.* [увлéчь], to carry
   along (or, away) with one
заповéдный, sacred, inaccessible
невéдомый, unknown, mysterious; from вéдать *book.*, — to
   know
внимáтельный, attentive, careful

дúвный, marvelous
свéтлый, luminous, bright
так и, kept on
звенящий, tinkling, *pr.a.p.* of
   звенéть *imp.*
струя, stream
перелúстывать *imp.* [перелистáть], to leaf, turn over the
   pages
срéдства *pl.*, means (money)
вяло, languidly, apathetically
устáлость *f.*, weariness, fatigue
бездéйствовать *imp.*, be inactive,
   do nothing

[48] E. T. A. Hoffmann (1776—1822), German Romantic writer.
[49] Elizabeth (Bettina) Brentano von Arnim (1785—1859), famous for her correspondence with Goethe.
[50] Novalis, pseud. of George Friedrich Philipp von Hardenberg (1772—1801), German romantic poet.

— Мне́ ка́жется, как не найти́ вам сре́дства?

Ру́дин покача́л голово́й.

— Вам так ка́жется!

И он значи́тельно гля́нул в сто́рону.

Ната́лья хоте́ла бы́ло что́-то сказа́ть и удержа́лась.

— Посмотри́те, — на́чал Ру́дин и указа́л ей руко́й в окно́: — ви́дите вы э́ту я́блоню: она́ сломи́лась от тя́жести и мно́жества свои́х со́бственных плодо́в. Ве́рная эмбле́ма ге́ния...

— Она́ сломи́лась оттого́, что у неё не́ было подпо́ры, — возрази́ла Ната́лья.

— Я вас понима́ю, Ната́лья Алексе́евна; но челове́ку не так легко́ найти́ её, э́ту подпо́ру.

— Мне́ ка́жется, сочу́вствие други́х... во вся́ком слу́чае, одино́чество...

Ната́лья немно́го запу́талась и покрасне́ла.

— И что вы бу́дете де́лать зимо́й в дере́вне? — поспе́шно приба́вила она́.

— Что́ я бу́ду де́лать? Око́нчу мою́ большу́ю статью́ — вы зна́ете — о траги́ческом в жи́зни и в иску́сстве — я вам тре́тьего дня́ расска́зывал — и пришлю́ её вам.

— И напеча́таете?

— Нет.

— Как нет? Для кого́ же вы бу́дете труди́ться?

— А хоть бы для вас.

Ната́лья опусти́ла глаза́.

— Э́то не по мои́м си́лам, Дми́трий Никола́ич!

ка́к не найти́, how could (you) fail to find

покача́ть *prf.* [кача́ть], to shake

значи́тельно, meaningfully, expressively

в сто́рону, aside

удержа́ться *prf.* [уде́рживаться], to restrain oneself

я́блоня, apple tree

сломи́ться *prf.*, to break

тя́жесть *f.*, weight, load

мно́жество, great number / quantity

подпо́ра, support

во вся́ком слу́чае, in any case

одино́чество, loneliness

иску́сство, art

тре́тьего дня́, day before yesterday

напеча́тать *prf.* [печа́тать], to publish, print

а хотя́ бы для вас, and if it were for you?

э́то не по (мои́м) си́лам, it is far above (me); beyond (my) powers

— О чём, позвóльте спросúть, статья́? — скрóмно спросúл Басúстов, сидéвший поóдаль.

— О трагúческом в жúзни и в искýсстве, — повторúл Рýдин. — Вóт и г. Басúстов прочтёт. Впрóчем, я́ не совсéм ещё слáдил с основнóю мы́слью. Я́ до сих пóр ещё не вполнé уяснúл самомý себé трагúческое значéние любвú.

Рýдин охóтно и чáсто говорúл о любвú. Сначáла при слóве «любóвь» m-lle Boncourt вздрáгивала и навáстривала ýши, как стáрый полковóй кóнь, заслы́шавший трубý, но потóм привы́кла и тóлько, бывáло, съёжит гýбы и с расстанóвкой понюхает табáк.

— Мнé кáжется, — рóбко замéтила Натáлья: — трагúческое в любвú — это несчáстная любóвь.

— Вóвсе нéт! — возразúл Рýдин: — это скорéе комúческая сторонá любвú... Вопрóс этот нáдо совсéм инáче постáвить... нáдо заглянýть поглýбже... Любóвь! — продолжáл он: — в ней всё тáйна: кáк онá прихóдит, кáк развивáется, кáк исчезáет. Тó явля́ется онá вдруг, несомнéнная, рáдостная, как дéнь, тó дóлго тлéет, как огóнь под золóй, и пробивáется плáменем в душé, когдá ужé всё разрýшено; тó вползёт онá в сéрдце, как змея́, тó

слáдить *prf.*, *(colloq)* to master

вполнé, completely, fully

уяснúть *prf.* [уясня́ть] себé, to make clear in one's mind, understand

ýхо (pl. ýши), ear

навáстривать *imp.* [навострúть] ýши *(pop.)*, to prick up one's ears

полковóй *adj.* from пóлк, regiment; полковóй кóнь, war horse

заслы́шавший, who heard, hearing, *p.a.p.* of заслы́шать *prf.*

трубá, trumpet

съёжить *prf.* [съёживать], to purse

с расстонóвкой, without haste, with deliberation

вóвсе нéт, not at all

инáче, differently, in another way

поглýбже, somewhat deeper

несомнéнный, unmistakable, unquestionable

тлéть *imp.*, to smoulder

золá, ashes

пробивáться *imp.* [пробúться], break through, shoot (of plants)

плáмя *neut.*, flame; плáменем, in a flame

разрýшен, destroyed, ruined, *pred. p.p.p.* of разрýшить *prf.*

вползтú *prf.* [вползáть], to creep in

змея́, snake, serpent

вдру́г вы́скользнет из него́ во́н... Да́, да́; э́то вопро́с
ва́жный. Да и кто́ лю́бит в на́ше вре́мя, кто́ дерза́ет
люби́ть?

И Ру́дин заду́мался.

— Что́ это Серге́я Па́влыча давно́ не вида́ть? — спро-
си́л он вдру́г.

Ната́лья вспы́хнула и нагну́ла го́лову к пя́льцам.

— Не зна́ю, — прошепта́ла она́.

— Како́й э́то прекра́снейший, благоро́днейший чело-
ве́к! — промо́лвил Ру́дин, встава́я. — Э́то оди́н из лу́ч-
ших образцо́в настоя́щего ру́сского дворяни́на.

M-lle Boncourt посмотре́ла на него́ вко́сь свои́ми
францу́зскими гла́зками.

Ру́дин прошёлся по ко́мнате.

— Заме́тили ли вы, — заговори́л он, кру́то повер-
ну́вшись на каблука́х: — что на ду́бе — а ду́б кре́пкое
де́рево — ста́рые ли́стья то́лько тогда́ отпада́ют, когда́
молоды́е начну́т пробива́ться?

— Да́, — ме́дленно возрази́ла Ната́лья: — заме́тила.

— То́чно то́ же случа́ется и с ста́рой любо́вью в си́ль-
ном се́рдце: она́ уже́ вы́мерла, но́ всё ещё де́ржится;
то́лько друга́я, но́вая любо́вь мо́жет её вы́жить.

Ната́лья ничего́ не отве́тила.

«Что́ э́то зна́чит?» поду́мала она́.

Ру́дин постоя́л, встряхну́л волоса́ми и удали́лся.

А Ната́лья пошла́ к себе́ в ко́мнату. До́лго сиде́ла

вы́скользнуть *prf.* [выскольз-
 за́ть] (из + *gen.*); to slip out
дерза́ть *imp.* [дерзну́ть], to dare
его́ давно́ не вида́ть, he has not
 been seen for so long
нагну́ть *prf.* [нагиба́ть], to bend
прошепта́ть *prf.* [шепта́ть], to
 whisper
како́й э́то, what a
благоро́днейший, most noble
 (*sup.* of благоро́дный)
образе́ц, example, model
дворяни́н, nobleman
вко́сь, aslant, obliquely, sideways

кру́то, sharply, abruptly
каблу́к, heel
ду́б, oak
отпада́ть *imp.* [отпа́сть], fall
 off
то́чно то́ же, exactly the same
 thing
вы́мереть *prf.* [вымира́ть], to die
 out
держа́ться *imp.*, to hold to one's
 place
вы́жить *prf.* [выжива́ть], (*here*)
 to dislodge, force out
удали́ться *prf.* [удаля́ться], to
 withdraw, walk away

онá в недоумéнии на своéй кровáтке, дóлго размышлáла
о послéдних словáх Рýдина и вдрýг сжáла рýки и гóрько
заплáкала. О чём онá плáкала — Бóг вéдает! Онá самá
не знáла, отчегó у неё так внезáпно полилúсь слёзы.
Онá утирáла их, нó онú бежáли внóвь, как водá из
давнó накопúвшегося родникá.

В тóт же сáмый дéнь и у Алексáндры Пáвловны про-
исходúл разговóр о Рýдине с Лежнёвым. Спервá óн всё
отмáлчивался; нó онá решúла добúться тóлку.

— Я вúжу, — сказáла онá емý: — вáм Дмúтрий Николáевич попрéжнему не нрáвится. Я нарóчно до сих
пóр вас не расспрáшивала; нó вы тепéрь ужé успéли
убедúться, произошлá ли в нём перемéна, и я желáю
знáть, почемý óн вам не нрáвится.

— Извóльте, — возразúл с обы́чной флéгмой Лежнёв: — кóли уж вам тáк не тéрпится; тóлько смотрúте,
не сердúтесь...

— Ну, начинáйте, начинáйте.

— И дáйте мнé вы́говорить всё до концá.

— Извóльте, извóльте, начинáйте.

— Итáк-с, — нáчал Лежнёв, садя́сь на дивáн: — мнé
Рýдин, действúтельно, не нрáвится. Óн ýмный человéк..

— Ещё бы!

недоумéние, perplexity
кровáтка (*dim.* of кровáть *f.*),
   little bed
сжáть *prf.* [сжимáть], to press,
   clasp
вéдать (*book. obs.*), to know
внезáпно, suddenly
утирáть *imp.* [утерéть], to wipe
   away
внóвь, anew, again
накопúвшийся, accumulated,
   p.a.p. of накопúться *prf.*
родни́к, source, spring
отмáлчиваться *imp.*, to keep
   silence / mum
тóлк, sense; добúться тóлку; to
   get sense out of

попрéжнему, as before
нарóчно, deliberately, intentionally
успéть *prf.* [успевáть], to manage, have the time for
убедúться *prf.* [убеждáться] to
   find out for oneself, make sure
   of
извóльте, very well, as you
   please
флéгма, phlegm, apathy, coolness
(мнé, емý) не тéрпится (*pass.*
   with *dat.*) (I am, he is) im-
   patient, eager
смотрúте, be sure, look!
не сердúтесь; don't get angry,
   imper. of сердúться *imp.*

— Он замеча́тельно у́мный челове́к, хотя́, в су́щности, пусто́й...

— Э́то легко́ сказа́ть!

— Хотя́, в су́щности, пусто́й, — повтори́л Лежнёв: — но́ э́то ещё не беда́: все́ мы пусты́е лю́ди. Я да́же не ста́влю в вину́ ему́ то́, что он де́спот в душе́, лени́в, не о́чень све́дущ...

— Не о́чень све́дущ! Руди́н! — воскли́кнула Алекса́ндра Па́вловна.

— Не о́чень све́дущ, — то́чно те́м же го́лосом повтори́л Лежнёв: — лю́бит пожи́ть на чужо́й счёт, разы́грывает ро́ль, и так да́лее... э́то всё в поря́дке веще́й. Но́ ду́рно то́, что он хо́лоден, как лёд.

— Он, э́та пла́менная душа́, хо́лоден! — переби́ла Алекса́ндра Па́вловна.

— Да́, хо́лоден, как лёд, и зна́ет э́то и прики́дывается пла́менным. Ху́до то́, — продолжа́л Лежнёв, постепе́нно оживля́ясь: — что он игра́ет опа́сную игру́, — опа́сную не для него́, разуме́ется; са́м копе́йки, волоска́ не ста́вит на ка́рту, а други́е ста́вят ду́шу...

— О ко́м, о чём вы говори́те? Я́ ва́с не понима́ю, — проговори́ла Алекса́ндра Па́вловна.

— Ху́до то́, что он нече́стен. Ведь он у́мный челове́к: он до́лжен же знать це́ну сло́в свои́х, — а произно́сит их та́к, как бу́дто они́ ему́ что́-нибудь сто́ят... Спо́ру не́т, он красноречи́в: то́лько красноре́чие его́ не ру́сское. Да и, наконе́ц, красно́ говори́ть прости́тельно ю́ноше, а в

пусто́й, shallow, empty

э́то ещё не беда́, that's not the worst yet

ста́вить *imp.* [по-] в вину́, to blame

све́дущ *pred.*, well informed, educated

в поря́дке веще́й, in the nature of things

ду́рно то́, что ..., the bad / unfortunate / thing is that ...

ху́до то́, the bad part of it is

постепе́нно, gradually

оживля́ясь, warming up, getting livelier, *pr. adv.p.* of оживля́ться *imp.*

ста́вить *imp.* [по-] на ка́рту, to stake

нече́стен *pred.*, dishonest

цена́, value, price

спо́ру нет, no doubt

красно́ говори́ть, to speak grand / eloquently

прости́тельно, pardonable

ю́ноша *m.*, a youth

его́ года́ сты́дно те́шиться шу́мом со́бственных рече́й, сты́дно рисова́ться!

— Мне́ ка́жется, Миха́йло Миха́йлыч, для слу́шателя всё равно́, рису́етесь ли вы, и́ли не́т...

— Извини́те, Алекса́ндра Па́вловна, не всё равно́. Ино́й ска́жет мне́ сло́во, меня́ всего́ пройме́т, друго́й то́ же са́мое сло́во ска́жет, и́ли ещё краси́вее, — я и у́хом не поведу́. Отчего́ э́то?

— То́ есть вы́ не поведе́те, — перебила Алекса́ндра Па́вловна.

— Да́, не поведу́, — возрази́л Лежне́в: — хотя́, мо́жет быть, у меня́ и больши́е у́ши. Де́ло в то́м, что слова́ Ру́дина так и остаю́тся слова́ми, и никогда́ не ста́нут посту́пком — а ме́жду тем э́ти са́мые слова́ мо́гут смути́ть, погуби́ть молодо́е се́рдце.

— Да о ко́м, о ко́м вы говори́те, Миха́йло Миха́йлыч?

Лежне́в остановился.

— Вы жела́ете зна́ть, о ко́м я говорю́? О Ната́лье Алексе́евне.

Алекса́ндра Па́вловна смути́лась на мгнове́ние, но тотча́с же усмехну́лась.

— Поми́луйте, — начала́ она́: — каки́е у вас всегда́ стра́нные мы́сли! Ната́лья ещё ребёнок; да, наконе́ц, е́сли б что́-нибу́дь и бы́ло, неуже́ли вы ду́маете, что Да́рья Миха́йловна...

— Да́рья Миха́йловна, во-пе́рвых, эго́истка и живёт для себя́; а во-вторы́х, она́ та́к уве́рена в своём уме́нии воспи́тывать дете́й, что ей и в го́лову не прихо́дит беспоко́иться о ни́х. Фи! как мо́жно! оди́н жест, оди́н вели́чественный взгля́д — и всё пойдёт, как по ни́точке. Во́т что ду́мает э́та ба́рыня, кото́рая и мецена́ткой себя́

те́шиться *imp.* (+ *instr.*), to take pleasure
рисова́ться *imp.* [по-], to pose, show off
слу́шатель *m.*, listener
ино́й, some person, some other one
проня́ть *prf.* [пронима́ть], to pierce through, affect
я и у́хом не поведу́, I wouldn't even pay any attention

посту́пок, action, act
ме́жду тем, meanwhile
уме́ние, skill, ability
жест, gesture
вели́чественный, majestic
мецена́тка, (female) Maecenas
пойдёт, как по ни́дочке, will fall into line

воображает, и умницей, и Бог знает чём, а на деле она больше ничего, как светская старушонка. А Наталья не ребёнок: она, поверьте, чаще и глубже размышляет, чем мы с вами. И надо же, чтобы такая честная, страстная и горячая натура наткнулась на такого актёра, на такую кокетку! Впрочем, и это в порядке вещей.

— Кокетка! Это вы его называете кокеткой!

— Конечно, его... Ну, скажите сами, Александра Павловна, что за роль его у Дарьи Михайловны? Быть идолом, оракулом в доме, вмешиваться в распоряжения, в семейные сплетни и дрязги — неужели это достойно мужчины?

Александра Павловна с изумлением посмотрела Лежнёву в лицо.

— Я не узнаю вас, Михайло Михайлыч, — проговорила она. — Вы покраснели, вы пришли в волнение. Право, тут что-нибудь должно скрываться другое...

— Ну, так и есть! Ты говоришь женщине дело, по убеждению; а она до тех пор не успокоится, пока не придумает какой-нибудь мелкой, посторонней причины, заставляющей тебя говорить именно так, а не иначе.

Александра Павловна рассердилась.

— Браво, мосьё Лежнёв! вы начинаете преследовать женщин не хуже г. Пигасова; но, воля ваша, как вы ни

умница *m.* and *f.*, bright / clever / person
на деле, in fact, actually
старушонка *derog.* of старуха, little old woman
поверьте, believe me, *imper.* of поверить *prf.*
мы с вами, you and I
и надо же, чтобы..., and as luck would have it
наткнуться *prf.* [натыкаться] (на + *acc.*), to run up against, come / hit / upon
кокетка, coquette, flirt
сплетня, gossip
притти в волнение, to get excited
дрязги *pl. only*, squabble
достойно, worthy

право! really! truly!
так и есть! there you are! Just as I thought!
говорить дело, to talk sense
по убеждению, according to conviction
успокоиться *prf.* [успокаиваться], to calm down
придумать *prf.* [придумывать], to think up, invent
мелкий, petty, measly
посторонний, irrelevent, outside
заставляющий, forcing, making, *pr. a.p.* of заставлять *imp.*
преследовать *imp.*, to persecute
воля ваша, say what you please
как (вы) ни..., however... you may be

проницáтельны, всё-таки мне трýдно повéрить, чтóбы вы в такóе корóткое врéмя моглú всéх и всё понять. Мне кáжется, вы ошибáетесь. По-вáшему, Рýдин — Тартюф[51] какóй-то.

— В тóм-то и дéло, что óн дáже не Тартюф. Тартюф тóт, по крáйней мéре знáл, чегó добивáлся; а этот, при всём своём умé...

— Чтó же, чтó же óн? Докáнчивайте вáшу рéчь, несправедлúвый, гáдкий человéк!

Лежнёв встáл.

— Послýшайте, Алексáндра Пáвловна, — нáчал óн: — несправедлúвы-то вы, а не я. Вы досáдуете на меня за мои рéзкие суждéния о Рýдине: я имéю прáво говорúть о нём рéзко! Я, мóжет быть, не дешёвой ценóй купúл это прáво. Я хорошó егó знáю: я дóлго жил с ним вмéсте. Пóмните, я обещáл рассказáть вам когдá-нибýдь нáше житьё в Москвé. Вúдно, придётся тепéрь это сдéлать. Но бýдете ли вы имéть терпéние меня выслушать?

— Говорúте, говорúте!

— Ну, извóльте.

Лежнёв принялся ходúть мéдленными шагáми по кóмнате, úзредка остáнавливаясь и наклоняя гóлову.

— Вы, мóжет быть, знáете, — заговорúл óн: — а мóжет быть, и не знáете, что я осиротéл рáно, на семнáдцатом годý. Я жил в дóме тётки, в Москвé, и дéлал, что хотéл. Мáлый я был довóльно пустóй и самолюбúвый, любúл порисовáться и похвáстать. Вступúв в уни-

проницáтелен *pred.* clearsighted
в тóм то и дéло, that is just the point
при всём умé, for all his brains
несправедлúвый, unjust
гáдкий, disgusting, nasty
досáдовать *imp.* (на + *acc.*), to be vexed / annoyed / with
рéзкий, harsh
дешёвый, cheap
наклоняя, bending, *pr. adv. p.* of наклонять *imp.*

вперёд, forward
осиротéть *prf.*, to be orphaned
на семнáдцатом годý, in (my) seventeenth year
мáлый (*adj.* used as *n.*), fellow
самолюбúвый, proud, touchy
вступúв, upon entering, *p.adv.p.* of вступúть *prf.*
похвáстать *prf.* [хвáстать], to boast, brag

[51] Title character of Molière's comedy (1667), the personification of hypocrisy.

верситéт, я вёл себя́, как шкóльник, и скóро попáлся в истóрию. Я вам её расскáзывать не стáну: не стóит. Я́ солгáл, и довóльно гáдко солгáл... Меня́ уличи́ли, пристыди́ли... Я́ потеря́лся и заплáкал, как ребёнок. Это происходи́ло на кварти́ре одногó знакóмого, в прису́тствии мнóгих товáрищей. Всé приняли́сь хохотáть надо мнóю, всé, исключáя одногó студéнта, котóрый, замéтьте, бóльше прóчих негодовáл на меня́, покá я упóрствовал и не сознавáлся в своéй лжи. Жáль емý, чтó ли, меня́ стáло, тóлько он взя́л меня́ пóд руку и увёл к себé.

— Это был Ру́дин? — спроси́ла Алексáндра Пáвловна.

Нéт, э́то нé был Ру́дин... э́то был человéк... óн ужé тепéрь у́мер... э́то был человéк необыкновéнный. Звáли егó Покóрским. Описáть егó в немнóгих словáх я́ не в си́лах, а начáв говори́ть о нём, ужé ни о кóм другóм говори́ть не захóчешь. Это былá высóкая, чи́стая душá, и умá такóго я́ ужé не встречáл потóм. Покóрский жи́л в мáленькой, ни́зенькой кóмнатке, в мезони́не стáрого деревя́нного дóмика. Óн был óчень бéден и перебивáлся кóе-кáк урóками. Бывáло, óн дáже чáшкой чáю не мóг

вести́ себя́, to behave, conduct oneself
шкóльник, schoolboy
попáсться *prf.* [попадáться] в истóрию, to get into trouble / a row
не стáну, I won't
не стóит, it's not worth it
солгáть *prf.* [лгáть], to lie
гáдко, odiously, disgustingly
уличи́ть *prf.* [уличáть], to catch somebody (in a lie), convict by evidence
пристыди́ть *prf.* [стыди́ть], to put to shame
потеря́ться *prf.* [теря́ться], to lose one's head / presence of mind
хохотáть (над + *instr.*), to laugh (loudly) at

прóчие, the rest, the others
негодовáть *imp.*, to be indignant
упóрствовать *imp.*, to be stubborn / obstinate, persist
сознавáться *imp.* [сознáться] (в + *loc.*), to confess
ложь *f.*, lie
чтó ли, it may be, was it that ...
тóлько, at any rate
(я) не в си́лах, it is beyond (my) powers
потóм, afterward
ни́зенький *dim.* of ни́зкий, low
мезони́н, upper story, attic
деревя́нный, wooden
кóе как, somehow, somehow or other
перебивáться *imp.* урóками, to eke out a living by giving lessons

угостúть; а едúнственный егó дивáн до тогó провалúлся,
что стал похóж на лóдку. Нó, несмотря́ на э́ти неудóб-
ства, к нему́ ходúло мнóжество нарóда. Егó всé любúли,
óн привлекáл к себé сердцá. Вы не повéрите, как слáдко
и вéсело бы́ло сидéть в егó бéдной кóмнатке! У негó я
познакóмился с Ру́диным. Óн ужé остáвил тогдá своегó
князькá.

— Что же бы́ло такóго осóбенного в э́том Покóр-
ском? — спросúла Алексáндра Пáвловна.

— Кáк вам сказáть? Поэ́зия и прáвда — вóт что
влеклó всéх к нему́. При умé я́сном, обшúрном, óн был
мил и забáвен, как ребёнок. У меня́ до сих пóр звенúт
в ушáх егó свéтлое хохотáнье, и в тó же врéмя óн —

> Пылáл полу́ночной лампáдой
> Перéд святы́нею добрá...[52]

Тáк вы́разился о нём одúн полусумасшéдший и милéйший поэ́т нáшего кружкá.

— А кáк óн говорúл? — спросúла опя́ть Алексáндра
Пáвловна.

— Óн говорúл хорошó, когдá был в ду́хе, нó не удивúтельно. Ру́дин и тогдá был в двáдцать рáз красноре-
чúвее егó.

Лежнёв остановúлся и скрестúл ру́ки.

— Покóрский и Ру́дин не походúли друг на дру́га.
В Ру́дине бы́ло горáздо бóльше блéску и, пожáлуй,
бóльше энтузиáзма. Óн казáлся горáздо даровúтее По-

до тогó, so, to such a degree
провалúться *prf.* [провáливать-
    ся], to cave in, break in /
    down, fall through
стáл похóж (на + *acc.*), began
    to look like
лóдка, boat
при, with
обшúрный, vast, broad
забáвен *pred.*, amusing
полунóчный, midnight *adj.*
лампáда, lamp (*poet.*), icon lamp

святы́ня, sanctity
добрó, the good
вы́разиться *prf.* [выражáться],
    to express (oneself), say
полусумасшéдший, half-crazy
милéйший, most charming
быть в ду́хе, to be in good
    spirit
скрестúть *prf.* [скрéщивать],
    ру́ки, to fold one's arms
даровúтее (*сотр.* of даровúтый),
    more gifted

[52] And like a midnight lamp was shining
    Before the sanctity of Good ...

корского, а на самом деле он был бедняк в сравнении
с ним. Рудин превосходно развивал любую мысль, спо-
рил мастерски; но мысли его рождались не в его голове:
он брал их у других, особенно у Покорского. Покорский был на вид тих и мягок, даже слаб — и любил
женщин до безумия, любил покутить но не дался бы
никому в обиду. Рудин казался полным огня, смелости,
жизни, а в душе был холоден и чуть ли не робок, пока
не задевалось его самолюбие: тут он на стены лез. Он
всячески старался покорить себе людей, но покорял он
их во имя идей, и действительно, имел сильное влияние
на многих. Правда, никто его не любил; один я, может
быть, привязался к нему. Его иго носили... Покор-
скому всё отдавались сами собой. Зато Рудин никогда
не отказывался толковать и спорить с первым встреч-
ным... Он не слишком много прочёл книг, но во всяком
случае гораздо больше, чем Покорский и чем все мы;
притом, ум имел систематический, память огромную, а
ведь это-то и действует на молодёжь! Ей выводы подавай,
итоги, хоть неверные, да итоги! Совершенно добросо-

бедняк, beggar
в сравнении (с + *instr.*), in comparison (with)
на вид, in appearance
мягок *pred.*, gentle, mild
безумие, madness, insanity
покутить *prf.* [кутить], to have
  a good time, go on a spree
не даться *prf.* [даваться] никому
  в обиду, not to stand an
  offense from anyone
смелость *f.*, daring, courage
робок *pred.*, timid, shy
задевать *imp.* [задеть] самолюбие, to hurt one's pride
лезть *imp. actual* [по-], to climb
всячески, in every way
покорить *prf.* [покорять], to
  subdue, subjugate, win
во имя, in the name of, for the
  sake / benefit / of
на стены лезть, to hit the ceiling

иго, yoke, носить иго, to bear
  a yoke
сами собой, of their own free
  will, naturally
отказываться *imp.* [отказать-
  ся], to refuse
первый встречный, the first
  come, first person who came
  to hand
притом, and then, besides
это-то и ..., and it is this
  which
действовать *imp.* [по-] (на +
  acc.), to impress
молодёжь *f.*, (*collect.*) young
  people
вывод, deduction, conclusion
итог, total, result
хоть неверные, да ..., even if
  incorrect, but still
совершенно, wholly, absolutely
добросовестный, conscientious

вестный человéк на э́то не годи́тся. Попытáйтесь сказáть
молодёжи, что вы не мóжете дáть ей пóлной и́стины,
потому́ что сáми не владéете ею… молодёжь вас и слу́-
шать не стáнет. Нó обману́ть вы её тóже не мóжете.
Нáдо, чтóбы вы сáми хотя́ наполови́ну вéрили, что облá-
дáете и́стиной… Оттогó-то Ру́дин и дéйствовал так
си́льно на нáшего брáта. Ви́дите ли, я вам сейчáс сказáл, что óн прочёл немнóго, нó читáл он филосóфские
кни́ги, и головá у негó тáк былá устрóена, что óн тотчáс
же из прочи́танного извлекáл всё óбщее, хватáлся за
сáмый кóрень дéла и ужé потóм проводи́л от негó во
всё стóроны свéтлые, прáвильные ни́ти мы́сли, открывáл
духóвные перспекти́вы. Наш кружóк состоя́л тогдá, го-
воря́ по сóвести, из мáльчиков — и недоу́ченых мáльчиков. Филосóфия, иску́сство, наýка, самá жи́знь — всё
э́то для нас бы́ли одни́ словá, пожáлуй, дáже поня́тия,
замáнчивые, прекрáсные, нó разбрóсанные, разъединён-
ные. Óбщей свя́зи э́тих поня́тий, мы не сознавáли. Слу́-
шая Ру́дина, нам впервы́е показáлось, что мы наконéц
схвати́ли её, э́ту óбщую свя́зь, что поднялáсь наконéц
завéса! Положим, óн говори́л не своё — чтó за рáзница!

не годи́тся, is no good, not fitted
попытáться *prf.* [пытáться], to
  try, make an attempt
и слу́шать не стáнет, would not
  even listen
наполови́ну, halfway
оттóго-то, that is why
наш брáт, we, people like my-
  self
устрóен, organized, *pred. p.p.p.*
  of устрóить *prf.*
извлекáть *imp.* [извлéчь], to
  extract, get something out of
óбщее (*neut. adj.* used as *n.*),
  the general matter
хватáться *imp.* [схвати́ться], (за
  + *acc.*) to catch at, get hold of
кóрень *m.*, root
проводи́ть *imp.* [провести́], to
  draw, trace out

духóвный, spiritual
сóвесть *f.*, conscience, говоря́
  по сóвести, honestly speaking,
  to tell the truth
недоу́ченный, ignorant, half-
  educated
замáнчивый, alluring
разбрóсанный, scattered, *p.p.p.*
  of разбросáть *prf.*
разъединённый, disjointed, dis-
  connected, *p.p.p.* of разъеди-
  ни́ть *prf.*
свя́зь *f.*, link, (inter)connection
сознавáть *imp.* [сознáть], to be
  aware of, realize
впервы́е, for the first time
схвати́ть *prf.* [схвáтывать], to
  grasp, catch
полóжим, granted, assuming

но стро́йный поря́док водворя́лся во всём, что мы зна́ли, всё разбро́санное вдруг соединя́лось, выраста́ло перед на́ми, то́чно зда́ние. Ничего́ не остава́лось бессмы́сленным, случа́йным; во всём выска́зывалась разу́мная необходи́мость и красота́, всё получа́ло значе́ние я́сное и, в то́ же вре́мя, таи́нственное. Мы чу́вствовали себя́ как бы живы́ми сосу́дами ве́чной и́стины, ору́диями её, при́званными к чему́-то вели́кому... Вам всё э́то не смешно́?

— Ниско́лько, — ме́дленно возрази́ла Алекса́ндра Па́вловна: — почему́ вы э́то ду́маете? Я вас не совсе́м понима́ю, но мне́ не смешно́.

— Мы́ с тех по́р успе́ли поумне́ть, коне́чно, — продолжа́л Лежнёв: — всё э́то нам тепе́рь мо́жет каза́ться де́тским... Но́, я повторя́ю, Ру́дину мы тогда́ бы́ли обя́заны мно́гим. Поко́рский был несравне́нно вы́ше его́, бесспо́рно; Поко́рский вдыха́л в нас все́х ого́нь и си́лу; но́ он иногда́ чу́вствовал себя́ вя́лым и молча́л. Челове́к о́н был не́рвный, нездоро́вый; зато́, когда́ о́н расправля́л свои́ кры́лья, — Бо́же! куда́ не залета́л он! в са́мую глубь и лазу́рь не́ба! А в Ру́дине, бы́ло мно́го

стро́йный, harmonious
водворя́ться *imp.* [водвори́ться], to be established, instituted
(всё) разбро́санное, (all) that was scattered, *neut. p.p.p.* used as *n.*, from разброса́ть *prf.*
соединя́ться *imp.* [соедини́ться], to join together
выраста́ть *imp.* [вы́расти], to grow
случа́йный, fortuitous, accidental
разу́мный, sensible, reasonable
необходи́мость *f.*, necessity
живо́й, living
сосу́д, receptacle, vessel
ору́дие, instrument, tool
при́званный (к + *dat.*), called for, designed for, *p.p.p.* of призва́ть *prf.*

смешно́, ridiculous
де́тский, childish
обя́зан, *pred.* (+ *dat.*) indebted, obliged
мно́гое *neut. adj.* used as *n.*, many things, a lot; мно́гим *instr.*, in many respects
несравне́нно, incomparabl/e/y
бесспо́рно, unquestionabl/e/y
вы́ше (*comp.* of высо́кий), superior
вдыха́ть *imp.* [вдохну́ть], to breathe into; inhale
расправля́ть *imp.* [распра́вить], to stretch, spread open
крыло́ (кры́лья *pl.*), wings
Бо́же! (*voc.* of Бог), (good) God!
залета́ть *imp.* [залете́ть], to soar, fly into
глубь *f.*, depth
лазу́рь *f.*, the blue, azure

мéлкого, óн дáже сплéтничал; стрáсть егó былá во всё вмéшиваться, всё определя́ть и разъясня́ть. Егó хлопотли́вая дéятельность никогдá не унимáлась... полити́ческая натýра-с! Я́ о нём говорю́, каки́м я егó знáл тогдá. Впрóчем, óн, к несчáстию, не измени́лся. Затó óн и в вéрованиях свои́х не измени́лся... в три́дцать пя́ть лéт!... Не вся́кий мóжет сказáть э́то о себé.

— Ся́дьте, — проговори́ла Алексáндра Пáвловна: — чтó вы, как мáятник, по кóмнате хóдите?

— Тáк мнé лýчше, — возрази́л Лежнёв. — Нý-с, попáв в кружóк Покóрского я совсéм перероди́лся: смири́лся, учи́лся, рáдовался, благоговéл — одни́м слóвом, тóчно в хрáм какóй вступи́л. Да и в сáмом дéле, как вспóмню я нáши схóдки, ну, ей-Бóгу же, мнóго в них бы́ло хорóшего, дáже трóгательного. Вы́ предстáвьте: сошли́сь пя́ть-шéсть мáльчиков, однá сáльная свечá гори́т, чáй подаётся пресквéрный и сухари́ к немý стáрые-престáрые; а посмотрéли бы вы на всé нáши ли́ца, послýшали бы рéчи нáши! В глазáх у кáждого востóрг, и щёки пылáют, и сéрдце бьётся, и говори́м мы о Бóге, о прáвде, о бýдущности человéчества, о поэ́зии, — говори́м мы иногдá вздóр, восхищáемся пустякáми; но что за бедá!... Покóрский сиди́т, поджáв

мéлкое (*neut. adj.* used as *n.*), pettiness
сплéтничать *imp.*, to gossip
разъясня́ть *imp.* [разъясни́ть], to explain, elucidate, interpret
хлопотли́вый, bustling
унимáться *imp.* [уня́ться], to quiet / calm / down, stop
вéрование, belief
в три́дцать пя́ть лéт, at the age of thirty-five
мáятник, pendulum
попáв, having got into; *p.adv.p.* of попáсть *prf.*
перероди́ться *prf.* [перерождáться], to be regenerated, transformed

смири́ться *prf.* [смиря́ться], to humble (oneself)
храм, temple
какóй, (*here*) some
как вспóмню, when / everytime / I recall
ей-Бóгу, by heaven, upon my word
трóгательный, touching, moving
сáльный, tallow *adj.*
сквéрный, bad, пре-, very bad
сухáрь *m.*, dry / stale / bread
восхищáться *imp.* [восхити́ться] (+ *instr.*), to go into raptures over, get enthusiastic
поджáв нóги, feet tucked under

нóги, подпирáет блéдную щёку рукóй, а глазá егó так
и свéтятся. Рýдин стоѝт посредѝне кóмнаты и говорѝт,
говорѝт прекрáсно, ни дáть ни взя́ть — молодóй Де-
мосфéн[53] пéред шумя́щим мóрем; взъерóшенный поэ́т
Суббóтин издаёт, по временáм, и кáк бы во снé, отры́-
вистые восклицáния; сорокалéтний бýрш, сы́н немецкого
пáстора, Шéллер, прослы́вший мéжду нáми за глубо-
чáйшего мыслѝтеля, по мѝлости своегó вéчного, ничéм
не нарушѝмого молчáнья, кáк-то осóбенно торжéственно
безмóлвствует; сáм весёлый Щитóв, Аристофáн[54] нáших
схóдок, утихáет и тóлько ухмыля́ется; двá-трѝ новичкá
слýшают с востóрженным наслаждéнием... А нóчь летѝт
тѝхо и плáвно, как на кры́льях. Вóт уж и ýтро серéет,
и мы расхóдимся, трóнутые, весёлые, чéстные, трéзвые
(винá у нас и в помѝне тогдá нé было), с какóй-то при-

подпирáть *imp.* [подперéть], to
prop
так и, simply
свѐтѝться *imp.*, to shine
ни дáть ни взя́ть (*colloq.*), exactly like, a perfect likeness of
шумя́щий, roaring, making noise,
pr.a.p. of шумéть *imp.*
взъерóшенный, disheveled
издавáть *imp.* [издáть], to utter,
give vent to
по временáм, from time to time,
at times
сóн, sleep, dream
отры́вистый, abrupt
восклицáние, exclamation
сорокалéтний, forty-year-old
бýрш (Germ.), fellow
прослы́вший, reputed, *p.a.p.* of
прослы́ть *prf.*
глубочáйший, most profound
мыслѝтель *m.*, thinker
мѝлость *f.*, grace, favor

по мѝлости, thanks to
ненарушѝмый, inviolable, *pr.*
p.p. of нарушáть *imp.*
кáк-то, somehow
торжéственно, solemnly
безмóлвствовать *imp.* (*book.*), to
keep silence
утихáть *imp.* [утѝхнуть], to
calm down, grow quiet
ухмыля́ться *imp.* [ухмыльнýть-
ся *inst.*], to grin
новичёк, novice, greenhorn
востóрженный, enraptured
плáвно, smoothly
серéть *imp.* [по-], to loom grey;
ýтро серéет, the morning is
dawning grey
трóнутый, touched, *p.p.p.* of
трóнуть *prf.*
чéстный, honest, upright
трéзвый, sober
в помѝне нé было/нéт, not a
trace of

[53] Demosthenes.
[54] Aristophanes.

я́тной уста́лостью на душе́... По́мнится, идёшь по пу-
сты́м у́лицам, весь умилённый, и да́же на звёзды ка́к-то
дове́рчиво гляди́шь, сло́вно они́ и бли́же ста́ли, и
поня́тнее. Эх! Сла́вное бы́ло вре́мя тогда́, и не хочу́ я
ве́рить, чтобы оно́ пропа́ло да́ром!

Лежнёв умо́лк; его́ бесцве́тное лицо́ раскрасне́лось.

— Но́ отчего́ же, когда́ вы поссо́рилпсь с Ру́диным?
— заговори́ла Алекса́ндра Па́вловна, с изумле́нием
гля́дя на Лежнёва.

— Я́ с ним не поссо́рился; я́ с ним расста́лся, когда́
узна́л его́ оконча́тельно за грани́цей. А уже́ в Москве́
я бы мо́г рассо́риться с ним. Он со мно́й уже́ тогда́ сы-
гра́л недо́брую шту́ку.

— Что тако́е?

— А во́т что́. Я́... как бы э́то сказа́ть?... к мое́й
фигу́ре э́то не идёт... но я всегда́ был о́чень спосо́бен
влюбля́ться.

— Вы?

— Я́. Э́то стра́нно, не пра́вда ли? А ме́жду те́м э́то
та́к. Ну́-с, во́т я и влюби́лся тогда́ в одну́ о́чень ми́лень-
кую де́вочку... Да что́ вы на меня́ та́к гляди́те? Я бы
мо́г сказа́ть вам о себе́ ве́щь, гора́здо бо́лее удиви́-
тельную.

— Каку́ю э́то ве́щь, позво́льте узна́ть?

— А во́т каку́ю ве́щь. Я́ в то́, моско́вское вре́мя,
ха́живал по ноча́м на свида́ние... с ке́м бы вы ду́мали?
... с молодо́й ли́пой в конце́ моего́ са́да. Обниму́ её то́н-
кий и стро́йный ствол, и мне́ ка́жется, что я обнима́ю

по́мнится *impersonal,* as (I) remember

умилённый, moved, *p.p.p.* of
умили́ть *prf.*

поня́тнее *(comp.* of поня́тно),
more comprehensible

пропа́ло да́ром, spent in vain,
was wasted

оконча́тельно, *(here)* through and
through

шту́ка, *(colloq.)* trick, thing

идти́ (in this usage only *imp.det.*
with *dat.),* to be becoming

спосо́бен *pred.,* capable of, subject to

влюби́ться *prf.* [влюбля́ться], (в
+ *acc.*) to fall in love

удиви́тельный, surprising

ха́живать *imp.iterative,* (*obs.*) to
go (*p. only:* used to . . .)

свида́ние, rendezvous, date

обня́ть *prf.* [обнима́ть], to embrace

то́нкий, thin, slim

ствол, trunk

всю приро́ду, а се́рдце расширя́ется как бу́дто, действи́-
тельно, вся́ приро́да в него́ влива́ется... Во́т я был
како́й!... Вы, мо́жет, ду́маете, я стихо́в не писа́л?
Писа́л-с, и да́же це́лую дра́му сочини́л, в подража́ние
«Ма́нфреду». В числе́ де́йствующих ли́ц бы́л при́зрак с
кро́вью на груди́, и не со свое́й кро́вью, заме́тьте, а с
кро́вью челове́чества вообще́... Да́, да́, не удивля́й-
тесь... Но я на́чал расска́зывать о мое́й любви́. Я поз-
нако́мился с одно́й де́вушкой...

— И переста́ли ходи́ть на свида́ние с ли́пой? —
спроси́ла Алекса́ндра Па́вловна.

— Переста́л. Де́вушка э́та была́ предо́бренькое и
прехоро́шенькое существо́, с весёлыми, я́сными гла́зками
и звеня́щим голоско́м.

— Вы́ хорошо́ опи́сываете, — заме́тила с усме́шкой
Алекса́ндра Па́вловна.

— А вы́ о́чень стро́гий кри́тик. Ну́-с, жила́ э́та де́-
вушка со старико́м-отцо́м... Впро́чем, я в подро́бности
вдава́ться не ста́ну. Скажу́ вам то́лько, что э́та де́вушка
была́ предо́бренькая — ве́чно, быва́ло, нальёт тебе́ три́
че́тверти стака́на ча́ю, когда́ ты про́сишь то́лько поло-
ви́ну!... На тре́тий де́нь, по́сле пе́рвой встре́чи с ней,
я уже́ пыла́л, а на седьмо́й день не вы́держал и во всём
созна́лся Ру́дину. Молодо́му челове́ку, влюблённому,
невозмо́жно не проболта́ться; а я Ру́дину испове́дывался
во всём. Я тогда́ находи́лся ве́сь под его́ влия́нием, и
э́то влия́ние, скажу́ пра́вду, бы́ло благотво́рно во мно́-

расширя́ться *imp.* [расши́рить-
 ся], to expand, dilate
влива́ться *imp.* [вли́ться], to
 stream into
сочини́ть *prf.* [сочиня́ть], to
 compose
подража́ние, imitation
де́йствующее лицо́, character
 (in a literary work)
при́зрак, ghost
предо́бренький, most kind little
 (*affect. dim.* of до́брый)
прехоро́шенький, very pretty
 little

усме́шка, (ironical) smile
подро́бность *f.*, detail; вдава́ть-
 ся в подро́бности, to enter
 into details
ве́чно (*colloq.*), always
вы́держать *prf.* [выде́рживать],
 to hold out, to contain oneself
проболта́ться *prf.* [проба́лты-
 ваться], to let out / give away /
 a secret
испове́дываться *imp.* [испове́-
 даться], to confess
влия́ние, influence

гом. Покóрского я люби́л стрáстно и ощущáл нéкоторый страх перед его душéвной чистотóй, а к Ру́дину я стоя́л бли́же. Узнáв о моéй любви́, он пришёл в востóрг неопи́санный: поздрáвил, óбнял меня́ и тотчáс же пусти́лся вразумля́ть меня́, объясня́ть мне всю вáжность моегó нóвого положéния. Ну, да ведь вы знáете, кáк он умéет говори́ть. Словá его подéйствовали на меня́ необыкновéнно. Уважéние я к себé вдру́г почу́вствовал удиви́тельное, ви́д при́нял серьёзный и смея́ться перестáл. Пóмнится, я дáже ходи́ть нáчал тогдá осторóжнее, тóчно у меня́ в груди́ находи́лся сосу́д, пóлный драгоцéнной влáги, котóрую я боя́лся расплескáть... Я был óчень счáстлив, тем бóлее, что дéвушка ко мне я́вно благоволи́ла. Ру́дин пожелáл познакóмиться с мои́м предмéтом; да чу́ть ли не я сáм настоя́л на тóм, чтобы предстáвить егó.

— Ну́, ви́жу, ви́жу тепéрь, в чём дéло, — переби́ла Алексáндра Пáвловна. — Ру́дин отби́л у вас ваш предмéт, и вы́ до сих пóр ему́ прости́ть не мóжете... Держу́ пари́, что не оши́блась!

— И проигрáли бы пари́, Алексáндра Пáвловна: вы́ ошибáетесь. Ру́дин не отби́л у меня́ моегó предмéта, да он и не хотéл его у меня́ отбивáть; а всё-таки он разру́шил моё счáстье, хотя́, рассуди́в хладнокрóвно, я тепéрь готóв сказáть ему́ спаси́бо за э́то. Нó тогдá я чу́ть не сошёл с умá. Ру́дин нискóлько не желáл

ощущáть *imp.* [ощути́ть], to feel
неопи́санный, indescribable;
  (не + *p.p.p.* of описáть *prf.*)
поздрáвить *prf.* [поздравля́ть],
  to congratulate
пусти́ться *prf.* [пускáться], to
  set out, start
драгоцéнный, precious
влáга, (*here poet.*), liquid
расплескáть *prf.* [расплéски
  вать], to spill
я́вно, obvious(ly)
предмéт, object (of love)
да чу́ть ли не, or perhaps
  even

настоя́ть *prf.* [настáивать], (на
  + *loc.*) to insist on
отби́ть *prf.* [отбивáть], to snatch
  / take / away
держáть пари́, to bet
проигрáть *prf.* [прои́грывать],
  to lose (in a game or betting)
разру́шить *prf.* [разрушáть], to
  destroy, ruin
рассуди́в, considering, judging,
  p.adv.p. of рассуди́ть *prf.*
хладнокрóвно, calmly (*lit.*, cold
  bloodedly)
сойти́ *prf.* [сходи́ть] с умá, to go
  crazy / out of one's mind

повредѝть мнé, — напрóтив! но вслéдствие своéй про-
клѧ́той привы́чки кáждое движéние жѝзни, и своéй и
чужóй, пришпи́ливать слóвом, как бáбочку булáвкой,
он пусти́лся обóим нáм объяснѧ́ть нас сами́х, нáши отношéния, кáк мы должны́ вести́ себѧ́, деспоти́чески за-
ставлѧ́л отдавáть себé отчёт в нáших чýвствах и мы́слях,
хвали́л нас, порицáл, вступáл дáже в перепи́ску с нáми,
вообрази́те!... ну, сби́л нас с тóлку совершéнно! Я́ бы
едвá ли жени́лся тогдá на моéй бáрышне (стóлько во
мнé ещё здрáвого смы́сла оставáлось), нó, по крáйней
мéре, мы бы с нéй слáвно провели́ нéсколько мéсяцев,
врóде Пáвла и Вирги́нии[55]; а тýт пошли́ недоразумéния.
Кóнчилось тéм, что Рýдин, в однó прекрáсное ýтро,
договори́лся до тогó убеждéния, что емý, как дрýгу,
предстои́т свящéннейший дóлг извести́ть обо всём ста-
рикá-отцá, — и он э́то сдéлал.

— Неужéли? — воскли́кнула Алексáндра Пáвловна.

— Дá, и, замéтьте, с моегó соглáсия сдéлал — вóт
что чуднó!... Пóмню до сих пóр, какóй хаóс носи́л я
тогдá в головé: прóсто всё кружи́лось и бéлое казáлось
чёрным, чёрное — бéлым, лóжь — и́стиной, фантáзия —
дóлгом... Э! дáже и тепéрь сóвестно вспоминáть об э́том!

повреди́ть *prf.* [вреди́ть], to do
  harm, injure
прокля́тый, accursed
пришпи́ливать *imp.* [пришпи́-
  лить], to pin (down)
бyла́вка, pin
отдава́ть *imp.* [отда́ть] себé
  отчёт (в + *loc.*), to be aware
  (of, that), realize
перепи́ска, correspondence
сби́ть *prf.* [сбива́ть] с тóлку, to
  disconcert, confuse
стóлько, that much
здра́вый смы́сл, common / good /
  sense
сла́вно, nicely

пошли́ недоразумéния, mis-
  understandings began
договори́лся до, to talk one's
  way to
предстоя́ть *imp.* (*pass.* with *dat*,).
  to be faced with, be in prospect of
свящéннейший, most sacred;
  superl. of свящéнный, sacred
извести́ть *prf.* [извеща́ть], to
  inform
соглáсие, consent
чуднó (*colloq.*), strange
кружи́ться *imp.*, to whirl
сóвестно, embarrassing

[55] *Paul et Virginie,* French idyllic romance by Bernardin de Saint
Pierre (1737—1814).

Рýдин — тóт не унывáл... кудá! нóсится, бывáло, среди́ вся́кого рóда недоразумéний и пýтаницы, как лáсточка над прудóм.

— Итáк, вы и расстáлись с вáшей деви́цей? — спроси́ла Алексáндра Пáвловна, наи́вно склони́в голóвку нáбок и приподня́в брóви.

— Расстáлся... и не хорошó расстáлся, оскорби́тельно-нелóвко, глáсно, и без нужды́ глáсно... Сáм я плáкал, и онá плáкала, и чóрт знáет, чтó произошлó... Горди́ев ýзел какóй-то затянýлся — пришлóсь перерубить, а бóльно бы́ло! Впрóчем, всё на свéте устрáивается к лýчшему. Онá вы́шла зáмуж за хорóшего человéка и благоденствует тепéрь...

— А признáйтесь, вы всё-таки не могли́ прости́ть Рýдину... — началá было Алексáндра Пáвловна.

— Какóе! — переби́л Лежнёв. — Я плáкал, как ребёнок, когдá провожáл его за грани́цу. Однáко, прáвду сказáть, сéмя тáм у меня́ на душé залеглó тогдá же. И когдá я встрéтил егó потóм за грани́цей... ну, я тогдá ужé и постарéл... Рýдин предстáл мнé в настоя́щем своём свéте.

— Чтó же и́менно вы откры́ли в нём?

— Да всё тó, о чём я говори́л вам с час томý на-

унывáть *imp.* to lose heart, be cast down
кудá! not at all! but no!
носи́ться *imp. ind.*, to skim, rush about
пýтаница, confusion
лáсточка, swallow
пруд, pond
оскорби́тельно, insultingly, abusively
глáсно, publicly
без нужды́, unnecessarily
Гóрдиев ýзел, Gordian knot
затянýться *prf.* [затя́гиваться] to be tightened
перерубить *prf.* [перерубáть], to cut
бóльно, painful(ly)

устрáиваться *imp.* [устрóиться], to work out
к лýчшему, for the best
благоденствовать *imp.*, to flourish, prosper
прости́ть *prf.* [прощáть], to forgive
какóе! nothing of the sort!
провожáть *imp.* [проводи́ть], to see off, accompany
сéмя *neut.*, seed
залéчь *prf.* [залегáть], to lie, lie in hiding
тогдá же, right at that time
постарéть *prf.* [старéть], to grow old
предстáть *prf.* [представáть] (*book.*), to appear before
с час, about one hour

за́д. Впро́чем, дово́льно о нём. Мо́жет бы́ть, всё обой-
дётся благополу́чно. Я то́лько хоте́л доказа́ть ва́м, что
е́сли я́ сужу́ о нём стро́го, так не потому́, что его́ не
зна́ю... Что же каса́ется до Ната́льи Алексе́евны, я не
бу́ду тра́тить ли́шних сло́в; но́ вы обрати́те внима́ние
на ва́шего бра́та.

— На моего́ бра́та! А что́?

— Да посмотри́те на него́. Ра́зве вы ничего́ не за-
меча́ете? — Алекса́ндра Па́вловна поту́пилась.

— Вы пра́вы, — промо́лвила она́: — то́чно... бра́т...
с не́которых по́р я его́ не узнаю́... Но́ неуже́ли вы ду́-
маете...

— Ти́ше! О́н, ка́жется, идёт сюда́, — произнёс шо́-
потом Лежнёв. — А Ната́лья не ребёнок, пове́рьте мне́,
хотя́, к несча́стью, нео́пытна, как ребёнок. Вы уви́дите,
э́та де́вочка удиви́т все́х на́с.

— Каки́м это о́бразом?

— А во́т каки́м о́бразом... Зна́ете ли, что и́менно
таки́е де́вочки то́пятся, принима́ют яд и так да́лее?
Вы не гляди́те, что она́ така́я ти́хая: стра́сти в не́й
си́льные, и хара́ктер то́же о́й-о́й!

— Ну́, уж э́то, мне́ ка́жется, вы в поэ́зию вдаётесь.
Тако́му флегма́тику, как вы́, пожа́луй, и я́ покажу́сь
вулка́ном.

— Ну́, не́т! — проговори́л с улы́бкой Лежнёв. — А
что до хара́ктера, — у ва́с, сла́ва Бо́гу, хара́ктера не́т
во́все.

— Э́то ещё что́ за де́рзость?

обойти́сь *prf.* [обходи́ться], to
  come along, turn out
благополу́чно, fine, well
что́ же каса́ется ... (+ *gen.*),
  where... is concerned, as for ...
тра́тить *imp.* [по-, ис-], to waste,
  spend
поту́питься *prf.*, to look down
  (in embarrassment)
ти́ше! hush!
удиви́ть *prf.* [удивля́ть], to surprise

топи́ться *imp.* [у-], to drown
  oneself
яд, poison
не гляди́те, что ..., never mind
  that ...
хара́ктер, character
о́й-о́й! — Oh, my goodness!
вдава́ться *imp.* [вда́ться] в
  поэ́зию, to indulge in poetry
вулка́н, volcano
что до ..., as for ...

— Э́то? Э́то велича́йший комплиме́нт, поми́луйте...
Волы́нцев вошёл и подозри́тельно посмотре́л на
Лежнёва и на сестру́. О́н похуде́л в после́днее вре́мя.
Они́ о́ба заговори́ли с ним; но́ он едва́ улыба́лся в отве́т
на их шу́тки и гляде́л, как вы́разился о нём одна́жды
Пига́сов, гру́стным за́йцем. Впро́чем, вероя́тно, не́ было
ещё на све́те челове́ка, кото́рый, хотя́ ра́з в жи́зни, не
гляде́л ещё ху́же того́. Волы́нцев чу́вствовал, что На-
та́лья от него́ удаля́лась, а вме́сте с ней, каза́лось, и
земля́ бежа́ла у него́ из-под но́г.

VII

На друго́й де́нь бы́ло воскресе́нье, и Ната́лья по́здно
вста́ла. Накану́не она́ была́ о́чень молчали́ва до са́мого
ве́чера, вта́йне стыди́лась слёз свои́х и о́чень ду́рно
спала́. Си́дя, полуоде́тая, перед свои́м ма́леньким фор-
тепья́но, она́ то́ брала́ акко́рды, едва́ слы́шные, что́бы
не разбуди́ть m-lle Boncourt, то́ приника́ла лбо́м к хо-
ло́дным кла́вишам и до́лго остава́лась неподви́жной. Она́
всё ду́мала — не о само́м Ру́дине, но́ о како́м-нибу́дь
сло́ве, им ска́занном, и погружа́лась вся́ в свою́ ду́му.
И́зредка приходи́л ей Волы́нцев на па́мять. Она́ зна́ла,
что о́н её лю́бит. Но́ мы́сль её тотча́с его́ покида́ла...
Стра́нное она́ чу́вствовала волне́ние. У́тром она́ поспе́шно
оде́лась, сошла́ вни́з и, поздоро́вавшись с свое́й ма́терью,
улучи́ла вре́мя и ушла́ одна́ в са́д... Де́нь был жа́ркий,
све́тлый, лучеза́рный де́нь, несмотря́ на перепада́вшие

подозри́тельно, suspicious(ly)
похуде́ть *prf.* [худе́ть], to grow
  thinner
гру́стный, sad, melancholy
за́яц, hare
молчали́в *pred.*, silent, uncommunicative
бра́ть *imp.* [взять] акко́рд, to
  play chords
приника́ть *imp.* [прини́кнуть]
  (к + *dat.*), to press / nestle /
  against

кла́виша, key
погружа́ться *imp.* [погрузи́ть-
  ся] (в + *acc.*), to immerse, be
  absorbed
ду́ма (*poet. obs.*), thought
покида́ть *imp.* [поки́нуть], to
  leave, desert
улучи́ть вре́мя, to seize the
  opportunity
перепада́вшие до́ждики, inter-
  mittent rain

до́ждики. По я́сному не́бу пла́вно несли́сь, не закрыва́я со́лнца, ни́зкие, ды́мчатые ту́чи и, по времена́м, роня́ли на поля́ оби́льные пото́ки внеза́пного и мгнове́нного ли́вня. Кру́пные, сверка́ющие ка́пли сы́пались бы́стро, с каки́м-то сухи́м шу́мом, то́чно алма́зы; со́лнце игра́ло сквозь их мелька́ющую се́тку; трава́, ещё неда́вно взволно́ванная ве́тром, не шевели́лась, жа́дно поглоща́я вла́гу; пти́цы не перестава́ли петь. Но́ во́т, ту́чка пронесла́сь, запорха́л ветеро́к. Си́льный за́пах подня́лся отовсю́ду...

Не́бо почти́ всё очи́стилось, когда́ Ната́лья пошла́ в са́д. От него́ ве́яло све́жестью и тишино́й, то́й кро́ткой и счастли́вой тишино́й, на кото́рую се́рдце челове́ка отзыва́ется сла́дким томле́нием неопределённых жела́ний...

Ната́лья шла вдо́ль пруда́, по дли́нной алле́е серебри́стых тополе́й; внеза́пно перед не́й, сло́вно из земли́, вы́рос Ру́дин.

Она́ смути́лась. О́н посмотре́л ей в лицо́.

— Вы одни́? — спроси́л он.

нести́сь *imp.determ.* [по-,], to rush, fly
ды́мчатый, smoke-colored
оби́льный, abundant
пото́к, stream, torrent
мгнове́нный, momentary, instantaneous
ли́вень *m.*, shower
сверка́ющий, glistering, sparkling, *pr.a.p.* of сверка́ть *imp.*
ка́пля, drop
сы́паться *imp.* [по-,], to fall, pour
сухо́й, dry
алма́з, diamond
сквозь, through
мелька́ющий, flashing, *pr.a.p.* of мелька́ть *imp.*
се́тка, network
трава́, grass
ещё неда́вно, only recently
взволно́ванный, agitated, *p.p.p.* of взволнова́ть *prf.*

поглоща́я, absorbing, *pr.adv.p.* of поглоща́ть *imp.*
ту́чка (*dim.* of ту́ча), little cloud
пронести́сь *prf.* [проноси́ться], to scurry off, rush by
запорха́ть *prf.inch.* [порха́ть], to flutter, fly about
за́пах, scent, fragrance, smell
отовсю́ду, from all parts/everywhere
очи́ститься *prf.* [очища́ться], to be cleared / cleaned
отзыва́ться *imp.* [отозва́ться], to echo, respond
томле́ние, languor
неопределённый, indefinable, vague
жела́ние, desire
вдо́ль, along
серебри́стый, silvery
то́поль *m.*, poplar
внеза́пно, suddenly

— Дá, я однá, — отвéтила Натáлья: — впрóчем, я вы́шла на минýту... Мнé порá домóй.

— Я вас провожý.

И óн пошёл с ней ря́дом.

— Вы как бýдто печáльны? — промóлвил он.

— Я́?... А я́ хотéла вáм замéтить, что вы́, мнé кáжется, не в дýхе.

— Мóжет быть... э́то со мнóю бывáет. Мнé э́то извинúтельнее, чем вáм.

— Почемý же? Рáзве вы дýмаете, что мнé нé от чего бы́ть печáльной?

— В вáши гóды нáдо наслаждáться жúзнью.

Натáлья сдéлала нéсколько шагóв мóлча.

— Дмúтрий Николáевич! — проговорúла онá.

— Чтó?

— Пóмните вы... сравнéние, котóрое вы сдéлали вчерá... пóмните... с дýбом?

— Ну, дá, пóмню. Чтó же?

Натáлья взгляну́ла укрáдкой на Рýдина.

— Зачéм вы... чтó вы хотéли сказáть э́тим сравнéнием?

Рýдин наклонúл гóлову и устремúл глазá вдáль.

— Натáлья Алексéевна! — нáчал он со свóйственным емý сдéржанным и значúтельным выражéнием, котóрое всегдá заставля́ло слýшателя дýмать, что Рýдин не выскáзывал и деся́той дóли тогó, чтó теснúлось емý в дýшу: — Натáлья Алексéевна! вы моглú замéтить, я мáло говорю́ о своём прошéдшем. Éсть нéкоторые стрýны, до котóрых я не касáюсь вóвсе. Моё сéрдце... комý какáя нуждá знáть о тóм, что в нём происходúло? Выставля́ть э́то напокáз мнé всегдá казáлось святотáтством. Нó с вáми я откровéнен: вы́ возбуждáете моё

печáлен *pred.*, sad
не в дýхе, in a bad mood
укрáдкой, furtively
свóйственный (+ *dat.*), proper, peculiar to
теснúться *imp.* [по-], to crowd in, press
прошéдшее (*neut.adj.* used as *n.*), the past

касáться *imp.* [коснýться] (+ *gen.*), to touch (upon)
выставля́ть *imp.* [вы́ставить], to expose, exhibit
напокáз, to public view, for show
святотáтство, sacrilege
откровéнен *pred.*, frank

дове́рие... Не могу́ утаи́ть от вас, что и я́ люби́л и страда́л, как всё... Когда́ и ка́к? Об э́том говори́ть не сто́ит, но се́рдце мое́ испыта́ло мно́го ра́достей и мно́го го́рестей...

Ру́дин помолча́л немно́го.

— То́, что я вам сказа́л вчера́, — продолжа́л он: — мо́жет бы́ть до не́которой сте́пени применено́ ко мне́, к тепе́решнему моему́ положе́нию. Но, опя́ть-таки, об э́том говори́ть не сто́ит. Э́та сторона́ жи́зни для меня́ уже́ исче́зла. Мне́ остаётся тепе́рь тащи́ться по зно́йной и пы́льной доро́ге, со ста́нции до ста́нции, в тря́ской теле́ге... Когда́ я дое́ду, и дое́ду ли — Бо́г зна́ет... Поговори́мте лу́чше о ва́с.

— Неуже́ли же, Дми́трий Никола́евич, переби́ла его́ Ната́лья: — вы́ ничего́ не ждёте от жи́зни?

— О, не́т! я жду́ мно́гого, но не для себя́... От де́ятельности, от блаже́нства де́ятельности я никогда́ не откажу́сь, но я отказа́лся от наслажде́ния. Мои́ наде́жды, мои́ мечты́ — и со́бственное мое́ сча́стие не име́ют ничего́ о́бщего. Любо́вь (при э́том сло́ве он пожа́л плечо́м)... любо́вь — не для меня́; я́... её не сто́ю; же́нщина, кото́рая лю́бит, впра́ве тре́бовать всего́ челове́ка, а я́ уж ве́сь отда́ться не могу́. Прито́м, нра́виться — э́то де́ло ю́ношей: я́ сли́шком ста́р. Куда́ мне кружи́ть чужи́е го́ловы? Дай Бо́г свою́ сохрани́ть на плеча́х!

— Я понима́ю, — промо́лвила Ната́лья: — кто стре-

дове́рие, confidence
утаи́ть *prf.* [таи́ть], to conceal
го́рести (*book. pl.* only), sorrows
до не́которой сте́пени, to some degree
применён, applied, *pred. p.p.p.* of примени́ть *prf.*
опя́ть-таки, then again
тащи́ться *imp.det.* [таска́ться *imp.ind.*], to drag along
зно́йный, sultry
тря́ский, jolting
теле́га, peasant's cart

дое́хать *prf.* [доезжа́ть] (до + *gen.*), to reach
блаже́нство, bliss, blessedness
отказа́ться *prf.* [отка́зываться] (от + *gen.*), to renounce
мечта́, (day)dream
не име́ть ничего́ о́бщего, to have nothing in common
(она́) впра́ве, (she) has the right
нра́виться *imp.* [по-], to please, make oneself liked
кружи́ть *imp.* [вс-], to turn
чужо́й, other people's
сохрани́ть *imp.* [сохраня́ть], to keep, preserve

мѝтся к велѝкой цéли, ужé не дóлжен дýмать о себé; нó рáзве жéнщина не в состоя́нии оценѝть такóго человéка? Мнé кáжется, напрóтив, жéнщина скорéе отвернётся от эгоѝста... Всé молодьíе лю́ди, эти ю́ноши, по-вáшему, всé — эгоѝсты, всé тóлько собóю зáняты, дáже когдá лю́бят. Повéрьте, жéнщина не тóлько спосóбна поня́ть самопожéртвование: онá самá умéет пожéртвовать собóю.

Щёки Натáльи слегкá заруми́нились, и глазá её заблестéли. Дó знакóмства с Рýдиным онá никогдá бы не произнеслá такóй дли́нной рéчи и с таки́м жáром.

— Вы не рáз слы́шали моё мнéние о призвáнии жéнщин, — возрази́л с снисходи́тельной улы́бкой Рýдин: — вы знáете, что, по-мóему, однá Жáнна д'Арк[56] моглá спасти́ Фрáнцию... нó дéло не в тóм. Я хотéл поговори́ть о вáс. Вь́ стóйте на порóге жи́зни... Рассуждáть о вáшей бýдущности и вéсело, и не бесплóдно... Послýшайте: вь́ знáете, я́ вáш дрýг; я́ принимáю в вáс почти́ рóдственное учáстие... А потомý, я надéюсь, вы не найдёте моегó вопрóса нескрóмным: скажи́те, вáше сéрдце до сих пóр совершéнно спокóйно?

Натáлья вся вспы́хнула и ничегó не сказáла. Рýдин останови́лся, и онá останови́лась.

— Вы не сéрдитесь на меня́? — спроси́л он.

— Нéт, — проговори́ла онá, — нó я никáк не ожидáла...

— Впрóчем, — продолжáл он, — вы мóжете не отвечáть мнé. Вáша тáйна мнé извéстна.

Натáлья почти́ с испýгом взгляну́ла на негó.

ужé не, no longer
в состоя́нии, capable, in a position
самопожéртвование, self-sacrifice
пожéртвовать *prf.* [жéртвовать], to sacrifice
не рáз, more than once
призвáние, vocation, calling
снисходи́тельный, condescending

спасти́ *prf.* [спасáть], to rescue, save
порóг, threshold
рассуждáть *imp.*, to talk, discuss, theorize
рóдственный, of a near relation, of kinship
нескрóмный, indiscreet, indelicate
никáк не, not in the least
ожидáть *imp.* (+ *gen.*), expect
испýг, fright

[56] Joan of Arc.

— Да... да; я знаю, кто́ вам нра́вится. И я до́лжен сказа́ть — лу́чшего вы́бора вы сде́лать не могли́. Он прекра́сный челове́к; он суме́ет оцени́ть вас; он не измя́т жи́знью, он прост и я́сен душо́ю... он соста́вит ва́ше сча́стие.

— О ком вы говори́те, Дми́трий Никола́ич?

— Бу́дто вы не понима́ете, о ком я говорю́? Разуме́ется, о Волы́нцеве. Что ж? ра́зве это непра́вда? Ната́лья отверну́лась немно́го от Ру́дина. Она́ соверше́нно растеря́лась.

— Ра́зве он не лю́бит вас? Поми́луйте! он не сво́дит с вас глаз, следи́т за ка́ждым ва́шим движе́нием; да и наконе́ц, ра́зве мо́жно скры́ть любо́вь! И вы са́ми ра́зве не благоскло́нны к нему́? Наско́лько я мог заме́тить, и ма́тушке ва́шей он та́кже нра́вится... Ваш вы́бор...

— Дми́трий Никола́ич, — переби́ла его́ Ната́лья, в смуще́нии протя́гивая ру́ку к близ стоя́вшему кусту́, — мне, пра́во, так нело́вко говори́ть об э́том, но я вас уверя́ю... вы ошиба́етесь.

— Я ошиба́юсь? — повтори́л Ру́дин. — Не ду́маю... Я с ва́ми познако́мился неда́вно; но я уже́ хорошо́ вас зна́ю. Что́ же зна́чит переме́на, кото́рую я ви́жу в вас, ви́жу я́сно? Ра́зве вы така́я, како́ю я заста́л вас шесть неде́ль тому́ наза́д?... Нет, Ната́лья Алексе́евна, се́рдце ва́ше не споко́йно.

— Мо́жет быть, — отве́тила Ната́лья едва́ вня́тно, — но вы всё-таки ошиба́етесь.

— Как э́то? — спроси́л Ру́дин.

— Оста́вьте меня́, не спра́шивайте меня́! — возрази́ла Ната́лья и бы́стрыми шага́ми напра́вилась к до́му.

вы́бор, choice
измя́т, crushed, *pred.p.p.p.* of измя́ть *prf.*
бу́дто, as if / though
растеря́ться *prf.* [теря́ться], to be disconcerted
не своди́ть глаз (с + *gen.*), not to take one's eyes off

следи́ть *imp.* (за + *instr.*), to watch
благоскло́нен *pred.*, favorably inclined
наско́лько, as far as, in as much as
куст, bush
едва́, barely
вня́тно, audibly

Éй самóй стáло стрáшно всегó тогó, что онá вдрýг почýвствовала в себѣ́.

Рýдин догнáл и остановíл её.

— Натáлья Алексѣевна! — заговорíл он, — ѳтот разговóр не мóжет тáк кóнчиться: óн слíшком вáжен и для меня́... Кáк мнé поня́ть вас?

— Остáвьте меня́! — повторíла Натáлья.

— Натáлья Алексѣевна, рáди Бóга!

На лицé Рýдина изобразíлось волнéние. Óн побледнѣ́л.

— Вы всё понимáете, вы и меня́ должны́ поня́ть! — сказáла Натáлья, вы́рвала у негó рýку и пошлá, не огля́дываясь.

— Однó тóлько слóво! — крíкнул ей вслѣ́д Рýдин.

Онá остановíлась, нó не обернýлась.

— Вы меня́ спрáшивали, чтó я хотѣ́л сказáть вчерáшним сравнéнием. Знáйте же, я обмáнывать вас не хочý. Я говорíл о себѣ́, о своём прошéдшем, — и о вáс.

— Кáк? обо мнѣ́?

— Дá, о вáс; я́, повторя́ю, не хочý вас обмáнывать... Вы тепéрь знáете, о какóм чýвстве, о какóм нóвом чýвстве я говорíл тогдá... До ны́нешнего дня́ я никогдá бы не решíлся...

Натáлья вдрýг закры́ла лицó рукáми и побежáла к дóму.

Онá тáк былá потрясенá неожíданной развя́зкой разговóра с̀ Рýдиным, что и не замѣ́тила Волы́нцева, мíмо котóрого пробежáла. Óн стоя́л неподвíжно, прислоня́сь спинóю к дéреву. Чéтверть часá тому́ назáд óн приѣхал к Дáрье Михáйловне и застáл её в гостíной, сказáл

догнáть *prf.* [догоня́ть], to catch up with
остановíть *prf.* [останáвливать], to stop *trans.*
рáди Бóга, for God's / heaven's / sake
изобразíться *prf.* [изображáться], to show, reflect *intr.*
вы́рвать *prf.* [вырывáть], to pull / snatch / away; pull / tear / out

огля́дываясь, looking round / back, *pr.adv.p.* of огля́дываться *imp.*
знáйте же, know then, so you must know
потрясён, shaken, *pred. p.p.p.* of потрясти́ *prf.*
развя́зка, outcome
мíмо, past, by
спинá, back

слóва двá, незамéтно удалúлся и отпрáвился оты́скивать Натáлью. Руководúмый чутьём, свóйственным влюблённым лю́дям, óн пошёл пря́мо в сáд и наткну́лся на неё и на Ру́дина в то сáмое мгновéние, когдá онá вы́рвала у негó рýку. У Волы́нцева потемнéло в глазáх. Проводúв Натáлью взóром, óн отошёл от дéрева и шагнýл рáза двá, сáм не зная, кудá и зачéм. Ру́дин увúдел егó поровня́вшись с ним. Óба посмотрéли друг дрýгу в глазá, поклонúлись и разошлúсь мóлча.

«Это тáк не кóнчится,» подýмали óба.

Волы́нцев пошёл на сáмый конéц сáда. Емý бы́ло гóрько. Дóждик стáл опя́ть накрáпывать. Ру́дин вернýлся к себé в кóмнату. И óн нé был спокóен: вúхрем кружúлись в нём мы́сли. Довéрчивое, неожúданное прикосновéние молодóй, чéстной душú смутúт хоть когó.

За столóм всё шлó кáк-то нелáдно. Натáлья, вся блéдная, едвá держáлась на стýле и не поднимáла глáз. Волы́нцев сидéл, по обыкновéнию, вóзле неё и врéмя от врéмени принуждённо заговáривал с нéю. Случúлось тáк, что Пигáсов в тóт дéнь обéдал у Дáрьи Михáйловны. Óн бóльше всéх говорúл за столóм. Мéжду прóчим, óн нáчал докáзывать, что людéй, как собáк, мóжно разделúть на кýцых и длиннохвóстых. Кýцыми

незамéтно, unnoticed
руководúмый, guided, *pr.p.p.* of руководúть *imp.*
чутьё, instinct, sense
влюблённый, in love
в то сáмое, at that very
у негó потемнéло в глазáх, everything went dark before his eyes
проводúв, (*here*) having followed, *p.adv.p.* of проводúть *prf.*, to accompany
отойтú *prf.* [отходúть] (от + *gen.*), to move away
поровня́вшись, having come / coming / alongside, *p.adv.p.* of поровня́ться *prf.*
разойтúсь *prf.* [расходúться], to part, pass one another

емý стáло гóрько, he felt bitter
накрáпывать *imp.* to sprinkle, drizzle (rain)
вихрь *m.*, whirlwind
прикосновéние, touch, contact
смутúт хоть когó, will trouble anyone
кáк-то, somehow
нелáдно, unsmoothly, wrong
принуждённо, constrainedly, stiffly
мéжду прóчим, among other things
разделúть *prf.* [разделя́ть and делúть], to divide
кýцый, short / bob / tailed
длиннохвóстый, longtailed

бывáют лю́ди — говори́л он — и от рождéния, и по сóб-
ственной винé. Ку́цым плóхо: им ничегó не удаётся —
они́ не имéют самоувéренности. Нó человéк, у котóрого
дли́нный пуши́стый хвóст — счастли́вец. Óн мóжет бы́ть
ху́же и слабéе ку́цого, нó увéрен в себé, и всé им
любу́ются.

— Я́, — прибáвил он со вздóхом: — принадлежу́ к
числу́ ку́цых, и, чтó досáднее всегó, я́ сáм отруби́л себé
хвóст.

— Тó есть, вы хоти́те сказáть, — замéтил небрéжно
Ру́дин: — что, впрóчем, ужé давнó до вáс сказáл ла-
Рошфукó[57]: бу́дь увéрен в себé, други́е в тебя́ повéрят.
К чему́ тут бы́ло примéшивать хвóст, я́ не понимáю.

— Позвóльте же кáждому, — рéзко заговори́л Во-
лы́нцев, и глазá егó загорéлись: — позвóльте кáждому
выражáться, кáк ему́ вздýмается. Толку́ют о деспоти́з-
ме... По-мóему, нéт ху́же деспоти́зма так называ́емых
у́мных людéй. Чóрт бы их побрáл!

Всéх изуми́ла вы́ходка Волы́нцева, всé прити́хли.
Ру́дин посмотрéл было на негó, нó не вы́держал егó
взгля́да, отвернýлся, улыбнýлся и ртá не раскры́л.

«Эгé! Да и ты́ ку́ц!» подýмал Пигáсов; а у Натáльи
душá замерлá от стрáха. Дáрья Михáйловна дóлго, с
недоумéнием смотрéла на Волы́нцева и, наконéц, пéрвая

удавáться *imp.* [удáться] (*pass.
with dat.*), to succeed; (им)
ничегó не удаётся, nothing
succeeds with (them)
пуши́стый, fluffy
хвóст, tail
увéрен *pred.* (в + *loc.*), sure of
любовáться *imp.* (+ *instr.*), to
admire (enjoy the sight of)
числó, number
досáднее всегó, most vexing
отруби́ть *prf.* [отрубáть], to cut
off, chop off

будь *imper.* of быть, be
примéшивать *imp.* [примешáть],
bring in, mix in
вздýматься *prf.* (*pass.* with *dat.*),
to strike the fancy; как ему́
вздýмается, as he fancies
чóрт бы их побрáл, the devil
may take them
вы́держать *prf.* [выдéрживать],
to endure, stand
замерéть *prf.* [замирáть], to
stand stock still, to stop
(heart)

---

[57] François de La Rochefoucauld (1613—80), French political
figure and moralist; author of the famous *Maximes*.

заговорила: начала рассказывать о какой-то необыкновенной собаке её друга, министра NN...

Волынцев уехал скоро после обеда. Раскланиваясь с Натальей, он не вытерпел и сказал ей:

— Отчего вы так смущены, словно виноваты? вы ни перед кем виноваты быть не можете!...

Наталья ничего не поняла и только посмотрела ему вслед. Перед чаем Рудин подошёл к ней и, нагнувшись над столом, как будто разбирая газеты, шепнул:

— Всё это как сон, не правда ли? Мне непременно нужно видеть вас наедине... хотя минуту. — Он обратился к m-lle Boncourt. — Вот, — сказал он ей: — тот фельетон, который вы искали, — и, снова наклонясь к Наталье, прибавил шопотом: — постарайтесь быть около десяти часов возле террасы, в сиреневой беседке: я буду ждать вас...

Героем вечера был Пигасов. Рудин уступил ему поле сражения. Он очень смешил Дарью Михайловну; сперва он рассказывал об одном своём соседе, который, пробыв лет тридцать под башмаком жены, до того обабился, что, переходя однажды, в присутствии Пигасова, мелкую лужицу, занёс назад руку и отвёл вбок фалды сюртука, как женщины это делают со своими юбками. Потом он обратился к другому помещику, который сначала был масоном, потом меланхоликом, потом банкиром.

вытерпеть *prf.* [терпеть], to bear, stand; он не вытерпел, he couldn't resist

разбирая, sorting, looking over, *pr.adv.p.* of разбирать *imp.*

наедине, alone

фельетон, feuilleton (article)

сиреневый *adj.* from сирень *f.*, lilac

уступить *prf.* [уступать], to yield, give in

поле сражения, the battlefield

пробыв, having been, having spent, *p.adv.p.* of пробыть *prf.*

быть под башмаком, to be under the thumb (*lit.*, under the shoe)

до того, so, to such an extent

обабиться *prf.*, to grow womanish

лужица (*dim.* of лужа), little puddle

отвести *prf.* [отводить], take (to), pull, draw

вбок, aside

фалда, tail (of a coat)

юбка, skirt

масон, Freemason

меланхолик, melancholiac, hypochondriac

банкир, banker

— Ка́к же э́то вы бы́ли масо́ном, Фили́пп Степа́ныч? — спроси́л его́ Пига́сов.

— Изве́стно ка́к: я носи́л дли́нный но́готь на пя́том па́льце.

В полови́не деся́того Ру́дин уже́ был в бесе́дке. В далёкой и бле́дной глубине́ не́ба то́лько что появи́лись звёздочки; на за́паде ещё але́ло — та́м и небоскло́н каза́лся ясне́й и чи́ще; полукру́г луны́ блесте́л зо́лотом сквозь чёрную се́тку плаку́чей берёзы. Ни оди́н листо́к не шевели́лся; ве́рхние ве́тки сире́ни и ака́ций как бу́дто прислу́шивались к чему́-то и вытя́гивались в тёплом во́здухе. До́м темне́л вблизи́; пя́тнами краснова́того све́та выделя́лись на нём освещённые дли́нные о́кна. Кро́ток и ти́х был ве́чер.

Ру́дин стоя́л, скрести́в ру́ки на груди́, и слу́шал с напряжённым внима́нием. Се́рдце в нём би́лось си́льно, и о́н нево́льно уде́рживал дыха́ние. Наконе́ц ему́ послы́шались лёгкие, торопли́вые шаги́, и в бесе́дку вошла́ Ната́лья.

Ру́дин бро́сился к ней, взя́л её за́ руки. Они́ бы́ли холодны́ как лёд.

— Ната́лья Алексе́евна! — заговори́л он тре́петным шо́потом: — я хоте́л вас ви́деть ... я не мо́г дожда́ться за́втрашнего дня́. Я до́лжен вам сказа́ть, чего́ я не подозрева́л, чего́ я не сознава́л да́же сего́дня у́тром: я люблю́ вас!

Ру́ки Ната́льи сла́бо дро́гнули в его́ рука́х.

— Я люблю̀ ва́с, — повтори́л он: — и ка́к я́ мо́г та́к до́лго обма́нываться, ка́к я давно́ не догада́лся, что люблю́ вас!... А вы́?... Ната́лья Алексе́евна, скажи́те, вы́?...

Ната́лья едва́ переводи́ла ду́х.

— Вы ви́дите, я пришла́ сюда́, — проговори́ла она́ наконе́ц.

— Не́т, скажи́те, вы́ лю́бите меня́?

— Мне́ ка́жется... да́... — прошепта́ла она́.

Ру́дин ещё кре́пче сти́снул её ру́ки и хоте́л бы́ло привле́чь её к себе́...

Ната́лья бы́стро огляну́лась.

— Пусти́те меня́, — мне́ стра́шно — мне́ ка́жется, кто́-то нас подслу́шивает... Ра́ди Бо́га, бу́дьте осторо́жны. Волы́нцев догада́вается.

— Бо́г с ним! Вы ви́дели, я́ и не отвеча́л ему́ сего́дня... А́х, Ната́лья Алексе́евна, ка́к я сча́стлив! Тепе́рь уже́ ничто́ нас не разъедини́т!

Ната́лья взгляну́ла ему́ в глаза́.

— Пусти́те меня́, — прошепта́ла она́: — мне́ пора́.

— Одно́ мгнове́нье, — на́чал Ру́дин...

— Не́т, пусти́те, пусти́те меня́...

— Вы как бу́дто меня́ бои́тесь?

— Не́т; но́ мне́ пора́...

— Так повтори́те, по кра́йней ме́ре, ещё ра́з...

— Вы говори́те, вы́ сча́стливы? — спроси́ла Ната́лья.

— Я́? Не́т челове́ка в ми́ре счастли́вее меня́! Неуже́ли вы сомнева́етесь?

Ната́лья приподняла́ го́лову. Прекра́сно бы́ло её

дро́гнуть *prf.inst.* [дрожа́ть], to tremble
обма́нываться *imp.* [обману́ться], to delude oneself
догада́ться *prf.* [дога́дываться], to guess, understand
переводи́ть *imp.* [перевести́] дух, to draw one's breath
привле́чь *prf.* [привлека́ть], to draw to, attract

пусти́те, let me (go), *imper.* of пусти́ть *prf.*
подслу́шивать *imp.* [подслу́шать], to eavesdrop
Бо́г с ним, never mind him!
разъедини́ть *prf.* [разъединя́ть], to separate, keep apart
(мне) пора́, it is time (for me) to go

блéдное лицó, благорóдное, молодóе и взволнóванное, —
в таúнственной тенú бесéдки, при слáбом свéте, пáдав-
шем с ночнóго нéба.

— Знáйте же, — сказáла онá: — я́ бýду вáша.

— Ó, Бóже! — восклúкнул Рýдин.

Нó Натáлья уклонúлась и ушлá. Рýдин постоя́л немнóго, потóм вы́шел мéдленно из бесéдки. Лунá я́сно
освеúла егó лицó; на губáх егó блуждáла улы́бка.

— Я́ счáстлив, — произнёс он вполгóлоса. — Дá, я
счáстлив, — повторúл он, как бы желáя убедúть самогó
себя́.

Óн вы́прямился встряхнýл кудря́ми и пошёл провóрно в сáд, вéсело размáхивая рукáми.

А мéжду тéм в сирéневой бесéдке тихóнько раздвú-
нулись кусты́ и показáлся Пандалéвский. Он осторóжно
огляну́лся, покачáл головóй, сжáл гýбы, произнёс значúтельно: «Вóт кáк-с. Э́то нáдо бýдет довестú до свéдения Дáрьи Михáйловны,» и скры́лся.

VIII

Возвратя́сь домóй, Волы́нцев был тáк уны́л и мрáчен, тáк неохóтно отвечáл своéй сестрé и тáк скóро за-
перся́ к себé в кабинéт, что онá решúла послáть гонцá
за Лежнёвым. Онá прибегáла к немý во всéх затрудни́-
тельных слýчаях. Лежнёв обещáл приехáть на слéдующий дéнь.

пáдавший, falling, *p.a.p.* of
  пáдать *imp.*
уклонúться *prf.* [уклоня́ться],
  to evade
блуждáть *imp.*, to wander, roam;
  блуждáла улы́бка, played a
  smile
вы́прямиться *prf.* [выпрямля́ть-
  ся], to draw oneself up
кýдри *pl. only*, locks
размáхивая, swinging, *pr.adv.p.*
  of размáхивать *imp.*
раздвúнуться *prf.* [раздвигáть-
  ся], to part, slide apart

свéдение, information; довестú
  prf. [доводúть] до свéдения,
  to bring to the notice
уны́л *pred.*, downcast, sad
мрáчен *pred.*, gloomy, somber
запере́ться *prf.* [запирáться], to
  lock oneself (up, in)
кабинéт, study
гонéц, messenger
прибегáть *imp.* [прибéгнуть]
  (к + *dat.*), to have recourse to
затруднúтельный, difficult, embarrassing

Волынцев и к утру́ не повеселе́л. О́н хоте́л было по́сле ча́ю отпра́виться на рабо́ты, но́ оста́лся, что́ с ним случа́лось не ча́сто. Волынцев к литерату́ре влече́ния не чу́вствовал, а стихо́в про́сто боя́лся. — «Э́то непоня́тно, как стихи́,» гова́ривал он и, в подтвержде́ние сло́в свои́х, приводи́л сле́дующие стро́ки поэ́та Айбула́та[58]:

> И до конца́ печа́льных дне́й
> Ни го́рдый о́пыт, ни рассу́док
> Не изомну́т руко́й свое́й
> Крова́вых жи́зни незабу́док.

Алекса́ндра Па́вловна трево́жно посма́тривала на своего́ бра́та, но́ не беспоко́ила его́ вопро́сами. Экипа́ж подъе́хал к крыльцу́. «Ну́, — поду́мала она́, — сла́ва Бо́гу, Лежнёв...» Слуга́ вошёл и доложи́л о прие́зде Ру́дина.

Волынцев бро́сил кни́гу на́ пол и по́днял го́лову.

— Кто́ прие́хал? — спроси́л он.

— Ру́дин, Дми́трий Никола́ич, — повтори́л слуга́.

Волынцев вста́л.

— Проси́, — сказа́л он: — а ты, сестра́, — приба́вил он, обратя́сь к Алекса́ндре Па́вловне: — оста́вь нас.

— Да почему́ же?... — начала́ она́.

— Я́ зна́ю, — переби́л он с нетерпе́нием — я́ прошу́ тебя́.

Вошёл Ру́дин. Волынцев хо́лодно поклони́лся ему́, сто́я посреди́ ко́мнаты, и не протяну́л ему́ руки́.

на рабо́ты, (*here*) to the fields
влече́ние, attraction
гова́ривал *imp. iterat.* (*past* only; *obs.*), used to say
подтвержде́ние, confirmation; в подтвержде́ние, in confirmation, to confirm
приводи́ть *imp.* [привести́], to cite

сле́дующий, following
строка́, line
рассу́док, reason
измя́ть *prf.* [мять], to crush, crumple
крова́вый, bloody
незабу́дка, forget-me-not
трево́жно, anxiously
крыльцо́, porch

[58] Pseudonym of K. M. Rosen, a minor poet; the poem quoted appeared in 1838.

— Вы меня́ не жда́ли, призна́йтесь, — на́чал Ру́дин. Гу́бы его́ слегка́ передёргивались. Ему́ бы́ло нело́вко; но́ о́н стара́лся скры́ть своё замеша́тельство.

— Я вас не жда́л, то́чно, — возрази́л Волы́нцев: — я скоре́е по́сле вчера́шнего дня́, мо́г жда́ть кого́-нибудь — с поруче́нием от ва́с.

— Я́ понима́ю, что́ вы хоти́те сказа́ть, — промо́лвил Ру́дин, садя́сь: — и о́чень ра́д ва́шей открове́нности. Та́к гора́здо лу́чше. Я́ са́м прие́хал к ва́м, как к благоро́дному челове́ку.

— Нельзя́ ли без комплиме́нтов? — заме́тил Волы́нцев.

— Я́ жела́ю объясни́ть ва́м, заче́м я прие́хал.

— Мы с ва́ми знако́мы: почему́ же ва́м и не прие́хать ко мне́? Прито́м же, вы не в пе́рвый ра́з удоста́иваете меня́ свои́м посеще́нием.

— Я́ прие́хал к ва́м, как благоро́дный челове́к к благоро́дному челове́ку, — повтори́л Ру́дин: — и хочу́ тепе́рь отда́ться на ваш су́д... Я́ доверя́ю ва́м вполне́...

— Да в чём де́ло? — проговори́л Волы́нцев, кото́рый всё ещё стоя́л в пре́жнем положе́нии и су́мрачно гляде́л на Ру́дина, и́зредка подёргивая концы́ усо́в.

— Позво́льте... я прие́хал зате́м, чтобы объясни́ться, коне́чно; но́ всё-таки э́то нельзя́ ра́зом.

— Отчего́ же нельзя́?

— Здесь заме́шано тре́тье лицо́...

— Како́е тре́тье лицо́?

— Серге́й Па́влыч, вы́ меня́ понима́ете.

— Дми́трий Никола́ич, я ва́с ниско́лько не понима́ю.

передёргиваться *imp.*, to twitch
поруче́ние, commission, errand
открове́нность *f.*, frankness
нельзя́ ли без ..., couldn't we do without ...
прито́м же, moreover, besides
удоста́ивать *imp.* [удосто́ить], to honor, favor (with)
отда́ться *prf.* [отдава́ться, to give oneself (up)
в чём де́ло? what is the matter

су́мрачно, gloomily
зате́м чтобы, in order to
объясня́ться *imp.* [объясни́ться], to have an explanation, to get things straight
ра́зом, at once, in one breath
заме́шан, involved, *pred.p.p.p.* of замеша́ть *prf.*
лицо́, person
ниско́лько, not in the least, not at all

— Вам угодно...

— Мне угодно, чтобы вы говорили без обиняков! — подхватил Волынцев.

Он начинал сердиться не на шутку.

Рудин нахмурился.

— Извольте... мы одни... Я должен вам сказать — впрочем, вы, вероятно, уже догадываетесь (Волынцев нетерпеливо пожал плечами) — я должен вам сказать, что я люблю Наталью Алексеевну и имею право предполагать, что и она меня любит.

Волынцев побледнел, но ничего не ответил, отошёл к окну и отвернулся.

— Вы понимаете, Сергей Павлыч, — продолжал Рудин: — что если бы я не был уверен...

— Помилуйте! — поспешно перебил Волынцев: — я нисколько не сомневаюсь... Что ж! на здоровье! Только я удивляюсь, с какого дьявола вам вздумалось ко мне с этим известием пожаловать... Я-то тут что? Что мне за дело, кого вы любите и кто вас любит? Я просто не могу понять.

Волынцев продолжал глядеть в окно. Голос его звучал глухо.

Рудин встал.

— Я вам скажу, Сергей Павлыч, почему я решился приехать к вам, почему я не считаю себя даже вправе скрыть от вас нашу... наше взаимное расположение. Я слишком глубоко уважаю вас — вот почему я при-

(вам) угодно (*pass.* with *dat.*), (you) wish

без обиняков, without circumlocutions / beating around the bush

шутка, joke; не на шутку, in earnest, for good

нахмуриться *prf.* [хмуриться], to frown

предполагать *itr.* [предположить], to assume, suppose

на здоровье! so much the better for you

с какого дьявола! why the devil

вздуматься *prf.* (*pass.* with *dat.*), to take into one's head, get the idea; (вам) вздумалось..., (you) got the idea / the fancy to ...

пожаловать *prf.* (*cerem.*), to come, visit

я тут что? what do I have to do with it?

глухо, tonelessly

взаимный, mutual

расположение, affection, inclination

éхал; я не хотéл... мы óба не хотéли разы́грывать перед
вáми комéдию. Чу́вство вáше к Натáлье Алексéевне
бы́ло мнé извéстно... Повéрьте, я́ знáю себé цéну: я́
знáю, как мáло достóин я́ того, чтобы заменить вас в
её сéрдце; нó éсли у́ж э́тому суждено́ бы́ло случи́ться,
неужéли же лу́чше хитри́ть, обмáнывать, притворя́ться?
Неужéли лу́чше подвергáться недоразумéниям и́ли дáже возмóжности такóй сцéны, какáя произошлá вчерá
за обéдом; Сергéй Пáвлыч, скажи́те сáми.

Волы́нцев скрести́л ру́ки на груди́, кáк бы уси́ли-
ваясь укроти́ть самого́ себя́.

— Сергéй Пáвлыч! — продолжáл Ру́дин, — я́ огор-
чи́л вáс, я́ э́то чу́вствую... но поймите нáс... поймите,
что мы не имéли другóго срéдства доказáть вам нáше
уважéние, доказáть, что мы умéем цени́ть вáше прямо-
ду́шное благорóдство. Откровéнность, пóлная откровéнность со вся́ким други́м былá бы неумéстна; нó с вáми
онá станóвится обя́занностью. Нам прия́тно ду́мать, что
нáша тáйна в вáших рукáх...

Волы́нцев принуждённо захохотáл.

— Спаси́бо за довéрие! — восклúкнул он: — хотя́,
прошу́ замéтить, я́ не желáл ни знáть вáшей тáйны, ни
своéй вам вы́дать, а вы éю распоряжáетесь, как свои́м
добрóм. Нó, позвóльте, вы́ говори́те кáк бы не тóлько
от своегó и́мени. Стáло быть, я могу́ предполагáть, что
Натáлье Алексéевне извéстно вáше посещéние и цéль
э́того посещéния?

Ру́дин немнóго смути́лся.

достóин *pred.*, worthy
суждено́ (*pass.* with *dat.*), predestined
хитри́ть *imp.* (с-,), to use cunning
притворя́ться *imp.* [притвори́ть-
ся], to dissimulate, pretend
подвергáться *imp.* [подвéргнуть
ся] (+ *dat.*), to be subjected
to, exposed to
недоразумéние, misunderstanding
уси́ливаясь, making an effort,
pr.adv.p. of уси́ливаться *imp.*

огорчи́ть *prf.* [огорчáть], to
grieve
срéдство, means, remedy
прямоду́шный, straightforward
неумéстен *pred.*, out of place
обя́занность *f.*, obligation, duty
вы́дать *prf.* [выдавáть], to give
away, betray
распоряжáться *imp.* [распо-
ряди́ться], to dispose of
добрó, property, belongings

— Нет, я не сообщил Наталье Алексеевне моего намерения; но, я знаю, она разделяет мой образ мыслей.

— Всё это прекрасно, — заговорил, помолчав немного, Волынцев и забарабанил пальцами по стеклу: — хотя, признаться, было бы гораздо лучше, если бы вы поменьше меня уважали. Мне, по правде сказать, ваше уважение ни к чорту не нужно; но что же вы теперь хотите от меня?

— Я ничего не хочу... или нет! я хочу одного: я хочу, чтобы вы не считали меня коварным и хитрым человеком, чтобы вы поняли меня... Я надеюсь, что вы теперь уже не можете сомневаться в моей искренности. Я хочу, Сергей Павлыч, чтобы мы расстались друзьями... чтобы вы попрежнему протянули мне руку...

И Рудин приблизился к Волынцеву.

— Извините меня, милостивый государь, — промолвил Волынцев, обернувшись и отступив шаг назад: — я готов отдать полную справедливость вашим намерениям, всё это прекрасно, положим, даже возвышенно, но мы люди простые, мы не в состоянии следить за полётом таких великих умов, как ваш... Что вам кажется искренним, нам кажется навязчивым и нескромным... Что для вас просто и ясно, для нас запутанно и темно...

сообщить *prf.* [сообщать], to tell, let know

разделять *imp.* [разделить], to share

образ мыслей, way of thinking, views

забарабанить *prf. inch.* [барабанить], to drum

стекло, glass, window pane

мне ни к чорту не нужно (*vulg.*), the devil may have it for all I care, I don't care at all (for)

коварный, treacherous, crafty, perfidious

расстаться *prf.* [расставаться], to part

искренность *f.*, sincerity

милостивый государь, my dear sir

отступив, stepping back, *p.adv.p.* of отступить *prf.*

справедливость *f.*, justice; отдать *prf.* [отдавать] справедливость, to render / do / justice

положим, let us assume, assuming

возвышенно, lofty, exalted

не в состоянии, incapable, not in a position

полёт, flight

навязчивый, obstrusive

запутанно, intricate(ly), confused(ly)

Вы́ хвáстаетесь тéм, что́ мы́ скрывáем: гдé же нáм
поня́ть вáс! Извини́те меня́: ни дрýгом я́ вáс считáть не
могý, ни руки́ я́ вáм не подáм... Э́то, мóжет быть,
мéлко; да ведь я сáм мéлок.

Рýдин взял шля́пу.

— Сергéй Пáвлыч! — проговори́л он печáльно: —
прощáйте; я обманýлся в свои́х ожидáниях. Посещéние
моё, действи́тельно, довóльно стрáнно; нó я надéялся,
что вы... (Волы́нцев сдéлал нетерпели́вое движéние...)
Извини́те, я бóльше говори́ть об э́том не стáну. Сообра-
зи́в всё, я ви́жу, тóчно: вы прáвы и инáче поступи́ть не
могли́. Прощáйте и позвóльте, по крáйней мéре, ещё
рáз, в послéдний рáз, увéрить вас в чистотé мои́х на-
мéрений... В вáшей скрóмности я убеждён...

— Э́то ужé сли́шком! — воскли́кнул Волы́нцев и за-
тря́сся от гнéва: — я́ ниско́лько не напрáшивался на
вáше довéрие; а потомý рассчи́тывать на мою́ скрóмность вы не имéете никакóго прáва!

Рýдин хотéл что́-то сказáть, но тóлько поклони́лся
и вы́шел, а Волы́нцев брóсился на дивáн и повернýлся
лицóм к стенé.

— Мóжно войти́ к тебé? — послы́шался у двéри гóлос Алексáндры Пáвловны.

Волы́нцев не тотчáс отвéтил и провёл рукóй по лицý.

— Нéт, Сáша, — проговори́л он слегкá измени́в-
шимся гóлосом: — погоди́ ещё немнóжко.

Полчасá спустя́ Алексáндра Пáвловна опя́ть подо-
шлá к двéри.

— Михáйло Михáйлыч приéхал, — сказáла онá: —
хóчешь ты егó ви́деть?

— Хочý, — отвéтил Волы́нцев: — пошли́ егó сюдá.

где́ же нам поня́ть! how would
  we understand!
печáльно, sad(ly)
сообрази́в, considering, *p.adv.p.*
  of сообрази́ть *prf.*
скрóмность *f.*, discretion, modesty
затря́сти́сь *prf. inch.* [трясти́сь],
  to shake, tremble

гнéв, anger, wrath
напрáшиваться *imp.* [напро-
  си́ться], (на + *acc.*) to impose
  / force / oneself (into, on)
рассчи́тывать *imp.* (на + *acc.*),
  to count on
пошли́, send, *imper.* of послáть
  prf.

Лежнёв вошёл.

— Что — ты нездоров? — спросил он, усаживаясь на кресло возле дивана.

Волынцев приподнялся, опёрся на локоть, долго, долго смотрел своему приятелю в лицо и тут же передал ему весь свой разговор с Рудиным, от слова до слова. Он никогда до тех пор и не намекал Лежнёву о своих чувствах к Наталье, хотя и догадывался, что они для него не были скрыты.

— Ну, брат, удивил ты меня, — проговорил Лежнёв, как только Волынцев кончил свой рассказ. — Много странностей ожидал я от него, но уж это... Впрочем, узнаю его и тут.

— Помилуй! — говорил взволнованный Волынцев: — ведь это просто наглость! Ведь я чуть-чуть его за окно не выбросил! Похвастаться, что ли, он хотел передо мной, или струсил? Да с какой стати? Как решиться ехать к человеку...

Волынцев закинул руки за голову и умолк.

— Нет, брат, это не то, — спокойно возразил Лежнёв. — Ты, вот, мне не поверишь, а ведь он это сделал из хорошего побуждения. Право... Это и благородно, и откровенно, ну, и поговорить представляется случай, красноречие в ход пустить; а ведь ему вот чего нужно, вот без чего он жить не в состоянии... Ох, язык его — враг его... Ну, за то он и слуга ему.

приподня́ться *prf.* [приподни-
  ма́ться], to raise (oneself) a
  little
опере́ться *prf.* [опира́ться] (на +
  acc.), to lean (on, against)
ло́коть *m.*, elbow
намека́ть *imp.* [намекну́ть], to
  hint, insinuate
брат, brother; (*colloq.*) my friend,
  old man
узнава́ть *imp.* [узна́ть], to recognize
чуть-чуть не, nearly, almost
вы́бросить *prf.* [выбра́сывать],
  to throw out

стру́сить *prf.* [тру́сить], to turn
  coward, get frightened / scared
с како́й ста́ти? why on earth?
э́то не то́, that isn't it
заки́нуть *prf.* [заки́дывать], to
  put / throw / behind
побужде́ние, impulse, motive
пра́во, really, truly, I mean it
вишь! (*pop.* contraction of
  ви́дишь), see
слу́чай, chance, opportunity;
  представля́ется слу́чай, an
  opportunity presents itself
в ход пусти́ть, use, put into
  action

— С како́й торже́ственностью о́н вошёл и говори́л, ты себе́ предста́вить не мо́жешь!...

— Ну, да без э́того уж нельзя́. О́н сюрту́к застёгивает, сло́вно свяще́нный до́лг исполня́ет. Я́ бы посади́л его́ на необита́емый о́стров и посмотре́л бы из-за угла́, ка́к бы он та́м себя́ вёл. А всё толку́ет о простоте́!

— Да скажи́ мне́ ра́ди Бо́га, — спроси́л Волы́нцев: — что́ э́то тако́е: филосо́фия, что́ ли?

— Ка́к тебе́ сказа́ть? с одно́й стороны́, пожа́луй, э́то филосо́фия — а с друго́й уж э́то совсе́м не то́. На филосо́фию вся́кий вздор сва́ливать то́же не ну́жно.

Волы́нцев взгляну́л на него́.

— А не солга́л ли о́н, ка́к ты ду́маешь?

— Не́т, сы́н мо́й, не солга́л. А впро́чем, зна́ешь ли что́? Дово́льно рассужда́ть об э́том. Дава́й-ка, бра́тец, заку́рим тру́бки, да попро́сим сюда́ Алекса́ндру Па́вловну... При не́й и говори́тся лу́чше, и молчи́тся ле́гче. Она́ нас ча́ем напои́т.

— Пожа́луй. — Са́ша, войди́! — кри́кнул он.

Алекса́ндра Па́вловна вошла́. О́н схвати́л её ру́ку и кре́пко прижа́л её к свои́м губа́м.

Ру́дин верну́лся домо́й в состоя́нии ду́ха сму́тном и стра́нном. О́н доса́довал на себя́, упрека́л себя́ в непрости́тельной опроме́тчивости, в мальчи́шестве. Неда́ром

торже́ственность *f.*, solemnity
предста́вить *prf.* [представля́ть] себе́, to imagine
застёгивать *imp.* [застегну́ть], to button (up)
свяще́нный, sacred
исполня́ть *imp.* [испо́лнить], to fulfill
посади́ть *prf.* [сажа́ть], (*here*) to put
необита́емый, desert *adj.*, uninhabited
о́стров, island
всё толку́ет, talks and talks, keeps talking
вздор, rubbish, nonsense

сва́ливать *imp.* [свали́ть] вину́ (на + *acc.*,) to put the blame (on)
ка́к ты ду́маешь? what do you think?
схвати́ть *prf.* [схва́тывать], to catch, grab
прижа́ть *prf.* [прижима́ть] (к + *dat.*), to press (to)
упрека́ть *imp.* [упрекну́ть], to reproach
непрости́тельный, unpardonable
опроме́тчивость *f.*, rashness
мальчи́шество, childishness, puerility

сказа́л кто́-то: не́т ничего́ тя́гостнее созна́ния то́лько что сде́ланной глу́пости.

Раска́яние гры́зло Ру́дина.

«Чо́рт меня́ дёрнул, — шепта́л он сквозь зу́бы, — съе́здить к э́тому поме́щику!»

А в до́ме Да́рьи Миха́йловны происходи́ло что́-то необыкнове́нное. Сама́ хозя́йка це́лое у́тро не пока́зывалась и к обе́ду не вы́шла: у неё, по увере́нию Панда́левского, еди́нственного допу́щенного к не́й лица́, голова́ боле́ла. Ната́лью Ру́дин та́кже почти́ не вида́л: она́ сиде́ла в свое́й ко́мнате с m-lle Boncourt... Встре́тясь с ним в столо́вой, она́ та́к печа́льно на него́ посмотре́ла, что у него́ се́рдце дро́гнуло. Её лицо́ измени́лось, сло́вно несча́стье обру́шилось на неё со вчера́шнего дня́. Тоска́ неопределённых предчу́вствий начала́ томи́ть Ру́дина. Что́бы ка́к-нибудь развле́чься, о́н заня́лся Баси́стовым и мно́го с ним разгова́ривал. К ве́черу Да́рья Миха́йловна появи́лась часа́ на два́ в гости́ной. Она́ была́ любе́зна с Ру́диным, но держа́лась ка́к-то отдалённо, и то́ посме́ивалась, то́ хму́рилась, говори́ла в нос и всё бо́льше намёками... В после́днее вре́мя она́ как бу́дто охладе́ла немно́го к Ру́дину. — «Что́ за зага́дка?» ду́мал он.

Он недо́лго дожида́лся разреше́ния э́той зага́дки. Возвраща́ясь, часу́ в двена́дцатом но́чи, в свою́ ко́мнату, шёл он по тёмному коридо́ру. Вдру́г кто́-то су́нул

тя́гостнее (*сотр.* of тя́гостно), more painful / depressing
глу́пость *f.*, blunder, stupidity
раска́яние, remorse, regret
гры́зть *imp.*, to gnaw
чо́рт меня́ дёрнул, the devil drove me
допу́щенный, admitted, *p.p.p.* of допусти́ть *prf.*
обру́шиться *prf.* [обру́шиваться], to come / break / down; обру́шилось несча́стие (на + *асс.*), a calamity had befallen
тоска́, anguish, melancholy
предчу́вствие, foreboding

томи́ть *imp.*, to torment, oppress
развле́чься *prf.* [развлека́ться], to distract oneself
отдалённо, distant(ly), aloof(ly)
посме́иваться *imp.*, to chuckle, laugh (softly)
всё бо́льше, chiefly
намёками (*instr. pl.* of намёк), by allusions, innuendoes
зага́дка, enigma, riddle
разреше́ние, solution
часу́ в двена́дцатом, sometime after eleven
су́нуть *prf.* [сова́ть], put, thrust, slip

ему́ в ру́ку запи́ску. О́н оглянýлся: от негó удаля́лась дéвушка, как емý показáлось, Натáльина гóрничная. О́н пришёл к себé, услáл человéка, разверну́л запи́ску и прочёл слéдующие стрóки, напи́санные рукóю Натáльи:

«Приходи́те зáвтра в седьмóм часý утрá, не пóзже, к Авдю́хину прудý, за дубóвым лéсом. Вся́кое другóе врéмя невозмóжно. Э́то бýдет нáше послéднее свидáние, и всё бýдет кóнчено, éсли... Приходи́те. Нáдо бýдет реши́ть...

P. S. Éсли я не придý, знáчит, мы не уви́димся бóльше: тогдá я вáм дáм знáть...»

Ру́дин задýмался, повертéл запи́ску в рукáх, положи́л её под подýшку, раздéлся, лёг, нó заснýл не скóро, спáл чýтким снóм, и нé было ещё пяти́ часóв, когдá óн проснýлся.

IX

Авдю́хин прýд, вóзле котóрого Натáлья назнáчила свидáние Ру́дину, давнó перестáл бы́ть прудóм. Тóлько по остáткам плоти́ны мóжно бы́ло догадáться, что здéсь был прýд. Тýт же существовáла усáдьба. Онá давны́м-давнó исчéзла. Двé огрóмные сосны́ напоминáли о нéй; вéтер вéчно шумéл в их тóщей зéлени... В нарóде ходи́ли таи́нственные слýхи о стрáшном преступлéнии, бýдто бы совершённом у их кóрня; говори́ли тáкже, что ни однá из них не упадёт, не причини́в комý-нибудь

запи́ска, note
гóрничная, maid
к себé, to his / her / room / house
услáть *prf.* [усылáть], to send away
разверну́ть *prf.* [развёртывать], to unfold
дубóвый *adj.* of дýб, oak
дáть *prf.* [давáть] знáть, to let know
подýшка, pillow
чýткий, light, delicate
прýд, pond
назнáчить *prf.* [назначáть] свидáние, arrange a meeting

остáток, remainder, rest
плоти́на, dam
давны́м-давнó, long, long ago
соснá, pine-tree
тóщий, meager, scant, poor
зéлень *f.*, greenery
таи́нственный, mysterious
ходи́ли слýхи, rumors went around
преступлéние, crime
совершённый, committed, *p.p.p.* of совершить *prf.*
кóрень *m.*, base, root
причини́в, having caused, *p.adv.* p. of причини́ть *prf.*

смéрти; что тýт прéжде стоя́ла трéтья соснá, котóрая
упáла в бýрю и задави́ла дéвочку. Всё мéсто óколо
стáрого прудá считáлось нечи́стым; пустóе и гóлое, нó
глухóе и мрáчное, дáже в сóлнечный дéнь — онó казáлось ещё мрачнéе и глýше от бли́зости дря́хлого дубó-
вого лéса, давнó вы́мершего и засóхшего. Рéдкие сéрые
óстовы громáдных дерéвьев вы́сились каки́ми-то уны́-
лыми при́зраками. Жýтко бы́ло смотрéть на ни́х: казáлось, злы́е старики́ сошли́сь и замышля́ют чтó-то не-
доброе. Ýзкая, едвá замéтная дорóжка вилáсь в сторонé. Без осóбенной нужды́ никтó не проходи́л ми́мо
Авдю́хина прудá. Натáлья с намéрением вы́брала такóе
уединённое мéсто. До негó от дóма Дáрьи Михáйловны
бы́ло не бóлее полуверсты́.

Сóлнце ужé давнó встáло, когдá Рýдин пришёл к
Авдю́хину прудý; нó не весёлое бы́ло ýтро. Тýчи мо-
лóчного цвéта покрывáли всё нéбо; вéтер бы́стро гнáл
их, свистя́ и взви́згивая. Рýдин нáчал ходи́ть взáд и
вперёд по плоти́не. Óн нé был спокóен. Эти свидáния,
эти нóвые ощущéния волновáли егó, осóбенно пóсле
вчерáшней запи́ски. Óн ви́дел, что развя́зка приближá-
лась. Недáром про негó сказáл однáжды Пигáсов, что
егó, постоя́нно перевéшивала головá. Нó с однóй головóй, кáк бы онá сильнá ни былá, человéку трýдно узнáть

задави́ть *prf.* [дави́ть], crush
нечи́стый, unholy, impure
гóлый, bare
глýше (*comp.* of глухóй), more
    remote, isolated (*lit.*, deaf)
вы́мерший, dead, (which) died
    out, *p.a.p.* of вы́мереть *prf.*
засóхший, (which) dried up,
    p.a.p. of засóхнуть *prf.*
рéдкий, sparse
сéрый, grey
óстов, skeleton
вы́ситься *imp.* (*book.*), to tower
уны́лый, sad, cheerless
жýтко, frightening, sinister
замышля́ть *imp.* [замы́слить] to
    plan, plot

протóренный, trodden
ви́ться *imp.*, to wind
в сторонé, at a some distance
с намéрением, intentionally, de-
    liberately
уединённый, isolated
молóчный, milky
гнáть *imp.* [по-], to drive, chase
свистя́, whistling, *pr.adv.p.* of
    свистéть *imp.*
взви́згивая, shrieking, *pr.adv.p.*
    of взви́згивать *imp.*
взáд и вперёд, up and down,
    back and forth
перевéшивать *imp.* [перевé-
    сить], to overbalance

даже то́, что́ в нём само́м происхо́дит ... Ру́дин, у́мный,
проница́тельный Ру́дин, не в состоя́нии был сказа́ть
наве́рное, лю́бит ли о́н Ната́лью, страда́ет ли о́н, бу́дет
ли страда́ть, расста́вшись с не́ю. Заче́м же, сбил он с
то́лку бе́дную де́вушку? Отчего́ ожида́л её с та́йным
тре́петом? На э́то оди́н отве́т: никто́ та́к легко́ не увле-
ка́ется, ка́к бесстра́стные лю́ди.

Он ходи́л по плоти́не, а Ната́лья спеши́ла к нему́
пря́мо че́рез по́ле, по мо́крой траве́.

— Ба́рышня! ба́рышня! вы себе́ но́ги замо́чите, —
говори́ла ей её го́рничная, Ма́ша, едва́ поспева́я за ней.

Ната́лья не слу́шала её и бежа́ла без огля́дки.

— Ах, бою́сь как бы не подсмотре́ли нас! — твер-
ди́ла Ма́ша.

Ната́лья остановилась.

— Подожди́ здесь, Ма́ша, у со́сен, — промо́лвила
она́ и спусти́лась к пруду́.

Ру́дин подошёл к ней и остановился в изумле́нии.
Тако́го выраже́ния о́н ещё не замеча́л на её лице́. Бро́ви
её бы́ли сдви́нуты, гу́бы сжа́ты, глаза́ гляде́ли пря́мо
и стро́го.

— Дми́трий Никола́ич, — начала́ она́: — на́м вре́мя
теря́ть нельзя́. Я́ пришла́ на пя́ть мину́т. Я́ должна́
сказа́ть вам, что ма́тушка всё зна́ет. Г-н Пандале́вский
подсмотре́л нас тре́тьего дня́ и рассказа́л ей о на́шем
свида́нии. Он всегда́ был шпио́ном у ма́тушки. Она́
вчера́ позвала́ меня́ к себе́...

— Бо́же мо́й! — воскли́кнул Ру́дин: — э́то ужа́сно...
Что́ же сказа́ла ва́ша ма́тушка?

происходи́ть *imp.* [произойти́],
  to take place
проница́тельный, penetrating
наве́рное, for sure
расста́вшись, on parting, *p.adv.*
  p. of расста́ться *prf.*
заче́м же ...? so why ...? why
  then ...?
тре́пет, trepidation
бесстра́стный, passionless
ба́рышня (*pre-rev.*), miss, young
  lady

замочи́ть *prf.* [мочи́ть], to wet
поспева́я, keeping up, *pr.adv.p.*
  of поспева́ть *imp.*
без огля́дки, without looking
  back
бою́сь как бы не, I am afraid
  (that) they may
подсмотре́ть *prf.* [подсма́три-
  вать], to spy on, watch
тверди́ть *imp.*, to keep repeat-
  ing

— Она́ не серди́лась на меня́, не брани́ла меня́, то́лько упрекну́ла меня́ за моё легкомы́слие.

— То́лько?

— Да́, и объяви́ла мне, что она́ скоре́е согласи́тся ви́деть меня́ мёртвой, чем ва́шей жено́ю.

— Неуже́ли она́ э́то сказа́ла?

— Да́; и ещё приба́вила, что вы са́ми ниско́лько не жела́ете жени́ться на мне́, что вы то́лько так, от ску́ки, поуха́живали за мно́й и что она́ э́того от ва́с не ожида́ла; что, впро́чем, она́ сама́ винова́та: заче́м позво́лила мне так ча́сто ви́деться с ва́ми... что она́ наде́ется на моё благоразу́мие, что я её о́чень удиви́ла... да уж я и не по́мню всего́, что́ она́ говори́ла мне́.

Ната́лья произнесла́ всё э́то каки́м-то ро́вным, почти́ беззву́чным го́лосом.

— А вы́, Ната́лья Алексе́евна, что вы́ ей отве́тили? — спроси́л Ру́дин.

— Что́ я ей отве́тила? — повтори́ла Ната́лья. — Что́ вы тепе́рь наме́рены де́лать?

— Бо́же мой! Бо́же мой! — возрази́л Ру́дин: — э́то жесто́ко! Та́к ско́ро!... тако́й внеза́пный уда́р!... И ва́ша ма́тушка пришла́ в тако́е негодова́ние?

— Да́... да, она́ слы́шать о вас не хо́чет.

— Это ужа́сно! Ста́ло быть, никако́й наде́жды не́т?

— Никако́й.

— За что́ мы так несча́стны! Гну́сный э́тот Панда-ле́вский!... Вы меня́ спра́шиваете, Ната́лья Алексе́евна, что я наме́рен де́лать? У меня́ голова́ круго́м идёт — я ничего́ сообрази́ть не могу́... я чу́вствую то́лько своё несча́стие... удивля́юсь, ка́к вы мо́жете сохраня́ть хладнокро́вие!...

— Вы ду́маете, мне́ легко́? — проговори́ла Ната́лья.

легкомы́слие, light-heartedness, frivolity
наде́яться *imp.* (на + *acc.*), to trust, rely on
благоразу́мие, good sense
беззву́чный, toneless
уда́р, blow

негодова́ние, indignation; прийти́ в негодова́ние, to get indignant
гну́сный, vile, ignoble
сообрази́ть *prf.* [сообража́ть], figure out, understand

Рýдин нáчал ходи́ть по плоти́не. Натáлья не спускáла с негó глáз.

— Вáша мáтушка вас не расспрáшивала? — промóлвил он наконéц.

— Онá меня́ спроси́ла, люблю́ ли я вас.

— Нý... и вы?

Натáлья помолчáла. — Я́ не солгáла.

Рýдин взял её зá руку.

— Всегдá, во всём благорóдна и великодýшна! О́, сéрдце дéвушки — это чи́стое зóлото! Нó неужéли вáша мáтушка тáк реши́тельно объяви́ла свою́ вóлю на счёт невозмóжности нáшего брáка?

— Дá, реши́тельно. Я ужé вам сказáла: онá убежденá, что вы сáми не дýмаете жени́ться на мнé.

— Стáло быть, онá считáет меня́ обмáнщиком! Чéм я заслужи́л это?

И Рýдин схвати́л себя́ зá голову.

— Дми́трий Николáич! — промóлвила Натáлья: — мы трáтим пóпусту врéмя. Вспóмните, я́ в послéдний рáз вижусь с вáми. Я пришлá сюдá не плáкать, не жáловаться — вы ви́дите, я́ не плáчу — я пришлá за совéтом.

— Да какóй совéт могý я дáть вам, Натáлья Алексéевна?

— Какóй совéт? Вы мужчи́на: я́ привы́кла вам вéрить, я́ до концá бýду вéрить вам. Скажи́те мнé, каки́е вáши намéрения?

— Мои́ намéрения! Вáша мáтушка, вероя́тно, откáжет мнé от дóму.

— Мóжет быть. Онá уже вчерá объяви́ла мнé, что должнá будет раззнакóмиться с вáми... Нó вы не отвечáете на мóй вопрóс.

зá руку, by the hand
великодýшен *pred.*, magnanimous
насчёт, concerning
брак, marriage
обмáнщик, deceiver, impostor
схвати́л себя́ зá голову, clutched his head

пóпусту, in vain, uselessly
жáловаться *imp.* [по-], to complain
отказáть от дóму, to deny one the house
раззнакóмиться *prf.*, to break off acquaintance

— На какóй вопрóс?

— Как вы дýмаете, чтó нам нáдо тепéрь дéлать?

— Чтó нам дéлать? — разумéется, покорúться.

— Покорúться, — мéдленно повторúла Натáлья, и гýбы её побледнéли.

— Покорúться судьбé, — продолжáл Рýдин. — Что же дéлать! Я слúшком хорошó знáю, кáк это гóрько, тяжелó, невыносúмо; нó посудúте сáми, Натáлья Алексéевна, я бéден... Прáвда, я могý рабóтать; нó éсли б я был дáже богáтый человéк, в состоýнии ли вы перенестú насúльственную разлýку с вáшим семéйством, гнéв вáшей мáтери?... Нéт, Натáлья Алексéевна! об этом и дýмать нéчего. Вúдно, нам не суждéно было жить вмéсте, и тó счáстье, о котóром я мечтáл, не для меня!

Натáлья вдрýг закрýла лицó рукáми и заплáкала. Рýдин приблúзился к нéй.

— Натáлья Алексéевна! мúлая Натáлья! — заговорúл он с жáром: — не плáчьте, рáди Бóга, не терзáйте меня, утéшьтесь...

Натáлья подняла́ гóлову.

— Вы мнé говорúте, чтобы я утéшилась, — начала́ она́, и глаза́ её заблестéли сквозь слёзы: — я не о тóм плáчу, о чём вы дýмаете... Мнé не тó бóльно: мнé бóльно тó, что я в вáс обманýлась... Кáк! я прихожý к вам за совéтом, и в какýю минýту, и пéрвое вáше слóво: покорúться!... Покорúться! Так вóт кáк вы применяете на дéле вáши рассуждéния о свобóде, о жéртвах, котóрые...

покорúться *prf.* [покорúться] (+ *dat.*), to submit, resign oneself to

тяжелó, painful(ly), hard

невыносúмо, intolerabl/e/y, unbearabl/e/y

посудúте сáми, judge for yourself

в состоýнии ли вы, could you possibly; would you be capable

перенестú *prf.* [переносúть], to endure, suffer

насúльственный, enforced

разлýка, separation, parting

с жáром (*instr.* of жар), with fire, passionately

терзáть *imp.*, to torment, torture

утéшиться *prf.* [утешáться], to be consoled / comforted

заблестéть *prf. inch.* [блестéть], to flash, shine

применять на дéле, apply to practice

жéртва, sacrifice

Её гóлос прервáлся.

— Нó, Натáлья Алексéевна, — нáчал смущённый Рýдин: — вспóмните... я́ не откáзываюсь от слов мойх... тóлько...

— Вы спрáшивали меня́, — продолжáла онá с нóвой сúлой: — что я́ отвéтила моéй мáтери, когдá онá объявúла мне́, что скорée согласúтся на мою́ смéрть, чем на брак мóй с вáми: я́ ей отвéтила, что скорée умрý, чем вы́йду зáмуж за другóго... А вы́ говорúте: покорúться! Стáло быть, онá былá правá; вы, тóчно, от нéчего дéлать, от скýки, пошутúли со мнóй...

— Клянýсь вам, Натáлья Алексéевна... уверя́ю вас... — твердúл Рýдин; нó онá егó не слýшала.

— Зачéм же вы не остановúли меня́? зачéм вы сáми... Úли вы не рассчúтывали на препя́тствия? Мне́ сты́дно говорúть об э́том... нó, ведь, всё ужé кóнчено.

— Вам нáдо успокóиться, Натáлья Алексéевна, — нáчал было Рýдин: — нам нáдо вдвоём подýмать, какúе мéры...

— Вы так чáсто говорúли о самопожéртвовании, — перебúла онá: — нó, знáете ли, éсли б вы сказáли мне́ сегóдня, сейчáс: «я́ тебя́ люблю́, нó я женúться не могý, я́ не отвечáю за бýдущее, дáй мне́ рýку и ступáй за мнóй», — знáете ли, что я́ бы пошлá за вáми, знáете ли, что я́ на всё решúлась? Нó, вéрно, от слóва до дéла ещё далекó, и вы тепéрь струсили тóчно тáк же, кáк **струсили трéтьего дня**, за обéдом, пéред Волы́нцевы́м.

Крáска брóсилась в лицó Рýдину; Натáлья егó поразúла; послéдние словá её уязвúли егó самолю́бие.

— Вы слúшком раздраженны́ тепéрь, Натáлья Алек-

прервáться *prf.* [прерывáться], to break *intr.*

смущённый, embarrassed, *p.p.p.* of смутúться *prf.*

кля́сться *imp.* [по-], to swear; кляну́сь, I swear

препя́тствие, obstacle

мéра, measure

ступáй (за + *instr.*), follow, go (after)

решúться *prf.* на всё, to be ready for anything

вéрно, apparently

струсить *prf.* [трýсить], be scared, afraid

уязвúть *prf.* [уязвля́ть], to sting, hurt

раздражён, irritated, *pred. p.p.p.* of раздражúть *prf.*

сеевна, — начал он: — вы не можете понять, как вы жестоко оскорбляете меня. Я надеюсь, что со временем вы отдадите мне справедливость; вы поймёте, чего мне стоило отказаться от счастия, которое, как вы говорите сами, не налагало на меня никаких обязанностей. Ваше спокойствие мне дороже всего в мире, и я был бы человеком самым низким, если б решился воспользоваться...

— Может быть, может быть, — перебила Наталья: — может быть, вы правы, а я не знаю, что говорю. Но я до сих пор вам верила, каждому вашему слову верила... Впредь, пожалуйста, взвешивайте ваши слова, не произносите их на ветер. Когда я вам сказала, что я люблю вас, я знала, что значит это слово: я на всё была готова... Теперь мне остаётся благодарить вас за урок и проститься.

— Остановитесь, ради Бога, Наталья Алексеевна, умоляю вас. Я не заслуживаю вашего презрения, клянусь вам. Войдите же и вы в моё положение. Я отвечаю за вас и за себя. Если б я не любил вас самой преданной любовью — да Боже мой! я бы тотчас сам предложил вам бежать со мной. Рано или поздно, матушка ваша простит нас... и тогда... Но прежде чем думать о собственном счастьи...

Он остановился. Взор Натальи, прямо на него устремлённый, смущал его.

— Вы стараетесь мне доказать, что вы честный человек, Дмитрий Николаич, — промолвила она: — я в этом не сомневаюсь. Вы не в состоянии действовать из расчёта; но разве в этом я желала убедиться, разве для этого я пришла сюда...

со временем, in time
налагать *imp.* [наложить] обязанность *f.*, to impose / lay on / an obligation
спокойствие, peace (of mind), calmness
воспользоваться *prf.* [пользоваться], to take advantage
впредь, in future
взвешивай(те), weigh, *imper.* of взвешивать *imp.*

на ветер, lightly
умолять *imp.* [умолить], to implore
презрение, contempt
войти *prf.* [входить] в положение, to put oneself in somebody's position, sympathize
отвечать *imp.* [ответить] (за + *acc.*), to be responsible for

— Я не ожидáл, Натáлья Алексéевна...

— А! вóт когдá вы проговорúлись! Дá, вы не ожидáли всегó э́того — вы меня́ не знáли. Не беспокóйтесь... вы́ не лю́бите меня́, а я́ никомý не навя́зываюсь.

— Я́ вас люблю́! — воскли́кнул Рýдин.

Натáлья вы́прямилась.

— Мóжет быть; нó кáк вы меня́ лю́бите? Я́ пóмню всé вáши словá, Дми́трий Николáич. Пóмните, вы мнé говори́ли: без пóлного рáвенства нéт любви́... Вы для меня́ сли́шком высоки́, вы не мнé четá... Я́ поделóм накáзана. Вам предстоя́т заня́тия, бóлее достóйные вас. Я не забýду ны́нешнего дня́... Прощáйте...

— Натáлья Алексéевна, вы ухóдите? Неужéли мы тáк растáнемся?

Он протянýл к ней рýки. Онá остановúлась. Егó умоля́ющий гóлос, казáлось, поколебáл её.

— Нéт, — промóлвила онá наконéц: — я чýвствую, чтó-то во мнé надломи́лось... Я́ шлá сюдá, я́ говори́ла с вáми тóчно в горя́чке; нáдо опóмниться. Э́того не должнó бы́ть, вы сáми сказáли, э́того не бýдет. Бóже мóй, когдá я шлá сюдá, я мы́сленно прощáлась с мои́м, дóмом, со всéм мои́м прошéдшим, — и чтó же? когó я встрéтила здéсь? малодýшного человéка... И почемý вы знáли, что я́ не в состоя́нии бýду перенести́ разлýку с семéйством? «Вáша мáтушка не соглáсна... Э́то ужáсно!» Вóт всё, чтó я слы́шала от вáс. Вы́ ли э́то, вы́ ли э́то, Рýдин? Нéт! прощáйте... Ах! éсли бы вы меня́ люби́ли, я́ бы почýвствовала э́то тепéрь, в э́то мгновéние... Нéт, нéт, прощáйте!

проговори́ться *prf.* [проговáриваться], to give oneself away

навя́зываться *imp.* [навязáться] (+ *dat.*), to force oneself on somebody

рáвенство, equality

четá, match

поделóм, rightfully

достóйный, worthy

умоля́ющий, imploring, *pr.a.p.* of умоля́ть *imp.*

поколебáть *prf.* [колебáть], to make waver / hesitate

надломи́ться *prf.* [надлáмываться], to break, give away

горя́чка (*colloq.* or *fig.*), fever

опóмниться *prf.*, to recover one's senses, come to oneself

малодýшный, fainthearted

Она быстро повернулась и побежала к Маше, которая уже давно начала беспокоиться и делать ей знаки.

— Вы трусите, а не я! — крикнул Рудин вслед Наталье.

Она уже не обращала на него внимания и спешила через поле домой. Она благополучно возвратилась к себе в спальню; но как только переступила порог, силы ей изменили, и она без чувств упала на руки Маши.

А Рудин долго ещё стоял на плотине. Наконец он опомнился, медленными шагами добрался до дорожки и тихо пошёл по ней. Он был очень пристыжён... и огорчён. «Какова?» думал он. «В восемнадцать лет!... Нет, я её не знал... Она замечательная девушка. Какая сила воли!... Она права; она стоит не такой любви, какую я к ней чувствовал... Чувствовал?...» спросил он самого себя. — «Разве я уже больше не чувствую любви? Так вот как это всё должно было кончиться! Как я был жалок и ничтожен перед ней!»

Лёгкий стук беговых дрожек заставил Рудина поднять глаза. К нему навстречу ехал Лежнёв. Рудин молча с ним раскланялся и, как поражённый внезапной мыслью, свернул с дороги и быстро пошёл по направлению к дому Дарьи Михайловны.

Лежнёв дал ему отойти, посмотрел ему вслед и, подумав намного, тоже поворотил назад свою лошадь — и поехал обратно к Волынцеву, у которого провёл ночь. Он застал его спящим, не велел будить его и, в ожидании чая, сёл на балкон и закурил трубку.

спальня *f.*, bedroom
переступить *prf.* [переступать], step over, pass
силы ей изменили, her strength failed her
без чувств *gen.pl.*, unconscious
добраться *prf.* [добираться] (до + *gen.*), to get to, reach
дорожка (*dim.* of дорога), path
пристыжён, humiliated, ashamed, *pred.p.p.p.* of пристыдить *prf.*

огорчён, aggrieved, *pred. p.p.p.* of огорчить *prf.*
какова! what a girl / person!
жалок *pred.*, pitiful
поражённый, struck, *p.p.p.* of поразить *prf.*
свернуть *prf.* [сворачивать], turn (off)
спящий, sleeping, asleep, *pr.a.p.* of спать *imp.*

X

Волы́нцев встáл часý в деся́том и, узнáв, что Лежнёв сиди́т у негó на балкóне, óчень удиви́лся и велéл егó попроси́ть к себé.

— Чтó случи́лось? — спроси́л он егó. — Ведь ты хотéл к себé поéхать?

— Дá, хотéл, да встрéтил Рýдина... Оди́н шагáет пó полю, и лицó такóе расстрóенное. Я взя́л, да и вернýлся.

— Ты вернýлся оттогó, что встрéтил Рýдина?

— Тó есть, прáвду сказáть, я сáм не знáю, почемý я вернýлся; вероя́тно, потомý, что о тебé вспóмнил; хотéлось с тобóй посидéть; а к себé я ещё успéю.

Волы́нцев гóрько усмехнýлся.

— Дá, о Рýдине нельзя́ тепéрь подýмать, не подýмав тáкже и обо мнé... Человéк! — кри́кнул он грóмко: — дáй нам чáю.

Прия́тели нáчали пи́ть чáй. Лежнёв заговори́л было о хозя́йстве, о нóвом спóсобе кры́ть амбáры бумáгой...

Вдрýг Волы́нцев вскочи́л с крéсла и с такóй си́лой удáрил по столý, что чáшки и блю́дечки зазвенéли.

— Нéт! — восклúкнул он: — я э́того дóльше выноси́ть не в си́лах! Я вы́зову э́того ýмника, и пусть óн меня́ застрéлит, ли́бо уж я́ постарáюсь влепи́ть пýлю в егó учёный лóб.

часý в деся́том, sometime after nine
расстрóенный, upset, disturbed, *p.p.p.* of расстрóить *prf.*
к себé я ещё успéю, I have plenty of time to get home
я взял и ..., I up and ...
хозя́йство, farming, farm management
спóсоб, method, way
крыть, *imp.* to roof
амбáр, barn
блю́дечко, saucer
зазвенéть *prf. inch.* [звенéть], to resound, ring

дóльше (*comp.* of дóлго), longer
выноси́ть *imp.* [вы́нести], to endure, stand
я не в си́лах, I cannot, I don't have the strength
вы́звать *prf.* [вызывáть], to challenge, call
пусть, let
застрели́ть, *prf.* to shoot, kill
ли́бо, or
влепи́ть *prf.*, (*colloq.*) to lodge, put
пýля, bullet
учёный, learned, erudite

— Что́ ты, что́ ты, поми́луй! — пробормота́л Лежнёв: — ка́к мо́жно та́к крича́ть? я чубу́к урони́л... Что́
с тобо́й?

— А то́, что я слы́шать равноду́шно и́мени его́ не
могу́: вся́ кро́вь у меня́ так и кипи́т.

— По́лно, брат, по́лно! ка́к тебе́ не сты́дно! — воз-
рази́л Лежнёв, поднима́я с по́лу тру́бку. — Брось! Ну́
его́!...

— О́н меня́ оскорби́л, — продолжа́л Волы́нцев, рас-
ха́живая по ко́мнате. — Да́! о́н оскорби́л меня́. Ты са́м
до́лжен с э́тим согласи́ться. Но́ я́ ему́ докажу́, что
шути́ть со мно́й нельзя́... Я́ его́, прокля́того фило́софа,
как куропа́тку застрелю́.

— Мно́го ты э́тим вы́играешь! Я уж о сестре́ твое́й
не говорю́. Изве́стно, ты́ обурева́ем стра́стью... где́
тебе́ о сестре́ ду́мать! Но́ в отноше́нии к друго́й осо́бе,
что́, ты ду́маешь, уби́вши фило́софа, ты дела́ свои́
попра́вишь?

Волы́нцев бро́сился в кре́сло.

— Так уе́ду я куда́-нибудь! А то́ здесь я про́сто
ме́ста себе́ нигде́ найти́ не могу́.

— Уе́дешь... во́т э́то друго́е де́ло! Вот с э́тим я со-
гла́сен. И зна́ешь ли, что́ я тебе́ предлага́ю? Пое́дем-ка
вме́сте — на Кавка́з и́ли так про́сто в Малоро́ссию, га-
лу́шки е́сть. Сла́вное, брат, де́ло!

— Да́; а сестру́-то с ке́м оста́вим?

— А почему́ же Алекса́ндре Па́вловне не пое́хать

что ты, что ты! come now!
чубу́к, chibouk (Turkish pipe
  with a very long stem)
равноду́шно, calmly, indiffer-
  ently
брось! drop it! forget about it!
  imper. of бро́сить *prf.*, to
  throw, drop
ну́ его́! the deuce with him!
куропа́тка, partridge
вы́играть *prf.* [выи́грывать], to
  gain
я уж не говорю́ о ..., I won't
  even mention ...

обурева́ем стра́стью, over-
  whelmed / all worked up / by
  passion
где́ тебе ..., how would you ...
я ме́ста себе́ нигде́ найти́ не
  могу́, I can't settle down to
  anything; I am restless
в отноше́нии (к + *dat.*), with
  respect to; as far as ... goes
уби́вши, by killing, having killed,
  p.adv.p. of уби́ть *prf.*
попра́вить *prf.* [поправля́ть],
  to improve, better
галу́шка, (Ukrainian) dumpling

с нáми? Ей-Бóгу, отлично выйдет. Ухáживать за нéй — уж за э́то я берýсь! Ни в чём недостáтка имéть не бýдет; кóли захóчет, кáждый вéчер серенáду под окнóм устрóю; ямщикóв одеколóном надушý, цветы́ по дорóгам натыкáю. А уж мы, брат, с тобóй прóсто переродимся; тáк наслаждáться бýдем; и никакáя любóвь нас ужé не проймёт!

— Ты всё шýтишь, Миша!

— Вóвсе не шучý. Э́то тебé блестя́щая мы́сль в гóлову пришлá.

— Нéт! вздóр! — вскрикнул опя́ть Волы́нцев: — я дрáться, дрáться с ним хочý!...

— Опя́ть!

Человéк вошёл с письмóм в рукé.

— От когó? — спросил Лежнёв.

— От Рýдина, Дмитрия Николáевича. Ласýнских человéк привёз.

— От Рýдина? — повторил Волы́нцев: — комý?

— Вáм-с.

— Мнé?... подáй.

Волы́нцев схватил письмó, бы́стро распечáтал егó, стал читáть. Лежнёв внимáтельно гляде́л на негó: стрáнное, почти рáдостное изумлéние изображáлось на лицé Волы́нцева; óн опустил рýки.

— Что такóе? — спросил Лежнёв.

— Прочти, — проговорил Волы́нцев вполгóлоса и протянýл емý письмó.

Лежнёв нáчал читáть. Вóт что писáл Рýдин:

«Милостивый госудáрь, Сергéй Пáвлович!

отличнo выйдет, it would work out / be / wonderful
брáться *imp.* [взя́ться] (за + *acc.*), to take upon oneself
недостáток, lack
ямщик (*obs.*), coachman
надушить *prf.* [душить], to perfume
натыкáть *prf.*[натыкáть], to stick
переродиться *prf.*[перерождáться], to regenerate, be reborn

никакóй, no ... whatever
проня́ть *prf.* [пронимáть], to affect; move
дрáться *imp.* [по-], to fight
распечáтать *prf.* [распечáтывать], to unseal
изображáться *imp.*[изобразиться], to be pictured
Милостивый госудáрь, my dear sir

«Я́ сегóдня уезжáю из дóма Дáрьи Михáйловны, и уезжáю навсегдá. Э́то вас, вероя́тно, удиви́т, осóбенно пóсле тогó, чтó произошлó вчерá. Я́ не могý объясни́ть вам, чтó и́менно заставля́ет меня́ поступи́ть тáк; нó мнé почемý-то кáжется, что я дóлжен извести́ть вáс о моём отъéзде. Вы меня́ не лю́бите, и дáже считáете меня́ за дурнóго человéка. Я́ не намéрен оправдываться: меня́ оправдáет врéмя. По-мóему, и недостóйно мужчи́ны и бесполéзно докáзывать предубеждённому человéку несправедли́вость егó предубеждéний. Ктó захóчет меня́ поня́ть, тóт извини́т меня́, а ктó поня́ть не хóчет и́ли не мóжет — обвинéния тогó меня́ не трóгают. Я́ ошибся в вáс. В глазáх мои́х вы́ попрéжнему остаётесь благорóдным и чéстным человéком; нó я полагáл, вы сумéете стать вы́ше тóй среды́, в котóрой разви́лись... Я́ ошибся. Чтó дéлать?! Не в пéрвый и не в послéдний рáз. Повторя́ю вам: я́ уезжáю. Желáю вам счáстия. Согласи́тесь, что э́то желáние совершéнно бескоры́стно, и надéюсь, что вы тепéрь бýдете счáстливы. Мóжет бы́ть, вы со врéменем измéните своё мнéние обо мнé. Уви́димся ли мы когдá-нибудь, не знáю, нó, во вся́ком слýчае, остаю́сь и́скренно вас уважáющий — Д. Р.»

«P. S. Дóлжные мнóю вáм двéсти рублéй я вы́шлю, как тóлько приéду к себé в дерéвню, в Т...ую губéрнию. Тáкже прошý вас не говори́ть при Дáрье Михáйловне об э́том письмé.

«P. P. S. Ещё однá послéдняя, но вáжная прóсьба: тáк как я тепéрь уезжáю, тó, я надéюсь, вы не бýдете упоминáть перед Натáльей Алексéевной о моём посещéнии...»

отъéзд, departure
оправдываться *imp.* [оправдáться], to justify oneself
недостóйно (+ *gen.*), unworthy of
предубеждённый, prejudiced
обвинéние, accusation
ошиби́ться *prf.* [ошибáться], to be mistaken, make a mistake
средá, environment, milieu
разви́ться *prf.* [развивáться], to develop, grow (up)

согласи́тесь, you will agree, *imper.* of согласи́ться *prf.*
бескоры́стно, disinterested
и́скренно, sincere(ly)
во вся́ком слýчае, in any case
я остаю́сь, I remain
уважáющий, respectfully (*lit.*, respecting, *pr.a.p.* of уважáть *imp.*, to respect)
дóлжный, due
упоминáть *imp.* [упомянýть], to mention

— Ну́, что́ ты ска́жешь? — спроси́л Волы́нцев, как то́лько Лежнёв око́нчил письмо́.

— Что́ тут сказа́ть! — Óн уезжа́ет... Ну́! доро́га ска́тертью. Нó вот что любопы́тно: ведь и э́то письмо́ óн счёл за *долг* написа́ть, и явля́лся он к тебе́ по чу́вству до́лга... У э́тих госпо́д на ка́ждом шагу́ долг, и всё до́лг — да долги́[59], — приба́вил Лежнёв, с усме́шкой ука́зывая на post-scriptum.

— А каки́е óн фра́зы употребля́ет! — воскли́кнул Волы́нцев. — Óн оши́бся во мне́: óн ожида́л, что я́ ста́ну вы́ше како́й-то среды́... Что́ за ахине́я, Го́споди! ху́же стихо́в!

Лежнёв ничего́ не отве́тил; одни́ глаза́ его́ улыбну́лись. Волы́нцев вста́л.

— Я хочу́ съе́здить к Да́рье Миха́йловне, — промо́лвил он: — я хочу́ узна́ть, что́ всё э́то зна́чит...

— Погоди́, брат: да́й ему́ убра́ться. К чему́ тебе́ опя́ть с ни́м ста́лкиваться? Ведь óн исчеза́ет — чего́ тебе́ ещё? Лу́чше поди́-ка ля́г да усни́; ведь ты́, чай, всю но́чь с бо́ку на́ бок провора́чался. А тепе́рь дела́ твои́ поправля́ются...

— Из чего́ ты э́то заключа́ешь?

— Да та́к мне́ ка́жется. Пра́во, усни́; а я пойду́ к твое́й сестре́ — посижу́ с не́й.

— Я во́все спа́ть не хочу́. С како́й ста́ти мне́ спа́ть!...

ска́тертью доро́га! good riddance!
любопы́тно *pred.*, curious, amusing
по чу́вству до́лга, from a sense of duty
ука́зывая, pointing, *pr.adv.p.* of ука́зать *prf.*
ахине́я (*colloq.*), nonsense
да́й ему́, let him
убра́ться *prf.* [убира́ться), to clear out

ста́лкиваться *imp.* [столкну́ться] (с + *instr.*), to run into
чего́ тебе́ ещё? what more do you want?
чай, (*pop.*) probably, must have
с бо́ку на́ бок, from side to side
провора́чаться *prf.* [воро́чаться], to toss, turn
дела́, affairs
заключа́ть *imp.* [заключи́ть], to draw a conclusion
с како́й ста́ти мне́, why should I!

[59] долг means both duty and debt; the *pl.*, however, долги́ is used only in the meaning debts; thence the untranslatable pun: долг да долги́, literally "duty — and debts."

Я лу́чше пое́ду, поля́ осмотрю́, — сказа́л Волы́нцев, одёргивая по́лы пальто́.

— Во́т э́то хорошо́! Поезжа́й, брат, поезжа́й, осмотри́ поля́ . . .

И Лежнёв отпра́вился к Алекса́ндре Па́вловне. Он заста́л её в гости́ной. Она́ ла́сково его́ приве́тствовала. Она́ всегда́ ра́довалась его́ прихо́ду; но́ лицо́ её оста́лось печа́льно. Её беспоко́ило вчера́шнее посеще́ние Ру́дина.

— Вы от бра́та? — спроси́ла она́ Лежнёва: — ка́к он сего́дня?

— Ничего́, пое́хал поля́ осма́тривать.

Алекса́ндра Па́вловна помолча́ла.

— Скажи́те, пожа́луйста, — начала́ она́, внима́тельно рассма́тривая кайму́ носово́го платка́: — вы не зна́ете, заче́м . . .

— Приезжа́л Ру́дин? — подхвати́л Лежнёв. — Зна́ю: он приезжа́л прости́ться.

Алекса́ндра Па́вловна подняла́ го́лову.

— Ка́к — прости́ться?

— Да́. Ра́зве вы не слыха́ли? Он уезжа́ет от Да́рьи Миха́йловны.

— Уезжа́ет?

— Навсегда́; по кра́йней ме́ре, о́н та́к говори́т.

— Да поми́луйте, ка́к же э́то поня́ть, по́сле всего́ того́ . . .

— А э́то друго́е де́ло! Поня́ть э́того нельзя́, но оно́ та́к. Должно́ быть, что́-нибудь там у ни́х произошло́. Струну́ сли́шком натяну́л — она́ и ло́пнула.

— Миха́йло Миха́йлыч! — начала́ Алекса́ндра Па́вловна. — Я ничего́ не понима́ю; вы́, мне́ ка́жется, смеётесь надо мно́й . . .

— Да ей-Бо́гу же, не́т . . . Говоря́т ва́м, он уезжа́ет, и да́же пи́сьменно извеща́ет об э́том свои́х знако́мых. Оно́, е́сли хоти́те, с не́которой то́чки зре́ния, неду́рно;

пола́, skirt, flap
ла́сково, affectionately
кайма́, hem
натяну́ть *prf.* [натя́гивать], to pull, stretch

ло́пнуть *prf.* [ло́паться], to break, burst
пи́сьменно, by letter, in writing
неду́рно, not bad

но отъезд его помешал осуществиться одному удивительнейшему предприятию, о котором мы начали было толковать с вашим братом.

— Что такое? какое предприятие?

— А вот какое. Я предлагал вашему брату поехать, для развлечения, путешествовать и взять вас с собой. Ухаживать за вами, брался я...

— Вот прекрасно! — воскликнула Александра Павловна: — воображаю себе, как бы вы за мною ухаживали. Да вы бы меня с голоду уморили.

— Вы это потому так говорите, Александра Павловна, что не знаете меня. Вы думаете, что я чурбан, чурбан совершенный; а известно ли вам, что я способен таять, как сахар, дни простаивать на коленях?

— Вот это бы я, признаюсь, посмотрела!

Лежнёв вдруг поднялся.

— Да выйдите за меня замуж, Александра Павловна, вы всё это и увидите.

Александра Павловна покраснела до ушей.

— Что вы это такое сказали, Михайло Михайлыч? — повторила она с смущением.

— А то я сказал, — ответил Лежнёв: — что уже давным-давно и тысячу раз у меня на языке было. Я проговорился наконец, и вы можете поступить, как знаете. А чтобы не стеснять вас, я теперь выйду. Если вы хотите быть моей женою... Удаляюсь. Если вам не противно, вы только велите меня позвать: я уже пойму...

помешать *prf.* [мешать] (+ *dat.*), to interfere, prevent

осуществиться *prf.* [осуществляться], to be realized, be put into effect

предприятие, enterprise, undertaking

развлечение, diversion, amusement

воображать *imp.* [вообразить], to imagine

уморить *prf.* [морить], to exhaust, kill

голод, hunger, starvation; с голоду уморить, to starve to death *trans.*

чурбан, block, blockhead, booby

таять *imp.* [рас-], to melt, thaw

простаивать *imp.* [простоять], to stand (for quite a while)

проговориться *prf.* [проговариваться], to let out a secret, blab

вам (не) противно, you are (not) adverse

Алекса́ндра Па́вловна хоте́ла бы́ло удержа́ть Лежнёва, но́ о́н прово́рно ушёл, без ша́пки отпра́вился в
са́д, опёрся на кали́тку и на́чал гляде́ть куда́-то.

— Миха́йло Миха́йлыч! — разда́лся за ним го́лос
го́рничной: — ба́рыня вас веле́ли позва́ть.

Миха́йло Миха́йлыч оберну́лся, взя́л го́рничную, к
вели́кому её изумле́нию, обе́ими рука́ми за го́лову, по-
целова́л её в ло́б и пошёл к Алекса́ндре Па́вловне.

XI

Верну́вшись домо́й, тотча́с по́сле встре́чи с Лежнёвым, Ру́дин за́перся в свое́й ко́мнате и написа́л два́
письма́: одно́ — Волы́нцеву (оно́ уже́ изве́стно чита́-
телям) и друго́е — Ната́лье. Он о́чень до́лго сиде́л над
э́тим вторы́м письмо́м, мно́гое в нём перечёркивал и
переде́лывал и, тща́тельно списа́в его́ на то́нком листе́
почто́вой бума́ги, сложи́л его́ как мо́жно ме́льче и по-
ложи́л в карма́н. С гру́стью на лице́ прошёлся он не́-
сколько ра́з взад и вперёд по ко́мнате, сёл на кре́сло
перед окно́м, подпёрся руко́ю; слеза́ ти́хо вы́ступила на
его́ ресни́цы... Он вста́л, застегну́лся на все́ пу́говицы,
позва́л челове́ка и веле́л спроси́ть у Да́рьи Миха́йловны,
мо́жет ли он её ви́деть.

Челове́к ско́ро верну́лся и доложи́л, что Да́рья Ми-
ха́йловна приказа́ла его́ проси́ть. Ру́дин пошёл к не́й.

Она́ приняла́ его́ в кабине́те, как в пе́рвый ра́з, два́
ме́сяца тому́ наза́д. Но тепе́рь она́ не была́ одна́: у не́й
сиде́л Пандале́вский, скро́мный, све́жий, чи́стый и умилённый, как всегда́.

Да́рья Миха́йловна любе́зно встре́тила Ру́дина, и
Ру́дин любе́зно ей поклони́лся, но, при пе́рвом взгля́де

кали́тка, gate
перечёркивать *imp.* [перечер-
  кну́ть], to cross out
переде́лывать *imp.* [переде́лать]
  to change, alter
списа́в, having copied, *p.adv.p.*
  of списа́ть *prf.*

как мо́жно ме́льче (*compr.* of
  ме́лкий), as small as possible
подпере́ться *prf.* [подпира́ться],
  to prop oneself
ресни́ца, eyelash
пу́говица, button
при, at

на улыбáвшиеся лúца обóих, всякий хотя нéсколько óпытный человéк пóнял бы, что мéжду нúми éсли и не выˊсказалось, то произошлó чтó-то нелáдное. Рýдин знáл, что Дáрья Михáйловна на негó сéрдится. Дáрья Михáйловна подозревáла, что емý ужé всё извéстно.

Донесéние Пандалéвского óчень её расстрóило. Свéтская спесь в ней зашевелúлась: Рýдин, бéдный и покá неизвéстный человéк, смéл назнáчить свидáние её дóчери — дóчери Дáрьи Михáйловны Ласýнской!!

— Полóжим, óн умён, óн гéний! — говорúла онá: — да чтó же это докáзывает? Пóсле этого всякий мóжет надéяться быˊть мойм зятем?

— Я дóлго глазáм свойм не вéрил, — подхватúл Пандалéвский. — Как это не знáть своегó мéста, удивляюсь!

Дáрья Михáйловна óчень волновáлась, и Натáлье достáлось от неё.

Онá попросúла Рýдина сéсть. Он сéл, но ужé не как прéжний Рýдин, почтú хозяин в дóме, дáже не как хорóший закóмый, а как гóсть, и не как блúзкий гóсть. Всё это слéлалось в однó мгновéние. Так водá внезáпно превращáется в твёрдый лёд.

— Я пришёл к вам, Дáрья Михáйловна, — нáчал Рýдин: — поблагодарúть вáс за вáше гостеприúмство. Я получúл сегóдня извéстие из моéй деревéньки и дóлжен непремéнно сегóдня же éхать тудá.

Дáрья Михáйловна прúстально посмотрéла на Рýдина.

«Он предупредúл меня; должнó быть, догáдывается,»

хотя нéсколько, only moderately

выˊсказаться *prf.* [выскáзываться], to be put into words, expressed

чтó-то нелáдное, something wrong, bad

донесéние, report

расстрóить *prf.* [расстрáивать], to upset, disturb

спесь *f.*, pride, arrogance

зять *m.*, son-in-law (and brother-in-law)

как это не знáть своегó мéста? how could one not know one's place?

превращáться *itp.* [превратúться] (в + *acc.*), to turn (or, be) transformed into

твёрдый, hard, firm

гостеприúмство, hospitality

сегóдня же, this very day

подумала она. «Он избавляет меня от тягостного объяснения; тем лучше. Да здравствуют умные люди!»

— Неужели? — промолвила она громко. — Ах, как это неприятно! Ну, что делать! Надеюсь увидеть вас нынешней зимой в Москве. Мы сами скоро отсюда едем.

— Я не знаю, Дарья Михайловна, удастся ли мне быть в Москве; но если будут средства, за долг сочту явиться к вам.

«Ага, брат!» подумал в свою очередь Пандалевский. «Давно ли ты здесь распоряжался барином, а теперь вот как пришлось выражаться!»

— Вы, стало быть, неудовлетворительные известия из вашей деревни получили? — произнёс он с обычной расстановкой.

— Да, — сухо возразил Рудин.

— Неурожай, может быть?

— Нет... другое... Поверьте, Дарья Михайловна, — прибавил Рудин: — я никогда не забуду времени, проведённого мною в вашем доме.

— И я, Дмитрий Николаич, всегда с удовольствием буду вспоминать наше знакомство с вами... Когда вы едете?

— Сегодня, после обеда.

— Так скоро!... Ну, желаю вам счастливого пути. Впрочем, если ваши дела не задержат вас, может быть, вы ещё нас застанете здесь.

— Я едва ли успею. Рудин встал. — Извините меня, — прибавил он: — я не могу тотчас выплатить мой долг вам, но как только приеду в деревню...

— Полноте, Дмитрий Николаич! — перебила его Дарья Михайловна: — как вам не стыдно!... Но который-то час? — спросила она.

избавлять *imp.* [избавить], to spare

тягостный, painful, disagreeable

да здравствует! long live!

счесть (*obs.*) *prf.* [считать], to consider, deem (сочту *1st prsn.sing.*)

очередь *f.*, turn

неудовлетворительный, unsatisfactory

неурожай, bad harvest, poor crop

счастливый путь, bon voyage

задержать *prf.* [задерживать], to detain

полноте (*colloq.*), please don't!

Пандалёвский вынул из кармáна жилёта золотые часики с эмáлью и посмотрёл на них, осторóжно налегáя рóзовой щекóй на твёрдый и бёлый воротничóк.

Двá часá и трúдцать три минýты, — промóлвил он.

— Порá одевáться, — замётила Дáрья Михáйловна.

— До свидáнья, Дмúтрий Николáич!

Рýдин встáл. Весь разговóр междý ним и Дáрьей Михáйловной носúл осóбый отпечáток. Актёры тáк репетúруют свой рóли, дипломáты тáк на конферéнциях обмéниваются зарáнее услóвленными фрáзами...

Рýдин вышел. Он тепéрь знáл по óпыту, кáк свéтские люди дáже не бросáют, а прóсто ронáют человéка, стáвшего им ненýжным: как перчáтку пóсле бáла, как не выигравший лотерéйный билéт.

Он нáскоро уложúлся и с нетерпéнием нáчал ожидáть мгновéния отъéзда. Всё в дóме óчень удивúлись, узнáв об его намéрении; дáже люди глядéли на негó с недоумéнием. Басúстов не скрывáл своегó гóря. Натáлья явно избегáла Рýдина. Онá старáлась не встречáться с ним взóрами; однáко он успéл всýнуть ей в рýку своё письмó. За обéдом Дáрья Михáйловна ещё раз повторúла, что надéется увúдеть егó перед отъéздом в Москвý, но Рýдин ничегó не отвечáл ей. Пандалéвский чáще всéх с ним заговáривал. Рýдину не рáз хотéлось брóситься на негó и удáрить егó в цветýщее и румяное лицó. M-lle Boncourt частéнько посмáтривала на Рýдина с лукáвым и стрáнным выражéнием в глазáх: у

эмáль *f.*, enamel
налегáя, leaning, *pr.adv.p.* of налегáть *imp.*
воротничóк *dim.* of воротнúк, collar
отпечáток, imprint
репетúровать *imp.* [про-], to rehearse
услóвленный, agreed upon, *p.p.p* of услóвиться *prf.*
стáвший, who has become, *p.a.p.* of стать *prf.*
выигравший, winning, *p.a.p.* of выиграть *prf.*

лотерéйный *adj.* of лотерéя, lottery
нáскоро, hastily
уложúться *prf.* [уклáдываться], to get packed
явно, openly, obviously
всýнуть *prf.* [всóвывать], to thrust into
удáрить *prf.* [ударять], to slap, hit
цветýщий, blooming, *pr.a.p.* of цвестú *imp.*
румяный, rosy
лукáвый, sly, cunning

ста́рых, о́чень у́мных ляга́вых соба́к мо́жно иногда́ заме́тить тако́е выраже́ние... «Эге́! — каза́лось, говори́ла она́ про себя́: — вот как тебя́!»

Наконе́ц, про́било шесть часо́в, и по́дали таранта́с Ру́дина. Он стал торопли́во проща́ться со все́ми. На душе́ у него́ бы́ло о́чень скве́рно. Не ожида́л он, что так вы́едет из э́того до́ма: его́ как бу́дто выгоня́ли... «Как э́то всё случи́лось! и к чему́ бы́ло спеши́ть? А впро́чем... всё одно́», — вот что ду́мал он, раскла́ниваясь на все сто́роны с принуждённой улы́бкой. В после́дний раз взгляну́л он на Ната́лью, и се́рдце его́ шевельну́лось: глаза́ её бы́ли устремлены́ на него́ с печа́льным, проща́льным упрёком.

Он прово́рно сбежа́л с ле́стницы, вскочи́л в таранта́с. Баси́стов вы́звался проводи́ть его́ до пе́рвой ста́нции и сёл вме́сте с ним.

— По́мните ли вы, — на́чал Ру́дин, как то́лько таранта́с вы́ехал со двора́ на широ́кую доро́гу, обса́женную ёлками: — по́мните вы, что говори́т дон-Кихо́т своему́ оружено́сцу, когда́ выезжа́ет из дворца́ герцоги́ни? «Свобо́да — говори́т он — друг мой Са́нчо, одно́ из са́мых драгоце́нных достоя́ний челове́ка, и сча́стлив тот, кому́ не́бо дарова́ло кусо́к хле́ба, кому́ не ну́жно быть за него́ обя́занным друго́му!» Что дон-Кихо́т чу́вствовал тогда́, — я чу́вствую тепе́рь... Дай Бог и вам, до́брый мой Баси́стов, испыта́ть когда́-нибудь э́то чу́вство!

Баси́стов сти́снул ру́ку Ру́дина, и се́рдце че́стного ю́ноши заби́лось си́льно. До са́мой ста́нции говори́л Ру-

ляга́вая, setter
вот как тебя́! that's what you get!
к чему́, what for
всё одно́, all the same
пода́ть *prf.* [подава́ть], (*here*) to bring to the door
торопли́во, hurriedly
скве́рно, bad(ly); на душе́, у него́ скве́рно, he is sick at heart
проща́льный *adj.* of проща́ние, farewell

вскочи́ть *prf.* [вска́кивать] (в + *acc.*), to jump into
вы́зваться *prf.* [вызыва́ться], to offer (to do something)
обса́женный, lined, bordered, *p.p.p.* of обсади́ть *prf.*
ёлка, fir tree, spruce
оружено́сец, armor bearer
герцоги́ня, duchess
драгоце́нный, precious
дарова́ть *imp.*, to bestow, grant
обя́зан, obliged, indebted

дин о достóинстве человéка, о значéнии и́стинной сво-
бóды, — говори́л горячó, благорóдно и правди́во, — и
когдá наступи́ло мгновéние разлу́ки, Баси́стов не вы́-
держал, брóсился ему́ на шéю и зарыдáл. У самогó
Ру́дина полили́сь слёзы; нó он плáкал не о тóм, что
расставáлся с Баси́стовым: слёзы егó бы́ли самолюби́-
вые слёзы.

Натáлья ушлá к себé и прочлá письмó Ру́дина:

«Любéзная Натáлья Алексéевна, — писáл он éй, —
я реши́л уéхать. Мнé другóго вы́хода нéт. Я́ реши́л
уéхать, покá мнé не сказáли я́сно, чтóбы я удали́лся.
Отъéздом мои́м прекращáются всé недоразумéния; а
сожалéть обо мнé едвá ли ктó-нибудь бу́дет. Чегó же
ждáть?... Всё тáк; нó для чегó же писáть вам?

«Я́ расстаю́сь с вáми, вероя́тно, навсегдá, и остáвить
вам о себé пáмять ещё ху́же тóй, котóрую я заслу́жи-
ваю, бы́ло бы сли́шком гóрько. Вóт для чегó я пишу́
вам. Я́ не хочу́ ни опрáвдываться, ни обвиня́ть когó
бы то ни́ было, крóме самогó себя́: я́ хочу́, по мéре
возмóжности, объясни́ться... Происшéствия послéдних
днéй бы́ли тáк неожи́данны, тáк внезáпны...

«Сегóдняшнее свидáние послу́жит мнé пáмятным
урóком. Дá, вы прáвы: я́ вáс не знáл, а я́ ду́мал, что
знáл вас! В течéние моéй жи́зни я имéл дéло с людьми́
вся́кого рóда, я сближáлся со мнóгими жéнщинами и
дéвушками; нó, встрéтясь с вáми, я́ в пéрвый рáз встрéтился с душóй *совершéнно* чéстной и прямóй. Мнé э́то

достóинство, dignity
правди́во, truthfully
вы́держать *prf.* [вы́дéрживать],
  to bear, hold out
зарыдáть *prf.inch.* [рыдáть], to
  burst out sobbing, sob
самолюби́вые слёзы, tears of
  hurt pride
прекращáться *imp.* [прекра-
  ти́ться], to end, cease
сожалéть *imp.* (о + *loc.*), to feel /
  be sorry / (about), regret
едвá ли, hardly

пáмять *f.*, memory, recollection
когó бы то ни́ было, anyone
опрáвдываться *imp.* [оправ-
  дáться], to justify oneself
обвиня́ть *imp.* [обвини́ть], to
  accuse
по мéре возмóжности, as far as
  possible
происшéствие, event, episode
пáмятный, memorable
течéние, course
имéть дéло (с + *instr.*), to deal
  with

было не в привычку, и я не сумел оценить вас. Я
почувствовал влечение к вам с первого дня нашего знакомства — вы это могли заметить. Я проводил с вами
часы за часами, и я не узнал вас; я едва ли даже старался узнать вас... и я мог вообразить, что полюбил
вас!! За этот грех я теперь наказан.

«Я и прежде любил одну женщину, и она меня любила... Чувство моё к ней было сложно, как и её ко
мне. Истина мне тогда не открылась: я не узнал её 'и
теперь, когда она предстала передо мною... Я её узнал,
наконец, да слишком поздно... Прошедшего не вернёшь... Наши жизни могли бы слиться — и не сольются никогда. Как доказать вам, что я мог бы полюбить вас настоящей любовью — любовью сердца, не
воображения — когда я сам не знаю, способен ли я
на такую любовь!

«Мне природа дала много — я это знаю, и из ложного стыда не стану скромничать перед вами, особенно
теперь, в такие горькие, в такие постыдные для меня
мгновения... Да, природа мне много дала; но я умру,
не сделав ничего достойного сил моих, не оставив за
собою никакого благотворного следа. Всё моё богатство
пропадёт даром; я не увижу плодов от семян своих.
Мне недостаёт... я сам не могу сказать, чего именно
недостаёт мне... Мне недостаёт, вероятно, того, без чего
так же нельзя двигать сердцами людей, как и овладеть
женским сердцем; а господство над одними умами и

не в привычку (*colloq.*), unusual,
  not customary
влечение, attraction
грех, sin
наказан, punished, *pred.p.p.p.*
  of наказать *prf.*
сложно *pred.*, complex, com
  plicated
предстать *prf.* [представать]
  (перед + *instr.*), to appear,
  stand up before
слиться *prf.*[сливаться],to merge
способен *pred.* (на + *acc.*), cap
  able of

стыд, shame, modesty
не стану, I shall not
скромничать *imp.*, to act modest
постыдный, shameful, disrep
  utable
благотворный, beneficial
семя *neut.* (семян *gen.pl.*), seed
двигать *imp.*, to stir, move
как и, as well as
овладеть *prf.* [овладевать] (+
  instr.), to take possession, win
одними *instr. pl.* of один, only,
  alone
господство, domination

непрóчно, и бесполéзно. Стрáнная, почти комическая моя судьбá: я отдаюсь весь, с жáдностью, вполнé — и не могу отдáться. Я кóнчу тéм, что пожéртвую собóй за какóй-нибудь вздóр, в котóрый дáже вéрить не буду... Бóже мóй! В тридцать пять лет всё ещё собирáться чтó-нибудь сдéлать!...

«Я ещё ни перед кéм тáк не выскáзывался — это моя исповедь.

«Нó довóльно обо мнé. Мнé хóчется говорить о вáс, дать вáм нéсколько совéтов: бóльше я ни на чтó не гóден... Вы ещё мóлоды; нó, скóлько бы вы ни жили, слéдуйте всегдá внушéниям вáшего сéрдца, не подчиняйтесь ни своемý, ни чужóму умý. Повéрьте, чéм прóще, чéм теснéе крýг, по котóрому пробегáет жизнь, тéм лýчше; не в тóм дéло, чтобы отыскивать в нéй нóвые стóроны, нó в тóм, чтобы всé перехóды её совершáлись своеврéменно. «Блажéн, ктó смóлоду был мóлод...»[60] Нó я замечáю, что эти совéты отнóсятся горáздо бóлее ко мнé, чéм к вáм.

«Признаюсь вам, Натáлья Алексéевна, мнé óчень тяжелó. Я никогдá не обмáнывал себя в свóйстве тогó чýвства, котóрое я внушáл Дáрье Михáйловне; нó я

непрóчно, flimsy(ly), unsubstan-
  tial(ly)
бесполéзно, useless(ly)
жáдность *f.*, eagerness, greed
в тридцать пять лет, at the age
  of thirty-five
собирáться *imp.* [собрáться],
  intend
исповедь *f.*, confession
гóден *pred.* (на + *acc.*), good for,
  fit for
внушéние, suggestion, prompting
подчиняйтесь (+ *dat.*), submit,
  obey, *imper.* of подчиняться
  imp.
чéм ..., тéм, the (*comp.*) ... the
  (*comp.*)

прóще (*comp.* of простóй), simpler
теснéе (*comp.* of тéсный), tighter,
  closer, (*here*) smaller
пробегáть *imp.* [пробежáть], to
  pass (running)
не в тóм дéло, the point is not
отыскивать *imp.* [отыскáть], to
  search, seek out
сторонá, aspect
перехóд, transition
своеврéменно, in proper / good /
  time
блажен *pred.*, blessed, happy
смóлоду, in one's youth, from
  one's youth
относиться *imp.* [отнестись] (к
  + *dat.*), to apply, refer to
свóйство, nature, character

[60] A line from Pushkin's famous novel in verse *Eugene Onegin* (chap. 8, x).

надеялся, что нашёл хотя временную пристань... Теперь опять придётся таскаться по свету. Что мне заменит ваш разговор, ваше присутствие, ваш внимательный и умный взгляд... Я сам виноват; но согласитесь, что судьба как бы нарочно подсмеялась над нами. Неделю тому назад я сам едва догадывался, что люблю вас. Третьего дня, вечером, в саду, я в первый раз услыхал от вас... но к чему напоминать вам то, что вы тогда сказали, — и вот, уже я уезжаю сегодня, уезжаю с позором, после жестокого объяснения с вами, не унося с собой никакой надежды... И вы ещё не знаете, до какой степени я виноват перед вами... Во мне есть какая-то глупая откровенность, какая-то болтливость... Но к чему говорить об этом! Я уезжаю навсегда».

(Здесь Рудин рассказал было Наталье о своём посещении Волынцева, но подумал и вычеркнул всё это место, а в письме к Волынцеву прибавил второй post-scriptum.)

«Я остаюсь одинок на земле для того, чтобы предаться, как вы сказали мне сегодня утром с жестокой усмешкой, другим, более свойственным мне занятиям. Увы! Если б я мог, действительно, предаться этим занятиям, победить наконец свою лень... Но нет! я останусь тем же неконченным существом, каким был до сих пор... Первое препятствие — и я весь рассыпался: происшествие с вами мне это доказало. Если б я, по крайней мере, принёс мою любовь в жертву моему будущему делу, моему призванию; но я просто испугался ответственности, которая на меня падала, и потому я

пристань *f.*, harbor
подсмеяться *prf.* [подсмеиваться] (над + *instr.*), to make fun of, mock at
к чему, why, what for
унося, carrying away, *pr.adv.p.* of уносить *imp.*
степень *f.*, degree, extent; до какой степени, to what extent
болтливость *f.*, talkativeness, indiscretion
вычеркнуть *prf.* [вычёркивать], to cross out

предаться *prf.* [предаваться] (*book.* + *dat.*), to give oneself to
усмешка, fleeting smile (ironical or bitter)
увы! Alas!
препятствие, obstacle
рассыпаться *imp.* [рассыпаться], to fall apart
принести *prf.* [приносить] в жертву, to offer as a sacrifice
ответственность *f.*, responsibility

недостоин вас. Я не стою того, чтобы вы для меня бросили свою среду... А, впрочем, всё это, может быть, к лучшему. Из этого испытания я, может быть, выйду чище и сильней.

«Желаю вам полного счастия. Прощайте! Иногда вспоминайте обо мне. Надеюсь, что вы ещё услышите обо мне.

Рудин.»

Наталья опустила письмо Рудина к себе на колени и долго сидела неподвижно, устремив глаза на пол. Письмо это, яснее всех возможных доводов, доказало ей, как она была права, когда утром, расставаясь с Рудиным, она невольно воскликнула, что он её не любит! Но от этого ей не было легче. Она сидела не шевелясь; ей казалось, что какие-то тёмные волны без плеска сомкнулись над её головой, и она шла ко дну, застывая и немея. Всякому тяжело первое разочарование; но для души искренней, не желавшей обманывать себя, чуждой легкомыслия и преувеличения, оно почти нестерпимо. Вспомнила Наталья своё детствою когда, бывало, гуляя вечером, она всегда старалась итти по направлению к светлому краю неба, там, где заря горела, а не к тёмному. Темно стояла теперь жизнь перед нею, и спиной она обратилась к свету...

Слёзы показались на глазах Натальи. Не всегда благотворны бывают слёзы. Отрадны и целебны они, когда, долго накипев в груди, потекут они наконец — сперва

недостоин *pred.* (+ *gen.*), unworthy of
испытание, trial, test
довод, argument, proof
волна, wave
плеск, splash
сомкнуться *prf.* [смыкаться], to close (in, up)
дно, bottom; итти ко дну, to sink to the bottom
застывая, growing stiff, *pr.adv.p,* of застывать *imp.*
немея, growing numb, *pr.adv.p.* of неметь *imp.*, to become numb, mute

разочарование, disillusionment, disenchantment
чуждый, alien, innocent of
преувеличение, exaggeration
нестерпимо, unbearabl/e/y, unendurabl/e/y
направление, direction
край, edge
заря, glow (of sunset or dawn)
отраден *pred.*, joyous, comforting
целебен *pred.*, healing
накипев, seething, swelling, *p. adv.p.* of накипеть *prf.*
потечь *prf.* [течь], to flow, pour

с усилием, потом всё легче, всё слаще. Но есть слёзы холодные, скупо льющиеся слёзы: их по капле выдавливает из сердца налёгшее на него горе; они безотрадны и не приносят облегчения. Нужда плачет такими слезами, и тот ещё не был несчастлив, кто не проливал их. Наталья узнала их в этот день.

Прошло часа два. Наталья собралась с духом, встала, вытерла глаза, засветила свечку, сожгла на её пламени письмо Рудина до конца и пепел выкинула за окно. Потом она раскрыла наудачу Пушкина и прочла первые попавшиеся ей строки (она часто загадывала так по нём). Вот что ей вышло:

> Кто чувствовал, того тревожит
> Призрак невозвратимых дней...
> Тому уж нет очарований,
> Того змея воспоминаний,
> Того раскаянье грызёт...[61]

усилие, strain, effort
скупо, sparingly, stingily
льющийся, streaming, *pr.a.p.* of литься *imp.*
капля, drop; по капле, drop by drop
выдавливать *imp.* [выдавить], to press / squeeze / out
налёгший, opressing weighing upon, *p.a.p.* of налечь *prf.*
безотраден *pred.*, cheerless, comfortless
облегчение, relief
собраться с духом, to gather one's spirits, screw up courage
вытереть *prf.* [вытирать], to wipe
засветить *prf.*, to light
сжечь *prf.* [сжигать], to burn *trans.*
выкинуть *prf.* [выкидывать], to throw out
наудачу, at random

первый попавшийся, the first... one happens upon
загадывать *imp.* [загадать], to tell fortune
вот что ей вышло, this is what she got
строка, line
кто чувствовал, he who knows what feeling is
тревожить *imp.* [по-], to trouble, worry; того тревожит, that one is troubled
призрак, ghost (*obs.* accentuation; now, призрак)
невозвратимый, gone forever, irrecoverable *negat.pr.p.p.* of возвратить *prf.*
тому уж нет, there is no longer for him any
очарование, enchantment, illusion
воспоминание, remembrance, recollection
грызть *imp.*, to gnaw

[61] Another quotation from *Eugene Onegin* (chap. 1, xlvi).

Онá постоя́ла, посмотрéла с холóдной улы́бкой на себя́ в зéркало и, сдéлав небольшóе движéние головóй свéрху вни́з, сошлá в гости́ную.

Дáрья Михáйловна, как тóлько её уви́дела, повелá её в кабинéт, посади́ла пóдле себя́, лáсково потрепáла по щекé, а мéжду тéм внимáтельно, почти́ с любопы́тством, загля́дывала ей в глазá. Дáрья Михáйловна чýвствовала тáйное недоумéние: в пéрвый рáз ей пришлó в гóлову, что онá дóчь свою́, в сýщности, не знáет. Услы́шав от Пандалéвского об её свидáнии с Рýдиным, онá не стóлько рассерди́лась, скóлько удиви́лась томý, кáк моглá благоразýмная Натáлья реши́ться на такóй постýпок. Но когдá онá её призвалá к себé и принялáсь брани́ть её — вóвсе не тáк, как бы слéдовало ожидáть от европéйской жéнщины, а довóльно крикли́во и неизя́щно — твёрдые отвéты Натáльи, реши́мость её взóров и движéний смути́ли, дáже испугáли Дáрью Михáйловну.

Внезáпный, тóже не совсéм поня́тный отъéзд Рýдина сня́л большýю тя́жесть с её сéрдца; нó онá ожидáла слёз, истери́ческих припáдков... Нарýжное спокóйствие Натáльи опя́ть её сби́ло с тóлку.

— Ну, чтó, дитя́, — началá Дáрья Михáйловна: — кáк ты сегóдня?

Натáлья посмотрéла на свою́ мáть.

— Ведь óн уéхал... твóй предмéт. Ты не знáешь, отчегó óн тáк скóро собрáлся?

— Мáменька! — заговори́ла Натáлья ти́хим гóло-

как тóлько, as soon as
потрепáть *prf.* [трепáть], to tap, pat
загля́дывать *imp.* [загляну́ть], to peer, glance
недоумéние, perplexity
в сýщности, in actual fact
не стóлько ... скóлько, not so much ... as
призвáть *prf.* [призывáть], to call, summon
как бы слéдовало ожидáть, as one should have expected

довóльно, rather
крикли́во, loud, shrill
неизя́щно, inelegantly
реши́мость *f.*, resoluteness, decisiveness
взóр, glance, gaze
истери́ческий, hysterical
нарýжный, outward, external
сбить *prf.* [сбивáть] с тóлку, to confuse, disconcert
предмéт, (*here*) hero (*lit.*, object)

сом: — даю̀ вам сло́во, что ́если вы ́сами не бу́дете упо-
мина́ть о нём, от меня̀ вы никогда̀ ничего̀ не услы́шите.

— Ста́ло быть, ты сознаёшься, что была̀ винова́та
передо мно́ю?

Ната́лья опусти́ла го́лову и повтори́ла:

— Вы от меня̀ никогда̀ ничего̀ не услы́шите.

— Ну, смотри́ же! — возрази́ла с улы́бкой Да́рья
Миха́йловна. — Я̀ тебе́ ве́рю. А тре́тьего дня̀, по́мнишь
ли ты, ка́к... Ну, не бу́ду. Ко́нчено, решено̀ и похоро́-
нено. Не пра́вда ли? Во́т, я опя́ть тебя̀ узна́ю. Ну, по-
целу́й же меня̀, моя̀ у́мница!...

Ната́лья поднесла̀ ру́ку Да́рьи Миха́йловны к свои́м
губа́м, а Да́рья Миха́йловна поцелова́ла её в наклонён-
ную го́лову.

— Слу́шайся всегда̀ мои́х сове́тов, не забыва́й, что
ты Ласу́нская и моя̀ до́чь, — приба́вила она́: — и ты
бу́дешь сча́стлива. А тепе́рь ступа́й.

Ната́лья вы́шла мо́лча. Да́рья Миха́йловна погляде́ла
ей вслед и поду́мала: «она̀ в меня̀ — то́же бу́дет увле-
ка́ться: mais elle aura moins d'abandon».[62] И Да́рья Ми-
ха́йловна погрузи́лась в воспомина́ния о проше́дшем...
о давно̀ проше́дшем...

Пото́м она̀ позвала̀ m-lle Boncourt и до́лго сиде́ла с
не́й, заперши́сь вдвоём. Отпусти́в её, она̀ позвала̀ Пан-
дале́вского. Ей непреме́нно хоте́лось узна́ть настоя́щую
причи́ну отъе́зда Ру́дина... но Пандале́вский её успо-
ко́ил соверше́нно. Это бы́ло по его́ ча́сти.

На друго́й де́нь Волы́нцев с сестро́ю прие́хал к обе́ду.
Да́рья Миха́йловна была̀ всегда̀ о́чень любе́зна с ним,
а на ́этот ра́з она̀ осо́бенно ла́сково с ним обраща́лась.

ну, смотри́ же! now, mind you!
похорони́ть *prf.* [хорони́ть], to
 bury
наклонённый, bowed, *p.p.p.* of
 наклони́ть *prf.*
слу́шайся, obey, listen, *imper.*
 of слу́шаться *imp.*
в меня́, takes after me, (is) like me

запе́рши́сь, locked in, *p.adv.p.*
 of запере́ться *prf.*
отпусти́в, upon dismissing, *p.adv.
 p.* of отпусти́ть *prf.* to let go
́это бы́ло по его́ ча́сти, it was in
 his line; he was an expert at this
обраща́ться (*imp.* only; c +
 instr.), to treat (somebody)

[62] But she will have less abandon.

Натáлье бы́ло невыноси́мо тяжелó; нó Волы́нцев тáк был почти́телен, тáк рóбко с нéй заговáривал, что онá в душé не моглá не поблагодари́ть егó.

Дéнь прошёл ти́хо, довóльно скýчно, нó всё, разъезжáясь, почýвствовали, что попáли в прéжнюю колею́; а э́то мнóго знáчит, óчень мнóго.

Дá, всé попáли в прéжнюю колею́... всé, крóме Натáльи. Остáвшись наконéц однá, онá с трудóм дотащи́лась до своéй кровáти и, устáлая, разби́тая, упáла лицóм на подýшки. Éй тáк гóрько, и проти́вно, и пóшло казáлось жи́ть, тáк сты́дно ей стáло самóй себя́, своéй любви́, своéй печáли, что в э́то мгновéние онá бы, вероя́тно, согласи́лась умерéть... Мнóго ещё предстоя́ло ей тяжёлых днéй, бессóнных ночéй, томи́тельных волнéний, нó онá былá молодá — жи́знь тóлько что начинáлась для неё, а жи́знь рáно и́ли пóздно возьмёт своé. Какóй бы удáр ни порази́л человéка, óн в тóт же дéнь, мнóго на другóй — извини́те за грýбость выражéния — поéст, и вóт вам ужé пéрвое утешéние...

Натáлья страдáла мучи́тельно, онá страдáла впервы́е... Нó пéрвые страдáния, как пéрвая любóвь, не повторя́ются, — и слáва Бóгу!

невыноси́мо, intolerabl/e/y
почти́телен *pred.*, respectful
рóбко, timidly, shyly
колея́, rut
дотащи́ться *prf.* [дотáскиваться] (до + *gen.*), to drag oneself to
разби́тый, broken, weary, *p.p.p.* of разби́ть *prf.*
проти́вно, distasteful(ly), repulsive(ly)
пóшло, trivial(ly)
печáль *f.*, sorrow, sadness
предстоя́ть *imp.* (*pass with dat.*), to lie before somebody, to be in prospect/ store / for somebody

томи́тельный, tormenting, agonizing
волнéние, anxiety, agitation
взя́ть своё, to assert oneself, take one's due, triumph
порази́ть *prf.* [поражáть], to strike
мнóго, (*here*) at most
на другóй дéнь, the next day, the day after
грýбость *f.*, crudeness, rudeness
утешéние, consolation, comfort
страдáть мучи́тельно, to suffer torture
слáва Бóгу, thank God

XII

Минýло óколо двýх лéт. Настáли пéрвые дни мáя. На балкóне своегó дóма сидéла Алексáндра Пáвловна, нó ужé не Лѝпина, а Лежнёва; онá бóлее гóду как вы́шла зáмуж за Михáйла Михáйлыча. Онá, попрéжнему, былá милá, тóлько пополнéла в послéднее врéмя. Перед балкóном, от котóрого в сáд велѝ ступéни, расхáживала кормѝлица с краснощёким ребёнком на рукáх, в бéлом пальтѝшке и с бéлым помпóном на шля́пе. Алексáндра Пáвловна тó и дéло взгля́дывала на негó. Ребёнок не пищáл, с вáжностью сосáл свóй пáлец и спокóйно посмáтривал кругóм. Достóйный сы́н Михáйла Михáйлыча ужé скáзывался в нём.

Вóзле Алексáндры Пáвловны сидéл на балкóне наш стáрый знакóмый, Пигáсов. Óн замéтно поседéл с тех пóр, как мы расстáлись с ним, сгóрбился, похудéл и шипéл, когдá говорѝл: одѝн перéдний зýб у негó вы́пал; шипéние придавáло ещё бóльше ядовѝтости егó речáм... Озлоблéние не уменьшáлось в нём с годáми, нó острóты егó притупля́лись, и óн чáще прéжнего повторя́лся. Михáйла Михáйлыча нé было дóма; егó ждáли к чáю.

минýть *prf.*, to pass, go by (of time)

настáть *prf.* [наставáть], to come, begin (for time, season or condition)

как, (*here*) since

мил *pred.*, charming

пополнéть *prf.* [полнéть], to grow stouter, to fill out

в послéднее врéмя, lately

расхáживать *imp.*, to walk (back and forth)

кормѝлица, wet nurse

пальтѝшко *dim.* of пальтó, coat

помпóн, pompon

тó и дéло, time and again

пищáть *imp.* [пѝскнуть *inst.*], to whine, peep

сосáть *imp.*, to suck

скáзываться *imp.* [сказáться], to show *intr.*, be manifest

замéтно, noticeabl/e/y

поседéть *prf.* [седéть], to grow grey

сгóрбиться *prf.* [гóрбиться], to stoop

шипéть *imp.*, to hiss

перéдний, front *adj.*

вы́пасть *prf.* [выпадáть], to fall out

шипéние, hiss

ядовѝтость *f.*, venomousness

озлоблéние, bitterness, spite

уменьшáться *imp.* [уменьшѝться], to lessen, decrease

остротá, witticism, sally

притупля́ться *imp.* [притупѝться], to lose one's point, become dull

Cóлнце ужé сéло. Тáм, гдé онó закатúлось, полосá бледнозолóтого, лимóнного цвéта тянýлась вдóль небосклóна; на противополóжной сторонé их бы́ло двé: однá, понúже, голубáя, другáя, вы́ше, крáсно-лилóвая. Лёгкие тýчки тáяли в вышинé. Всё обещáло хорóшую погóду.

Вдрýг Пигáсов засмея́лся.

— Чемý вы, Африкáн Семёныч? — спросúла Алексáндра Пáвловна.

— Да тáк... Вчерá, слы́шу я, одúн мужúк говорúт женé, котóрая разболтáлась: — не скрипú!... Óчень э́то мнé понрáвилось. Не скрипú! Да и в сáмом дéле, о чём мóжет рассуждáть жéнщина? Я, вы знáете, никогдá не говорю́ о присýтствующих. А трéтьего дня́ однá бáрыня как из пистолéта мнé в лóб вы́стрелила, говорúт мнé, что ей не нрáвится моя́ *тендéнция*! Тендéнция! Ну, не лýчше ли бы́ло и для неё и для всéх, éсли б каки́м-нибýдь благодéтельным распоряжéнием прирóды онá лиши́лась вдрýг употреблéния языкá?

— А вы всё такóй же, Африкáн Семёныч: всё нападáете на нас, бéдных... Знáете ли, ведь э́то в своём рóде несчáстье, прáво. Я́ вас жалéю.

— Несчáстье? Чтó вы э́то извóлите говорúть! Во-пéрвых, по-мóему, на свéте тóлько три несчáстья и éсть: жи́ть зимóй в холóдной квартúре, лéтом носúть ýзкие сапогú да ночевáть в кóмнате, гдé пищúт ребёнок; а во-вторы́х, поми́луйте, я сáмый сми́рный стал тепéрь человéк.

закатúться *prf.* [закáтываться], to set (sun), go down
полосá, stripe, streak
противополóжный, opposite
понúже, a little lower
голубóй, light blue
крáсно-лилóвый, (reddish) purple
тáять *imp.* [рас-], to melt
разболтáться *prf.*, to get chatty
чемý вы смеётесь? what are you laughing at?

да тáк, just because, for no particular reason
не скрипú, don't creak! *imper.* of скрипéть *imp.*
в сáмом дéле, indeed
присýтствующие, those present, *pr.a.p.* of присýтствовать *imp.*
вы́стрелить *prf.* [стреля́ть], to fire, shoot
употреблéние, use, usage
ýзкий, tight
сми́рный, peaceable, tame

— Хорошо́ вы веде́те себя́, не́чего сказа́ть! Не да́льше, как вчера́, Еле́на Анто́новна мне́ на ва́с жа́ловалась.

— Во́т как-с! А что́ она́ вам тако́е говори́ла, позво́льте узна́ть!

— Она́ говори́ла мне́, что вы́ в тече́ние це́лого утра́ на все́ её вопро́сы то́лько отвеча́ли, «чего́-с? чего́-с?» да ещё таки́м пискли́вым голоско́м.

Пига́сов засмея́лся.

— А ведь хоро́шая э́то была́ мы́сль, согласи́тесь, Алекса́ндра Па́вловна... а?

— Удиви́тельная! Ра́зве мо́жно бы́ть та́к с же́нщиной неве́жливым, Африка́н Семё́ныч?

— Ка́к? Еле́на Анто́новна, по-ва́шему, же́нщина?

— Что́ же она́, по-ва́шему?

— Бараба́н, поми́луйте, обыкнове́нный бараба́н, во́т, по кото́рому бью́т па́лками...

— А́х, да́! — переби́ла Алекса́ндра Па́вловна, жела́я перемени́ть разгово́р: — ва́с, говоря́т, поздра́вить мо́жно?

— С че́м?

— С оконча́нием тя́жбы. Гли́новские луга́ оста́лись за ва́ми...

— Да́, за мно́ю, — мра́чно возрази́л Пига́сов.

— Вы сто́лько ле́т э́того добива́лись, а тепе́рь сло́вно недово́льны.

— Скажу́ вам, Алекса́ндра Па́вловна, — ме́дленно проговори́л Пига́сов: — ничего́ не мо́жет бы́ть ху́же и оби́днее сли́шком по́здно прише́дшего сча́стья. Удово́льствия оно́ всё-таки вам доста́вить не мо́жет, а зато́ лиша́ет вас пра́ва, драгоце́ннейшего пра́ва — брани́ться и проклина́ть судьбу́. Да́, суда́рыня, го́рькая и оби́дная шту́ка — по́зднее сча́стие.

не́чего сказа́ть! yes, indeed! I declare! (*lit.,* there is nothing one could say)
во́т-как! is that so!
чего́-с? (*pop.*), what's that?
да ещё, and what is more
пискли́вый, squeaky
неве́жливый, impolite
бараба́н, drum

тя́жба, law suit, litigation
оста́ться *prf.* [остава́ться] (за + *instr.*), to become or remain someone's possession
мра́чно, gloom/il/y
оби́днее (*comp.* of оби́дно), more vexing
проклина́ть *imp.* [прокля́сть], to curse, damn

Алексáндра Пáвловна тóлько плечáми пожáла.

— Нянюшка, — началá онá: — я дýмаю, Мише порá спáть лéчь. Подáй егó сюдá.

И Алексáндра Пáвловна занялáсь своим сыном, а Пигáсов отошёл, ворчá, на другóй ýгол балкóна.

Вдрýг невдалекé, по дорóге, идýщей вдóль сáда, показáлся Михáйло Михáйлыч на своих беговых дрóжках. Перед лóшадью егó бежáли двé огрóмные дворóвые собáки: однá жёлтая, другáя сéрая. Они беспрестáнно грызлись и жили в неразлýчной дрýжбе. Им навстрéчу вышла из ворóт стáрая шáвка, раскрыла рóт, кáк бы собирáясь залáять, а кóнчила тéм, что зевнýла и отпрáвилась назáд, дружелюбно повиливая хвостóм.

— Глядь-ка, Сáша, — закричáл Лежнёв издали своéй женé: — когó я к тебé везý ...

Алексáндра Пáвловна не срáзу узнáла человéка, сидéвшего за спинóй её мýжа.

— А́! г. Басистов! — воскликнула онá наконéц.

— Óн, óн, — отвечáл Лежнёв: — и какие хорóшие **вéсти привёз. Вóт, погоди, сейчáс узнáешь.**

И óн въéхал на двóр.

Нéсколько мгновéний спустя óн с Басистовым явился на балкóне.

— Урá! — воскликнул он и обнял женý. — Серёжа женится!

— На кóм? — с волнéнием спросила Алексáндра Пáвловна.

— Разумéется, на Натáлье ... Вóт, приятель привёз э́то извéстие из Москвы, и письмó тебé éсть ... Слышишь, Мишýк? — прибáвил он, схватив сына нá руки: — дядя твóй женится! ...

— Они спáть хотят, — замéтила няня.

нянюшка (*affect.* of няня), nurse
ворчá, grumbling, *pr.adv.p.* of ворчáть *imp.*
дворóвая собáка, yard dog
грызться *imp.*, to squabble, fight (from грызть, gnaw)
неразлýчный, inseparable
шáвка, shaggy mongrel

собирáясь, preparing, getting ready, *pr.adv.p.* of собирáться *imp.*
залáять *prf. inch.* [лáять], to bark
повиливая, wagging, *pr.adv.p.* of повиливать *imp.*
вéсть *f.*, news

— Да-с, — промолвил Басистов, подойдя́ к Александре Павловне: — я сегодня приехал из Москвы́, по поручению Дарьи Михайловны — счета по имению проверить. А вот и письмо.

Александра Павловна поспешно распечатала письмо своего брата. Оно состояло из нескольких строк. В первом порыве радости он сообщал сестре, что сделал предложение Наталье, получил её согласие и согласие Дарьи Михайловны. Он обещал написать больше с первой почтой и всех обнимал и целовал. Видно было, что он писал в каком-то чаду́.

Подали чай, усадили Басистова. Расспросы посы́пались на него градом. Всех, даже Пигасова, обрадовало известие, привезённое им.

— Ах, как я рада за брата!... — воскликнула Александра Павловна: — И Наталья весела, счастлива?

— Да. Она спокойна, как всегда — вы ведь её знаете — но, кажется, довольна.

Вечер прошёл в приятных и оживлённых разговорах. Сели за ужин.

— Да, кстати, — спросил Лежнёв у Басистова, наливая ему лафиту: — вы знаете, где Рудин?

— Теперь наверное не знаю. Он приезжал прошлой зимой в Москву на короткое время, потом отправился с одним семейством в Симбирск[63]; мы с ним некоторое время переписывались: в последнем письме своём он извещал меня, что уезжает из Симбирска — не сказал куда — и вот с тех пор я ничего о нём не слышу.

по поручению, on a commission
счета (*pl.* of счёт), accounts
проверить *prf.* [проверять], to check
состоять *imp.* (из + *gen.*), to consist
порыв, transport, gust
сделать предложение, to propose
в чаду́, in a daze, dazed (чад, fumes)

расспросы, questions
посыпаться *prf.inch.* [сыпаться], to pour *intr.*
градом (*instr.* of град hail), in a deluge
оживлённый, lively, animated
доволен *pred.*, contented
лафит, Lafitte (brand of claret)
наверное, for sure, for certain
переписываться *imp.* (с + *instr*), to correspond

[63] Simbirsk, a city in the Urals.

— Не пропадёт! — подхватил Пигáсов. — Гдé-нибудь сидит да проповéдует. Этот господин всегдá найдёт себé двух или трёх поклóнников, котóрые бýдут егó слýшать, разиня рóт, и давáть емý взаймы дéньги. Посмóтрите, он кóнчит тéм, что умрёт гдé-нибудь в Царевококшáйске или в Чухломé[64] — на рукáх престарéлой дéвы в парикé, котóрая бýдет дýмать о нём, как о гениáльнейшем человéке в мире...

— Вы óчень рéзко о нём отзывáетесь, — замéтил вполгóлоса и с неудовóльствием Басистов.

— Ничýть не рéзко! — возразил Пигáсов: — а совершéнно справедливо. По моемý мнéнию, он, прóсто, не что инóе, как лизоблюд. Я забыл вам сказáть, — продолжáл он, обращáясь к Лежнёву: — ведь я познакóмился с этим Терлáховым, с котóрым Рýдин за границу éздил. Кáк же! кáк же! Чтó óн мнé расскáзывал о нём, вы себé предстáвить не мóжете — умóра прóсто! Замечáтельно, что всé друзья́ и послéдователи Рýдина со врéменем станóвятся егó врагáми.

— Прошý меня исключить из числá такиx друзéй! — с жáром перебил Басистов.

— Ну, вы — другóе дéло! О вáс и рéчи нéт.

— А что такóе вам расскáзывал Терлáхов? — спросила Алексáндра Пáвловна.

— Да мнóгое расскáзывал: всегó не запóмнишь. Нó сáмый лýчший вóт какóй случился с Рýдиным анекдóт. Беспрерывно развивáясь да развивáясь (эти господá всё

не пропадёт! he'll be all right!
проповéдовать *imp.*, to preach
поклóнник, admirer
разиня рóт, with gaping mouth
давáть *imp.* [дать] взаймы, to lend
престарéлый, aging
парик, wig
гениáльнейший, of great genius (*sup.* of гениáльный)
ничýть не, not a bit, not at all
справедливо, just(ly)

не что инóе, как, nothing but
лизоблюд, sponger, parasite
кáк же! why, of course! surely!
послéдователь *m.*, follower
умóра! (*colloq.*), it's killing!
о... и рéчи нет, there is no question of ...
беспрерывно, uninterruptedly
развивáясь, developing, improving, *pr.adv.p.* of развивáться *imp.*

[64] Small towns in Russia, used as synonyms of provinciality; cf. Podunk.

развиваются; другие, например, просто спят, или едят, — а они находятся в моменте развития спанья или еды; не так ли, г-н Басистов? — Басистов ничего не ответил)... Итак, развиваясь постоянно, Рудин дошёл, путём философии, до того умозаключения, что ему нужно влюбиться. Начал он отыскивать предмет, достойный такого удивительного умозаключения. Фортуна ему улыбнулась. Познакомился он с одной француженкой, прехорошенькой модисткой. Дело происходило в одном немецком городе, на Рейне, заметьте. Начал он ходить к ней, носить ей разные книги, говорить ей о природе и Гегеле. Можете себе представить положение модистки? она принимала его за астронома. Однако, вы знаете, малый он из себя ничего; ну — иностранец, русский — понравился. Вот, наконец, назначает он свидание, и очень поэтическое свидание: в лодке на реке. Француженка согласилась, приоделась получше и поехала с ним в лодке. Так они катались часа два. Чём же, вы думаете, занимался он всё это время? Гладил француженку по голове, задумчиво глядел в небо и несколько раз повторил, что чувствует к ней отеческую нежность. Француженка вернулась домой взбешённая, и сама потом всё рассказала Терлахову. Вот он какой господин!

И Пигасов засмеялся.

— Вы старый циник! — заметила с досадой Александра Павловна: — а я более и более убеждаюсь в том, что про Рудина даже те, которые его бранят, ничего дурного сказать не могут.

умозаключение, deduction, conclusion
запомнить *prf.* [запоминать], to memorize, remember
модистка, milliner, modiste
происходить *imp.* [произойти], to take place, happen
немецкий, German *adj.*
Рейн, Rhine
принимать *imp.* [принять] за (+ *acc.*), to take for, mistake for

астроном, astronomer
из себя ничего (*pop.*), not bad-looking
приодеться *prf.*, to dress up
кататься *imp.*, to go for a ride
гладить *imp.* [по-], to stroke
задумчиво, pensively
отеческий, paternal
нежность *f.*, tenderness, affection
взбешённый, enraged, infuriated, *p.p.p.* of взбесить *prf.*

— Ничего́ дурно́го? Поми́луйте! а его́ ве́чное житьё на чужо́й счёт, его́ за́ймы... Миха́йло Миха́йлыч? ведь о́н и у вас, наве́рное, занима́л?

— Послу́шайте, Африка́н Семёныч! — на́чал Лежнёв, и лицо́ его́ при́няло серьёзное выраже́ние: — послу́шайте: вы зна́ете, и жена́ моя́ зна́ет, что я́ в после́днее вре́мя осо́бенного расположе́ния к Ру́дину не чу́вствовал и да́же ча́сто осужда́л его́. Со всём те́м (Лежнёв разли́л шампа́нское по бока́лам), во́т что́ я́ ва́м предлага́ю: мы сейча́с пи́ли за здоро́вье дорого́го на́шего бра́та и его́ неве́сты; я́ предлага́ю вам вы́пить тепе́рь за здоро́вье Дми́трия Ру́дина!

Алекса́ндра Па́вловна и Пига́сов с изумле́нием посмотре́ли на Лежнёва, а Баси́стов покрасне́л от ра́дости.

— Я́ зна́ю его́ хорошо́, — продолжа́л Лежнёв: — недоста́тки его́ мне́ хорошо́ изве́стны. Они́ тем бо́лее выступа́ют нару́жу, что са́м он не ме́лкий челове́к.

— Ру́дин — гениа́льная нату́ра! — подхвати́л Баси́стов.

— Гениа́льность в нём, пожа́луй, е́сть, — возрази́л Лежнёв: — а нату́ра... В то́м-то вся́ его́ беда́, что нату́ры-то со́бственно в нём не́т... Но́ не в э́том де́ло. Я́ хочу́ говори́ть о то́м, что́ в нём е́сть хоро́шего, ре́дкого. В нём е́сть энтузиа́зм; а э́то, пове́рьте мне́, флегмати́ческому челове́ку, са́мое драгоце́нное ка́чество в на́ше вре́мя. Мы все́ ста́ли невыноси́мо рассуди́тельны, равноду́шны и вя́лы; мы засну́ли, мы засты́ли, и спаси́бо тому́, кто хоть

заём (за́ймы *pl.*), borrowing, loan
осужда́ть *imp.* [осуди́ть], to condemn, censure, blame
со всём те́м, for all that, and yet
бока́л, glass, goblet
за здоро́вье, to the health of
неве́ста, bride-to-be, fiancée
те́м бо́лее, (all) the more
выступа́ть *imp.* [вы́ступить] наружу, to be apparent / salient
гениа́льный, of genius, inspired
нату́ра, personality
гениа́льность *f.*, genius, inspiration

ре́дкий, rare, uncommon
ка́чество, quality
рассуди́телен *pred.*, reasonable, sober-minded
равноду́шен *pred.*, indifferent
вя́л *pred.*, inert, sluggish
засну́ть *prf.* [засыпа́ть], to fall asleep
засты́ть *prf.* [застыва́ть], to become stiff with cold; congeal
хоть на миг, even if only for one moment

на ми́г нас расшевели́т и согре́ет! Пора́! По́мнишь, Са́-
ша, я ра́з говори́л с тобо́й о нём и упрека́л его́ в хо́лод-
ности. Я́ был и пра́в, и не пра́в тогда́. О́н не актёр, как
я называ́л его́, не плу́т; о́н живёт на чужо́й счёт не как
проны́ра, а как ребёнок... Да́, о́н, действи́тельно,
умрёт где́-нибудь в нищете́ и в бе́дности; но́ неуже́ли ж и
за э́то бро́сить в него́ ка́мнем? О́н не сде́лает са́м ничего́
и́менно потому́, что в нём нату́ры, кро́ви не́т; но́ кто́
впра́ве сказа́ть, что о́н не принесёт, не принёс уже́
по́льзы? что его́ слова́ не зарони́ли мно́го до́брых семя́н
в молоды́е ду́ши, кото́рым приро́да не отказа́ла, как
ему́, в си́ле де́ятельности, в уме́нии исполня́ть со́бствен-
ные за́мыслы? Да я́ са́м, я пе́рвый, всё э́то испыта́л на
себе́... Са́ша зна́ет, че́м бы́л для меня́ в мо́лодости Ру́-
дин. Я́, по́мнится, та́к же утвержда́л, что слова́ Ру́дина
не мо́гут де́йствовать на люде́й; но́ я говори́л тогда́ о
лю́дях, подо́бных мне́, в тепе́решние мои́ го́ды, о лю́дях
уже́ пожи́вших и поло́манных жи́знью. Оди́н фальши́-
вый зву́к в ре́чи — и вся́ её гармо́ния для нас исче́зла;
а в молодо́м челове́ке, к сча́стью, слу́х ещё не та́к
ра́звит, не та́к избало́ван. Е́сли су́щность того́, что́ он
слы́шит, ему́ ка́жется прекра́сной, что ему́ за де́ло до
то́на! То́н он са́м в себе́ найдёт.

— Бра́во! бра́во! — воскли́кнул Баси́стов: — ка́к э́то
справедли́во ска́зано! А что́ каса́ется до влия́ния Ру́-

расшевели́ть *prf.* [расшеве́ли-
вать], to stir up
пора́, it is (high) time
проны́ра, sneak, sharper
нищета́, poverty, destitution
ка́мень *m.* (ка́мнем *instr.*), stone
принести́ *prf.* [приноси́ть]
по́льзу, to do good
зарони́ть се́мя *neut.* (*fig.*), to
sow seed
уме́ние, ability, skill
исполня́ть *imp.* [испо́лнить], to
carry out, fulfill
за́мысел, project, plan
по́мнится (*impers.*), (I) remember, recall

пожи́вший, who has seen life,
p.a.p. of пожи́ть *prf.*, to live
for some time
поло́манный, broken, *p.p.p.* of
полома́ть *prf.*
фальши́вый, false, insincere
звук, sound
слух, ear, hearing
ра́звит, developed, *pred.p.p.p.* of
разви́ть *prf.*
избало́ван, spoiled, pampered,
pred.p.p. of избалова́ть
prf.
что́ ему́ за де́ло, what does he
care

дина, кляну́сь вам, э́тот челове́к не то́лько уме́л потря-
сти́ тебя́, о́н с ме́ста тебя́ сдвига́л, о́н не дава́л тебе́
остана́вливаться, о́н до основа́ния перевора́чивал, зажи-
га́л тебя́!

— Вы слы́шите? — продолжа́л Лежнёв, обраща́ясь к
Пига́сову: — како́го вам ещё доказа́тельства ну́жно? Вы
напада́ете на филосо́фию; говоря́ о не́й, вы не нахо́дите
доста́точно презри́тельных сло́в. Я́ са́м её не сли́шком
люблю́ и пло́хо её понима́ю; но́ не от филосо́фии на́ши
гла́вные невзго́ды! Филосо́фские хитросплете́ния и бре́дни
никогда́ не привью́тся к ру́сскому: на э́то у него́ сли́ш-
ком мно́го здра́вого смы́сла; но́ нельзя́ же допусти́ть,
что́бы под и́менем филосо́фии напада́ли на вся́кое че́стное
стремле́ние к и́стине и к созна́нию. Несча́стье Ру́дина
состои́т в то́м, что о́н Росси́и не зна́ет, и э́то, то́чно,
большо́е несча́стье. Росси́я без ка́ждого из на́с обойти́сь
мо́жет, но́ никто́ из на́с без неё не мо́жет обойти́сь.
Го́ре тому́, кто́ э́то ду́мает, двойно́е го́ре тому́, кто́
действи́тельно без неё обхо́дится! Космополити́зм —
чепуха́, космополи́т — ну́ль, ху́же нуля́; вне́ наро́д-
ности ни худо́жества, ни и́стины, ни жи́зни, ничего́ не́т.
Но, опя́ть-таки скажу́, э́то не вина́ Ру́дина: э́то его́ судьба́.
судьба́ го́рькая и тяжёлая, за кото́рую мы́-то уж вини́ть
его́ не ста́нем. Нас бы о́чень далеко́, завело́, е́сли бы

перевора́чивать *imp.* [перевер-
ну́ть], to turn over, turn up-
side down
зажига́ть *imp.* [зажéчь], to set
on fire
доказа́тельство, proof, evidence
презри́тельный, contemptuous,
scornful
невзго́да, misfortune, adver-
sity
хитросплете́ние, circumvolution
intricacy
бре́дни (no *sing.*), ravings, fantasies
привя́ться *prf.* [привива́ться],
to graft upon *intr.*, take
root

допусти́ть *prf.* [допуска́ть], to
admit, allow
созна́ние, knowledge, consciousness
го́ре тому́, кто . . ., woe to him
who . . .
чепуха́, nonsense, rubbish
ну́ль (or ноль), zero, nothing,
cipher
вне́, outside
наро́дность *f.*, nativeness, nationality
худо́жество, art
вина́, fault
мы́-то, we at least
завести́ *prf.* [заводи́ть] далеко́,
to take too far

мы хотéли разобрáть, отчегó у нас появля́ются Рýдины. А за тó, что в нём éсть хорóшего, бýдем же емý благодáрны. Это лéгче, чем бы́ть несправедли́вым к немý, а мы бы́ли к немý несправедли́вы. Накáзывать егó не нáше дéло, да и не нýжно: óн сам себя́ наказáл горáздо жестóче, чем заслýживал... И дáй Бóг, чтóбы несчáстье вы́травило из негó всё дурнóе и остáвило в нём однó прекрáсное! Пью́ за здорóвье Рýдина! Пью́ за здорóвье товáрища мои́х лýчших годóв,[65] пью́ за мóлодость, за её надéжды, за её стремлéния, за её довéрчивость и чéстность, за всё тó, от чегó в двáдцать лéт би́лись нáши сердцá, и лýчше чегó мы, всё-таки, ничегó не узнáли и не узнáем в жи́зни... Пью́ за тебя́, золотóе врéмя, пью́ за здорóвье Рýдина!

Всё чóкнулись с Лежнёвым. Баси́стов сгорячá чуть не разби́л своегó стакáна и осуши́л егó рáзом, а Алексáндра Пáвловна пожáла Лежнёву рýку.

— Я, Михáйло Михáйлыч, и не подозревáл, что вы тáк красноречи́вы, — замéтил Пигáсов: — врóде самогó г. Рýдина; дáже меня́ проня́ло.

— Я вóвсе не красноречи́в, — возрази́л Лежнёв не без досáды: — а вáс, я дýмаю, проня́ть мудренó. Впрóчем, довóльно о Рýдине; давáйте говори́ть о чём-нибудь другóм... Что... как бишь[66] егó?... Пандалéвский

накáзывать *imp.* [наказáть], to punish
жестóче (*comp.* of жестóко), more cruel(ly)
вы́травить *prf.* [вытравля́ть], to eradicate
довéрчивость *f.*, trustfulness
чóкнуться *prf.* [чóкаться], to touch / clink / glasses

сгорячá, in one's fervor, in the excitement
разби́ть *prf.* [разбивáть], to break, smash
осуши́ть *prf.* [осушáть], to drain, empty
проня́ть *prf.* [пронимáть], to move, affect
мудренó, difficult, complicated

[65] The *gen. pl.* годóв (instead of лет) is permissible and in some instances required, when plurality is not numerically defined by a cardinal numeral (cf. *gen.* in óколо десяти́ лет).

[66] бишь, *colloq. obs.*, particle expressing effort to recall something which has slipped the mind: "как бишь егó (и́мя)...?" let me see now... what was his name?

всё у Да́рьи Миха́йловны живёт? — приба́вил он, обратя́сь к Баси́стову.

— Ка́к же, всё у неё!

Лежнёв усмехну́лся.

— Во́т э́тот не умрёт в нищете́, за э́то мо́жно поручи́ться.

У́жин ко́нчился. Го́сти разошли́сь. Оста́вшись наедине́ с свои́м му́жем, Алекса́ндра Па́вловна с улы́бкой посмотре́ла ему́ в лицо́.

— Ка́к ты хоро́ш был сего́дня, Ми́ша! — сказа́ла она́, ласка́я его́ руко́ю по лбу́: — ка́к ты умно́ и благоро́дно говори́л! Но созна́йся, что ты немно́го увлёкся в по́льзу Ру́дина, как пре́жде увлека́лся про́тив него́...

— Лежа́чего не бью́т... а я тогда́ боя́лся, как бы о́н тебе́ го́лову не вскружи́л.

— Не́т, — простоду́шно возрази́ла Алекса́ндра Па́вловна: — о́н мне́ каза́лся всегда́ сли́шком учёным, я боя́лась его́ и не зна́ла, что́ говори́ть в его́ прису́тствии. А ведь Пига́сов дово́льно зло́ подсмея́лся над ним сего́дня, созна́йся?

— Пига́сов? — проговори́л Лежнёв. — Я́ оттого́ и́менно и заступи́лся так горячо́ за Ру́дина, что Пига́сов бы́л ту́т. О́н сме́ет называ́ть Ру́дина лизоблю́дом! А по-мо́ему, его́ ро́ль, ро́ль Пига́сова, во́ сто ра́з ху́же. Име́ет незави́симое состоя́ние, надо все́м издева́ется, а уж ка́к лю́бит зна́тных да бога́тых! Зна́ешь ли, что э́тот Пига́сов, кото́рый с таки́м озлобле́нием всё и всех ру-

---

всё живёт у..., is still living at...

поручи́ться *prf.* [руча́ться] (за + *acc.*), to vouch

ласка́я, stroking, caressing, *pr. adv.p.* of ласка́ть *imp.*

созна́йся, admit, confess, *imper.* of созна́ться *prf.*

в по́льзу, in favor of

лежа́чего не бью́т, you don't strike a man when he's down

боя́лся, как бы он не..., was afraid that he might...

простоду́шно, artless(ly), open-hearted(ly)

заступи́ться *prf.* [заступа́ться] (за + *acc.*), to stand up for, intercede

сметь *imp.* [по-], to dare

незави́симый, independent

состоя́ние, fortune, means

издева́ться *imp.* (над + *instr.*), to ridicule, jeer at, mock

озлобле́ние, animosity, bitterness

гáет, и на философию нападáет и на жéнщин, — знáешь
ли ты, что óн, когдá служи́л, брáл взя́тки, и кáк ещё!
— Неужéли? — воскли́кнула Алексáндра Пáвловна.
— Э́того я никáк не ожидáла!... Послýшай, Ми́ша, —
прибáвила онá, помолчáв немнóго: — что я хочý у тебя́
спроси́ть...
— Чтó?
— Кáк ты дýмаешь? бýдет ли брáт счáстлив с Натáльей?
— Кáк тебé сказáть... э́то вполнé вероя́тно... Комáндовать бýдет онá — мéжду нáми тáить э́то нé для
чегó — онá умнéй егó; нó óн слáвный человéк и лю́бит
её от души́. Чегó же бóльше? Ведь вóт, мы друг дрýга
лю́бим и счáстливы, не прáвда ли?
Алексáндра Пáвловна улыбнýлась и сти́снула рýку
Михáйле Михáйлычу.

В тóт сáмый дéнь, когдá всё, рассказáнное нáми,
происходи́ло в дóме Алексáндры Пáвловны, — в однóй
из отдалённых губéрний Росси́и тащи́лась, в сáмый знóй,
по большóй дорóге, плóхенькая киби́тка, запряжённая
трóйкой лошадéй. На облучкé сидéл седóй мужичóк.
Óн подёргивал верёвочными вожжáми и помáхивал кну-
тóм; а в самóй киби́тке сидéл, на тóщем чемодáне, человéк высóкого рóста в фурáжке и стáром запылённом

взя́тка, bribe
и кáк ещё! and how!
вполнé вероя́тно, very / most /
  probably
никáк не, not at all
комáндовать *imp.*, to rule, command, take the lead
тáить *imp.* [у-], to make a
  secret of, conceal
нé для чего, there is no reason
от души́, wholeheartedly
знóй, sultriness, heat
плóхонький, rather poor / shab-
  by
киби́тка, wagon, covered cart

запряжённый, harnessed, *p.p.p.*
  of запрéчь *prf.*
трóйка, a team of three horses
  harnessed abreast
облучóк, coachman's seat
мужичóк *dim. affect.* of мужи́к,
  peasant
подёргивать *imp.* [подёргать],
  to pull, jerk
верёвочный, string *adj.*
помáхивать *imp.* [помахáть], to
  wave
кнут, whip
чемодáн, suitcase, portmanteau

плащё. Тó был Рýдин. Óн сидéл, понýрив гóлову. Не-
рóвные толчкú кибúтки бросáли егó с сторонǔ нá сторону, óн казáлся совершéнно бесчýвственным, слóвно
дремáл. Наконéц, óн вǔпрямился.

— Когдá же э́то мы до стáнции доéдем? — спросúл
он мужикá, сидéвшего на облучкé.

— А вóт, бáтюшка, — заговорúл мужúк и ещё сильнéе задёргал вожжáми: — как на хóлм взберёмся,
верстǔ двé остáнется, не бóле... дýмаю, — прибáвил он тóненьким гóлосом, принимáясь стегáть прáвую
пристяжнýю.

— Ты, кáжется, óчень плóхо éдешь, — замéтил Рýдин: — мы с сáмого утрá тáщимся и никáк доéхать не
мóжем. Ты бы хоть спéл чтó-нибудь.

— Да чтó бýдешь дéлать, бáтюшка! лóшади, вы сáми
вúдите, заморённые... опя́ть жарá. А пéть мы не мóжем: мы не ямщикú...

Измýченные лошадёнки кóе-кáк дотащúлись, наконéц, до почтóвого дворá. Рýдин вǔлез из кибúтки, рас-
платúлся с мужикóм (котóрый емý не поклонúлся и
дéньги дóлго держáл на ладóни — знать, на вóдку мáло
получúл) и сáм внёс чемодáн в станциóнную кóмнату.

Одúн мóй знакóмый, мнóго éздивший на своём векý
по Россúи, сдéлал замечáние, что éсли в станциóнной
кóмнате на стéнах вися́т картúнки, изображáющие сцéны

плащ, cloak
понýрив, drooping, *p.adv.p.* of
  понýрить *prf.*
нерóвный, irregular, uneven
толчóк, jolt
бесчýвственный, insensible, indifferent
дремáть *imp.* [за-, *inch.*], to
  drowse, doze
задёргать *prf. inch.* [дёргать], to
  pull
как (*colloq.*), when
никáк ... не мóжем, we just
  cannot
стегáть *imp.*, to whip
пристяжнáя, side-horse

заморённый, exhausted, *p.p.p.*
  of заморúть *prf.*
опя́ть, then again
измýченный, weary, exhausted,
  p.p.p. of измýчить *prf.*
почтóвый двор, post station
вǔлезти *prf.* [вылезáть], to
  climb out, get out
расплатúться *prf.* [расплáчи-
  ваться], to pay off
знать, (used parenthetically) *pop.*
  apparently, evidently
на вóдку, tip
на своём векý, in one's lifetime
изображáющий, depicting, *pr.
  adv.p.* of изображáть *imp.*

из «Кавка́зского пле́нника»[67] и́ли ру́сских генера́лов, то лошаде́й ско́ро доста́ть мо́жно; но́ е́сли на карти́нках предста́влена жи́знь изве́стного игрока́ Жо́ржа де-Жерма́ни,[68] то́ путеше́ственнику не́чего наде́яться на бы́стрый отъе́зд: успе́ет он налюбова́ться на закру́ченный ко́к, бе́лый жиле́т и чрезвыча́йно у́зкие и коро́ткие панталóны игрока́ в мо́лодости, на его́ исступлённую физионо́мию, когда́ он, бу́дучи уже́ ста́рцем, убива́ет, высоко́ взмахну́в сту́лом, в хи́жине с круто́ю кры́шей своего́ сы́на. В ко́мнате, куда́ вошёл Рýдин, висе́ли и́менно э́ти карти́ны из «Тридцати́ ле́т, и́ли жи́зни игрока́.» На его́ кри́к яви́лся смотри́тель, за́спанный (кста́ти — ви́дел ли кто́-нибудь смотри́теля не за́спанного?) и, не вы́ждав да́же вопро́са Рýдина, вя́лым го́лосом объяви́л, что лошаде́й не́т.

— Ка́к же вы говори́те, что лошаде́й не́т, — промо́лвил Рýдин, — а да́же не зна́ете, куда́ я е́ду?

— У нас никуда́ лошаде́й не́т, — отвеча́л смотри́тель. — А вы куда́ е́дете?

— В ... ск.

— Не́т лошаде́й, — повтори́л смотри́тель и вы́шел во́н.

Рýдин с доса́дой прибли́зился к окну́ и бро́сил фура́жку на сто́л. Он ма́ло измени́лся, но пожелте́л в по-

пле́нник, prisoner, captive
доста́ть *prf.* [достава́ть], to get, obtain
предста́влен, represented, *pred. p.p.p.* of предста́вить *prf.*
игро́к, gambler
путеше́ственник, traveler
налюбова́ться *prf.,* to admire to one's fill
закру́ченный, twirled, curled, *p.p.p.* of закрути́ть *prf.*
ко́к, lock, crest
у́зкий, narrow
панталóны, trousers
исступлённый, frenzied

бу́дучи, being, *pr.adv.p.* of быть
старец, old man
взмахну́в, brandishing, *p.adv.p.* of взмахну́ть *prf.*
хи́жина, hut, hovel
круто́й, steep
кры́ша, roof
крик, shout, scream; на его́ крик, at his call
смотри́тель *m.,* stationmaster
за́спанный, sleepy, not quite awake
вы́йти во́н, to go out
пожелте́ть *prf.* [желте́ть], to grow sallow / yellow

[67] *Prisoner of the Caucasus,* a poem by Pushkin (1821).

[68] Georges de Germanie, a character from a French melodrama, *Thirty Years; or, the Life of a Gambler* (1827), by Victor Ducange.

слéдние двá гóда; серéбряные нѝти заблистáли кóе-гдé в кудря́х, и глазá, всё ещё прекрáсные, как бýдто потускнéли; мéлкие морщѝны, следы́ гóрьких и тревóжных чýвств, леглѝ óколо гýб, на щекáх, на вискáх.

Плáтье на нём бы́ло изнóшенное и стáрое. Порá егó цветéния, вѝдимо, прошлá: óн, как выражáются садóвники, пошёл в сéмя.

Óн принялся́ читáть нáдписи по стéнам... извéстное развлечéние скучáющих путешéственников... вдрýг двéрь заскрипéла, и вошёл смотрѝтель.

— Лошадéй в ...ск нéт, и дóлго ещё не бýдет, — заговорѝл он: — а вóт в ...ов éсть обрáтные.

— В ...ов? — промóлвил Рýдин. — Да помѝлуйте! это мнé совсéм не по дорóге. Я́ éду в Пéнзу, а ...ов лежѝт, кáжется, в направлéнии к Тамбóву.

— Чтó ж? вы из Тамбóва мóжете тогдá проéхать, а не тó из ...ова кáк-нибудь свернёте.

Рýдин подýмал.

— Ну, пожáлуй! — проговорѝл он наконéц. Мнé всё равнó, поéду в Тамбóв.

Лошадéй скóро пóдали. Рýдин вы́нес свóй чемодáнчик, взлéз на телéгу, сéл, понýрился попрéжнему. Бы́ло чтó-то беспóмощное и грýстно-покóрное в егó нагнýтой фигýре... И трóйка поплелáсь неторопли́вой ры́сью, позвя́кивая бубéнчиками.

нить *f.*, thread
кóе-гдé, here and there
потускнéть *prf.* [тускнéть], to grow dull
морщѝна, wrinkle
висóк, temple
изнóшенный, worn, threadbare, *p.p.p.* of износѝть *prf.*
цветéние, flowering
вѝдимо, evidently, apparently
садóвник, gardener
пошёл в сéмя, gone to seed
нáдпись *f.*, inscription

смотрѝтель, station master
не тó, or else
телéга, peasant's cart
понýриться *prf.*, to hang one's head
беспóмощный, helpless
покóрный, submissive
нагнýтый, bent
поплестѝсь *prf.* [плестѝсь], to drag along
позвя́кивая, jingling, *pr.adv.p.* of позвя́кивать *imp.*
бубéнчик, small bell

ЭПИЛОГ

Прошло́ ещё не́сколько ле́т.

Бы́л осе́нний холо́дный де́нь. К крыльцу́ гла́вной гости́ницы губе́рнского го́рода С…а подъе́хала доро́жная коля́ска; из неё, слегка́ потя́гиваясь и покря́хтывая, вы́лез господи́н, ещё не пожило́й, но́ уже́ успе́вший приобрести́ ту полноту́, кото́рую привы́кли называ́ть почте́нной. Подня́вшись по ле́стнице во второ́й эта́ж, о́н останови́лся у вхо́да в широ́кий коридо́р и, не ви́дя никого́ перед собо́ю, гро́мким го́лосом спроси́л себе́ но́мер. Две́рь где́-то сту́кнула, вы́скочил дли́нный лаке́й и пошёл вперёд прово́рной, боково́й похо́дкой. Войдя́ в но́мер, прое́зжий тотча́с сбро́сил с себя́ шине́ль и ша́рф, се́л на дива́н и, опёршись в коле́ни кулака́ми, сперва́ погляде́л круго́м, ка́к бы спросо́нья, пото́м веле́л позва́ть своего́ слугу́. Прое́зжий э́тот был никто́ ино́й, как Лежнёв. Рекру́тский набо́р вы́звал его́ из дере́вни в С…

Слуга́ Лежнёва, молодо́й, курча́вый и краснощёкий ма́лый, в се́рой шине́ли, подпоя́санной голубы́м кушачко́м, и мя́гких ва́ленках, вошёл в ко́мнату.

губе́рнский *adj.* of губе́рния, (*hist.*) province
доро́жный, traveling *adj.*
потя́гиваясь, stretching, *pr.adv. p.* of потя́гиваться *imp.*
покря́хтывая, grunting, *pr.adv.p.* of покря́хтывать *imp.*
успе́вший, who has managed, *p.a.p.* of успе́ть *prf.*
приобрести́ *prf.* [приобрета́ть], to acquire, take on
полнота́, stoutness
привы́кли, people are accustomed to, it is the custom
почте́нный, respectable
но́мер, room (in a hotel)
сту́кнуть *prf.inst.* [стуча́ть], to bang
прово́рный, nimble, agile

боково́й, sideway *adj.*, oblique
сбро́сить *prf.* [сбра́сывать], to throw off
шине́ль *f.*, overcoat (now *mil.* only)
шарф, scarf
опёршись, resting, leaning, *p. adv.p.* of опере́ться *prf.*
спросо́нья, half-awake
прое́зжий (*adj.* used as *n.*) traveler
никто́ ино́й, как, no other than
рекру́тский, набо́р (*hist.*) recruiting (board)
ва́ленок (ва́ленки *pl.*), felt boot
кушачёк (*dim.* of куша́к), sash, belt
подпоя́санный, tied round, belted, *p.p.p.* of подпоя́сать *prf.*

— Ну вóт, брат, мы и доéхали, — промóлвил Лежнёв: — а ты всё боя́лся, что ши́на с колесá соскóчит.

— Доéхали! — возрази́л слугá: — а уж отчегó э́та
ши́на не соскочи́ла...

— Никогó здéсь нéт? — раздáлся гóлос в коридóре.
Лежнёв вздрóгнул и стáл прислу́шиваться.

— Э́й! ктó тáм? — повтори́л гóлос.
Лежнёв встáл, подошёл к двéри и бы́стро отвори́л её.
Перед ни́м стоя́л человéк высóкого рóста, почти́ совсéм седóй и сгóрбленный, в стáром сюртукé с брóнзо-
выми пу́говицами. Лежнёв узнáл его тотчáс.

— Ру́дин! — воскли́кнул он с волнéнием.
Ру́дин оберну́лся. Óн не мóг разобрáть черты́ Лежнёва,
стоя́вшего к свéту спинóю, и с недоумéнием гляде́л на негó.

— Вы меня́ не узнаéте? — заговори́л Лежнёв.

— Михáйло Михáйлыч! — воскли́кнул Ру́дин и про-
тяну́л ру́ку, нó смути́лся и отвёл её бы́ло назáд.
Лежнёв поспéшно ухвати́лся за неё свои́ми обéими.

— Войди́те, войди́те ко мнé! — сказáл он Ру́дину и
ввёл его в нóмер.

— Кáк вы измени́лись! — произнёс Лежнёв, помолчáв и невóльно пони́зив гóлос.

— Дá, говоря́т! — возрази́л Ру́дин, блуждáя по кóмнате взóром. — Годá... А вóт вы — ничегó. Как здорóвье Алексáндры... вáшей супру́ги?

— Благодáрствуйте, — хорошó. Но каки́ми судьбáми
вы́ здéсь?

— Я́? Э́то дóлго расскáзывать. Сóбственно, сюдá я
зашёл случáйно. Я искáл однóго знакóмого. Впрóчем, я
óчень рáд...

ши́на, tire, wheel band
соскóчить *prf.* [соскáкивать], to
  come off,
отвори́ть *prf.* [отворя́ть], to
  open (a door or a window)
брóнзовый *adj.* of брóнза, bronze
отвести́ *prf.* [отводи́ть], to draw /
  take (back, away)
ухвати́ться *prf.* [ухвáтываться]
  (за + *acc.*), to seize, grasp

пони́зив, lowering, *p.adv.p.* of
  пони́зить *prf.*
блуждáя, wandering, roving,
  pr.adv.p. of блуждáть *imp.*
супру́га, wife, spouse
благодáрствуй / те, (*obs.*) thank
  you
каки́ми судьбáми! by what
  chance; what brings you here
случáйно, by accident

— Гдé вы обéдаете?

— Я? Не знáю. Гдé-нибудь в трактúре. Я дóлжен сегóдня же вы́ехать отсю́да.

— Должны́?

Рýдин значúтельно усмехнýлся.

— Дá-с, дóлжен. Меня́ отправля́ют к себé в дерéвню. на жúтельство.

— Пообéдайте со мнóй.

Рýдин в пéрвый рáз взгляну́л пря́мо в глазá Лежнёву.

— Вы мнé предлагáете с собóй обéдать? — проговорúл он.

— Дá, Рýдин, по-старúнному, по-товáрищески. Хотúте? Не ожидáл я вас встрéтить, и Бóг знáет, когдá мы увúдимся опя́ть. Не расстáться же нам с вáми тáк!

— Извóльте, я соглáсен.

Лежнёв пожáл Рýдину рýку, позвáл слугý, заказáл обéд и велéл постáвить в лёд буты́лку шампáнского.

В течéние обéда Лежнёв и Рýдин, кáк-бы сговорúвшись, всё толковáли о студéнческом своём врéмени, вспоминáли мнóгое и мнóгих — мёртвых и живы́х. Спервá Рýдин говорúл неохóтно, нó óн вы́пил нéсколько рю́мок винá, и крóвь в нём разгорéлась. Наконéц, лакéй вы́нес послéднее блю́до. Лежнёв встáл, зáпер двéрь и, вернýвшись к столý, сéл пря́мо напрóтив Рýдина и тихóнько опёрся подбородкóм на óбе рукú.

трактúр, tavern, eating house, inn

сегóдня же, not later than to-day

отпрáвить *prf.* [отправля́ть], to send

жúтельство, residence (*here*, assigned by the authorities)

по-старúнному, like in old times, as of old

по-товáрищески, in friends' fashion

не расстáться же так, we can't part like this

сговорúвшись, having agreed,

by agreement, *p.adv.p.* of сговорúться *prf.*

мнóгое (*neut. adj.* used as *n.*), many things

мнóгие (pl. *adj.* used as *n.*), many people

мёртвый, dead

живóй, living

неохóтно, reluctantly, unwillingly

рю́мка, (wine) glass

вы́нести *prf.* [выносúть], to remove, take away

блю́до, dish, platter

заперéть *prf.* [запирáть], to lock

— Ну́, тепе́рь, — на́чал он: — расска́зывайте-ка мне́ всё, что с ва́ми случи́лось с тех по́р, как я вас не вида́л. Ру́дин посмотре́л на Лежнёва.

«Бо́же мо́й!» — поду́мал опя́ть Лежнёв: — «ка́к о́н измени́лся, бедня́га!»

Черты́ Ру́дина измени́лись ма́ло, осо́бенно с тех по́р, как мы ви́дели его́ на ста́нции, хотя́ печа́ть приближа́ющейся ста́рости уже́ успе́ла ле́чь на них; но́ выраже́ние их ста́ло друго́е. Ина́че гляде́ли глаза́; во всём существе́ его́, в движе́ниях, то́ заме́дленных, то́ поры́вистых, в похолоде́вшей ре́чи видна́ была́ уста́лость оконча́тельная, та́йная и ти́хая ско́рбь, далеко́ разли́чная от то́й полупритво́рной гру́сти, кото́рою о́н щеголя́л, быва́ло, как вообще́ щеголя́ет е́ю молодёжь.

— Рассказа́ть вам всё, что со мно́ю случи́лось? — заговори́л он. — Всего́ рассказа́ть нельзя́ и не сто́ит... В чём и в ко́м я не разочарова́лся, Бо́г мо́й! с ке́м не сближа́лся! Да́, с ке́м! — повтори́л Ру́дин, заме́тив, что Лежнёв с каки́м-то осо́бенным уча́стием посмотре́л ему́ в лицо́. — Ско́лько ра́з мои́ со́бственные слова́ станови́лись мне́ проти́вными — не говорю́ уже́ в мои́х уста́х, но и в уста́х люде́й, разделя́вших мои́ мне́ния! Ско́лько ра́з я ра́довался, наде́ялся, враждова́л и унижа́лся напра́сно! Ско́лько ра́з вылета́л со́колом — и воз-

---

бедня́га (*m.* only), poor thing / fellow
печа́ть *f.*, imprint, mark
то́ ... то́, now ... now
заме́дленный, slowed down, *p.p.p.* of заме́длить *prf.*
поры́вистый, abrupt, jerky
похолоде́вший, grown cold, *p.a.p.* of похолоде́ть *prf.*
ско́рбь *f.*, sorrow, grief
полупритво́рный, half-assumed, pretended
грусть *f.*, melancholy, sadness
молодёжь *f.* (*collect.*) young people
разочарова́ться *prf.* [разочаро́вываться], to be / get / disillusioned, disappointed. В чём и в ко́м я не разочаро́вывался, was there anything or anyone that did not disillusion me!
с ке́м не сближа́лся! Да́, с ке́м! And all the friends I made! Yes, those friends!
разделя́вший, who shared, *p.a.p.* of разделя́ть *imp.*
враждова́ть *imp.*, to strife
унижа́ться *imp.* [уни́зиться], to humble / lower / oneself
напра́сно, in vain, to no purpose
вылета́ть *imp.* [вы́лететь], to soar, start out (flying)
со́кол, falcon (со́колом *instr.*, like a falcon)

вращался ползком, как улитка, у которой раздавили раковину!... Где не бывал я, по каким дорогам не ходил!... А дороги бывают грязные, — прибавил Рудин, и слегка отвернулся. — Вы знаете... — продолжал он.

— Послушайте, — перебил его Лежнёв: — мы когда-то говорили «ты» друг другу... Хочешь? возобновим старину... Выпьем на ты![69]

Рудин приподнялся, а в глазах его промелькнуло что-то, чего слово выразить не может.

— Выпьем, — сказал он: — спасибо тебе, брат, выпьем.

Лежнёв и Рудин выпили по бокалу.

— Ты знаешь, — начал опять, с ударением на слове «ты» и с улыбкою, Рудин: — во мне сидит какой-то червь, который грызёт меня и не даёт мне успокоиться. Что-то наталкивает меня на людей — они сперва подвергаются моему влиянию, а потом...

Рудин провёл рукой по воздуху.

— С тех пор, как я расстался с вами... с тобою, я переиспытал многое... Начинал я жить, принимался за новое раз двадцать — и вот видишь!

— Выдержки в тебе не было, — проговорил, как бы про себя, Лежнёв.

— Как ты говоришь, выдержки во мне не было. Строить я никогда ничего не умел; да и мудрено, брат,

ползком, crawling
улитка, snail
раковина, shell
грязный, dirty, muddy
старина, the old days / times
промелькнуть *prf. inst.* [мелькать], to gleam, flash by
по бокалу, a glass each
выразить *prf.* [выражать], to express
ударение, stress, emphasis
червь *m.*, worm

грызть, *imp.* to gnaw
успокоиться *pfr.* [успокаиваться], to calm down *intr.*
наталкивать *imp.* [натолкнуть *inst.*], to push against
подвергаться *imp.* [подвергнуться], to undergo, come under
выдержка, staying power, endurance
строить *imp.* [по-], to build
про себя, to oneself

[69] выпить на ты: to exchange toasts, which is often followed by an embrace, thus marking the decision of the two participants of this brief ceremony to address each other as ты instead of the formal вы (cf. German Bruderschaft).

стро́ить, когда́ и по́чвы-то под нога́ми не́ту, когда́ са-
мому́ прихо́дится со́бственный сво́й фунда́мент создавать
ва́ть! Все́х мои́х похожде́ний, то́ есть, со́бственно го-
воря́, все́х мои́х неуда́ч, я тебе́ опи́сывать не бу́ду.
Переда́м тебе́ два́-три́ слу́чая… те́ слу́чаи из мое́й
жи́зни, когда́, каза́лось, успе́х уже́ улыба́лся мне́, и́ли
не́т, когда́ я начина́л наде́яться на успе́х, — что́ не
совсе́м о́дно и то́ же…

Ру́дин отки́нул наза́д свои́ седы́е и уже́ жи́дкие во-
лосы те́м са́мым движе́нием руки́, каки́м о́н не́когда от-
бра́сывал свои́ тёмные и густы́е ку́дри.

— Ну́, слу́шай, — на́чал он. — Сошёлся я, в
Москве́, с одни́м дово́льно стра́нным господи́ном. О́н
был о́чень бога́т и владе́л обши́рными поме́стьями; не
служи́л. Гла́вная, еди́нственная его́ стра́сть была́ лю-
бо́вь к нау́ке, к нау́ке вообще́. До си́х по́р я не могу́,
поня́ть, почему́ э́та стра́сть в нём появи́лась! Шла́ она́
к нему́, как к коро́ве седло́. О́н поме́шан был на то́м,
чтобы всё лёгкое де́лать тру́дным. Е́сли бы э́то зави́село
от его́ распоряже́ний, лю́ди бы е́ли пя́тками, пра́во. О́н
жи́л оди́н и слы́л чудако́м. Я познако́мился с ним…
ну, и понра́вился ему́. Я́, признаю́сь, ско́ро его́ по́нял;
но рве́ние его́ меня́ тро́нуло. Прито́м, о́н владе́л таки́ми
сре́дствами, сто́лько мо́жно бы́ло че́рез него́ сде́лать
добра́, принести́ по́льзы… Я посели́лся у него́ и уе́хал

по́чва, (*here fig.*) (firm) ground
фунда́мент, foundation
создава́ть *imp.* [созда́ть], create,
  build
похожде́ние, adventure
со́бственно говоря́, properly
  speaking
переда́ть *prf.* [передава́ть], to
  give, cite
одно́ и то́ же, one and the same
  (thing)
отки́нуть *prf.* [отки́дывать], to
  throw back, toss
жи́дкий, thin, sparse, scanty
не́когда (*book.*), in the past,
  once

отбра́сывать *imp.* [отбро́сить],
  to toss back
густо́й, thick
владе́ть *imp.*, to own, possess
поме́стье, estate
шла к нему́, it fitted / suited / him
коро́ва, cow
седло́, saddle
поме́шан *pred.* (на + *loc.*), mad
  about, crazy about
распоряже́ние, order
пя́тка, heel
слы́ть *imp.* [про-] (+ *instr.*), to
  be reputed
рве́ние, zeal, ardor
добро́, the good

с ним, наконец, в его деревню… Планы, брат, у меня
были громадные: я мечтал о разных усовершенствова-
ниях, нововведениях…

— Как у Ласунской, помнишь, — заметил Лежнёв с
добродушной улыбкой.

— Какое! там я знал, в душе, что из слов моих ничего не выйдет; а тут… тут совсем другое поле раскры-
валось передо мною… Я навёз с собою агрономических
книг… правда, я до конца не прочёл ни одной… ну, и
приступил к делу. Сначала оно не пошло, как я и ожидал, а потом оно как будто и пошло. Мой новый друг
всё помалчивал да посматривал, не мешал мне то, есть,
до известной степени не мешал мне. Он принимал мои
предложения и исполнял их, но с упорством, с тай-
ной недоверчивостью, и всё гнул в свою сторону. Он
чрезвычайно дорожил каждой своей мыслью. Взберётся
на неё с усилием, как Божья коровка на конец бы-
линки, и сидит, сидит на ней, всё как будто крылья
расправляет и полететь собирается — и вдруг свалится,
и опять полезет… Так я вот и бился года два. Дело
подвигалось плохо, несмотря на все мои усилия. Начал
я уставать, приятель мой надоедал мне, я стал язвить
его, он давил меня, словно перина. Горько мне стало

громадный, huge, enormous
усовершенствование, improve-
    ment, perfection
какое! (*colloq.*) Oh no! Nothing
    of the kind!
навезти *prf.* [навозить], to bring
    a lot of, bring in a quantity
приступить *prf.* [приступать],
    to set to
помалчивать *imp.*, to keep silent
    (most of the time)
посматривать *imp.*, to keep
    glancing
мешать *imp.* [по-], to interfere,
    hinder
до известной степени, to a
    certain degree
упорство, obstinacy, stubborn-
    ness

недоверчивость *f.*, distrustfulness
гнуть *imp.* [со-], to bend; гнуть
    в свою сторону, to try to get
    one's own way
дорожить *imp.* (+ *instr.*), to value
взобраться *prf.* [взбираться], to
    climb on
Божья коровка, ladybird
былинка, a blade of grass
свалиться *prf.* [сваливаться], to
    fall off / down
биться, to struggle along
надоедать *imp.* [надоесть], to
    tire, bore; (*pass.* with *dat.*):
    мне надоело, I am tired of
язвить *imp.* [съ-], to taunt
давить *imp.*, to oppress
перина, featherbed

тра́тить по́пусту вре́мя и си́лы, го́рько почу́вствовать, что я опя́ть и опя́ть обману́лся в свои́х ожида́ниях. Я знал о́чень хорошо́, что́ я теря́л, уезжа́я; но я не мог спра́виться с собо́й, и в оди́н де́нь, всле́дствие возмути́тельной сце́ны, кото́рой я был свиде́телем и кото́рая показа́ла мне́ моего́ прия́теля со стороны́ уже́ сли́шком невы́годной, я рассо́рился с ним оконча́тельно и уе́хал.

— То́ есть, отказа́лся от насу́щного хле́ба, — проговори́л Лежнёв и положи́л о́бе руки́ на пле́чи Ру́дину.

— Да́, и очути́лся опя́ть лёгок и го́л, в пусто́м простра́нстве. Лети́ куда́ хо́чешь... Эх, вы́пьем!

— За твоё здоро́вье, — промо́лвил Лежнёв. — За твоё здоро́вье и в па́мять Поко́рского... Он та́к же уме́л оста́ться ни́щим.

— Во́т тебе́ и но́мер пе́рвый мои́х похожде́ний, — на́чал, спустя́ немно́го, Ру́дин. — Продолжа́ть, что́ ли?

— Продолжа́й, пожа́луйста.

— Эх! да говори́ть-то не хо́чется. Уста́л я говори́ть, брат... Ну, та́к и бы́ть. Потолка́вшись по ра́зным места́м, я реши́л сде́латься, наконе́ц... не сме́йся, пожа́луйста... делавы́м челове́ком, практи́ческим. Я сошёлся с одни́м... ты, мо́жет быть, слыха́л о нём... с одни́м Курбе́евым... не́т?

спра́виться *prf.* [справля́ться] с (+ *instr.*), to cope with, master, manage
возмути́тельный, shocking, revolting
свиде́тель *m.*, witness
невы́годный, disadvantageous
рассо́риться *prf.* [ссо́риться], to quarrel
оконча́тельно, definitively
отказа́ться *prf.* [отка́зываться], to renounce
насу́щный, vital, urgent; насу́щный хле́б, daily bread
очути́ться *prf. only*, to find oneself (in some place or situation)
лёгок *pred.*, light, empty-handed

го́л *pred.*, naked
простра́нство, space
лети́, fly (go), *imper.* of лете́ть *imp. det.*
в па́мять, to the memory
ни́щий, poor, destitute
продолжа́ть, что ли? well, shall I go on?
но́мер, number
ну, та́к и бы́ть! Well, all right then!
потолка́вшись, after knocking about, *p.adv.p.* of потолка́ться *prf.*
сде́латься *prf.* [де́латься], to become
делово́й челове́к, business man

— Нéт, не слыхáл. Нó, помúлуй, Рýдин, кáк же тú, со своúм умóм, не пóнял что твоё дéло состоúт не в тóм, чтóбы бúть... извинú за каламбýр... деловúм человéком?

— Знáю, брат, что не в тóм; а впрóчем, в чём онó состоúт-то?... Нó éсли б ты вúдел Курбéева! Ты, пожáлуйста, не воображáй егó себé какúм-нибýдь пустúм болтунóм. Говорáт, á был красноречúв когдá-то. Я перед нúм прóсто ничегó не знáчу. Это был человéк удивúтельно учёный, знáющий, твóрческая головá в дéле промúшленности и торгóвых предприáтий. Проéкты сáмые смéлые, сáмые неожúданные так и кипéли у негó на умé. Мы соединúлись с ним и решúли употребúть свой сúлы на общеполéзное дéло...

— На какóе, позвóль узнáть?

Рýдин опустúл глазá.

— Ты засмеёшься.

— Почемý же? Нéт, не засмеюсь.

— Мы решúли однý рéку в К...ой губéрнии превратúть в судохóдную, — проговорúл Рýдин с нелóвкой улúбкой.

— Вóт как! Стáло быть, этот Курбеев капиталúст?

— Он был беднéе меня, — возразúл Рýдин, и тúхо понúк своéй седóй головóй.

Лежнёв захохотáл, нó вдрýг остановúлся и взáл Рýдина зá руку.

— Извинú меня, брат, пожáлуйста, — заговорúл он: — нó я этого никáк не ожидáл. Нý, что ж, это предприáтие вáше тáк и остáлось на бумáге?

твоё дéло, your business
состоáть *imp.* (в + *loc.*), to consist in
каламбýр, pun
не воображáй, don't imagine, *imper.* of воображáть *imp.*
болтýн, chatterer, talker
ничегó не знáчить пéред ..., to be of no significance ..., be nothing before ...
знáющий, well-informed
твóрческий, creative
головá, (*here*) brain, mind

торгóвый, commercial, trade *adj.*
так и, simply
соединúться *prf.* [соединáться], to get together, join up with
общеполéзный, of general utility / benefit
дéло, cause, undertaking
превратúть *prf.* [превращáть] (в + *acc.*), to transform
судохóдный, navigable
нелóвкий, uneasy
так и, in the end, finally, forever

— Не совсём. Начáло исполнéния бы́ло. Мы нáняли рабóтников... ну, и приступи́ли. Нó тýт встрéтились разли́чные препя́тствия. Во-пéрвых, владéльцы мéльниц никáк не хотéли поня́ть нас, да свéрх тогó мы с водóй без маши́ны спрáвиться не могли́, а на маши́ну нехватáло дéнег. Шéсть мéсяцев прóжили мы в земля́нках. Курбéев одни́м хлéбом питáлся, я тóже недоедáл. Впрóчем, я об эʹтом не сожалéю: прирóда тáм удиви́тельная. Мы би́лись, би́лись, уговáривали купцóв, пи́сьма писáли, циркуля́ры. Кóнчилось тéм, что я послéдний грóш свóй доби́л на эʹтом проéкте.

— Нý! — замéтил Лежнёв: — я дýмаю, доби́ть твóй послéдний грóш бы́ло не мудренó.

— Не мудренó, прáвда.

Рýдин гля́нул в окнó.

— А проéкт, ей-Бóгу, был недурён и мóг бы принести́ огрóмные вы́годы.

— Кудá же Курбéев эʹтот дéлся? — спроси́л Лежнёв.

— Óн? óн в Сиби́ри тепéрь, золотопромы́шленником сдéлался. И ты уви́дишь, óн себé состáвит состоя́ние, óн не пропадёт.

— Мóжет быть; нó ты́, вот, уж навéрное состоя́ния себé не состáвишь.

исполнéние, the carrying out, fulfillment
наня́ть *prf.* [нанимáть], to hire
разли́чные, different, diverse
препя́тствие, obstacle
владéлец, owner
мéльница, mill
свéрх тогó, moreover, besides
нехватáть *imp.* [нехвати́ть] (*pass.* with *dat.*), to be / fall / short of, lack (something); (нам) нехватáло ..., (we) didn't have enough ...
земля́нка, mud hut, dugout
питáться *imp.* (+ *instr.*), to feed on, live on
недоедáть *imp.*, to have too little to eat, be underfed
купéц, merchant

циркуля́р, circular
доби́ть *prf.* [добивáть], to finish off, kill
гляну́ть *prf. inst.* (*colloq.*) [гляде́ть], to glance
ей Бóгу, upon my word
недурён, not bad
вы́года, benefit, profit, advantage
кудá он дéлся? what has become of him? where is he?
Сиби́рь *f.*, Siberia
золотопромы́шленник, goldmine owner
состáвить состоя́ние, to make a fortune
пропáсть *prf.* [пропадáть], to be lost, be done for; óн не пропадёт, he will be all right / safe

— Я? чтó дéлать! Впрóчем, я знáю: я всегдá в глазáх твоих был пустым человéком.

— Ты? Пóлно, брат!... Было врéмя, когдá мнé в глазá бросáлись одни твои тёмные стóроны; нó тепéрь, повéрь мнé, я научился ценить тебя. Ты себé состояния не состáвишь... Да я люблю тебя за это!...

Рýдин слáбо усмехнýлся.

— В сáмом дéле?

— Я уважáю тебя за это! — повторил Лежнёв: — понимáешь ли ты меня?

Óба помолчáли.

— Чтó ж, переходить к нóмеру трéтьему? — спросил Рýдин.

— Сдéлай одолжéние.

— Извóль. Нóмер трéтий, и послéдний. С этим нóмером я тóлько тепéрь раздéлался. Нó не наскýчил ли я тебé?

— Говори, говори.

— Вóт видишь ли, — нáчал Рýдин: — я однáжды подýмал на досýге... досýга-то у· меня всегдá мнóго было... я подýмал: свéдений у меня довóльно, желáния добрá... послýшай, ведь и ты не стáнешь отрицáть во мнé желáния добрá?

— Ещё бы!

— На других всéх пýнктах я бóлее или мéнее срéзался... отчегó бы мнé не сдéлаться педагóгом или, говоря пóпросту, учителем... Чéм тáк жить дáром...

Рýдин остановился и вздохнýл.

— Чéм жить дáром, не лýчше ли постарáться передáть другим, чтó я знáю: мóжет быть, они извлекýт из

бросáться в глазá, to be striking, to strike one's eyes
уважáть *imp.*, to respect
переходить *imp.* [перейти] (к + *dat.*), to pass on to, proceed to
сдéлай одолжéние! by all means!
раздéлаться *prf.* [раздéлываться] (с + *instr.*), to get rid of, finish with
досýг, spare time, leisure

свéдение, knowledge, information
отрицáть *imp.*, to deny, negate
пункт, point
срéзаться *prf.* [срезáться], *colloq.*) to fail
пóпросту, in plain language
дáром, uselessly
извлéчь *prf.* [извлекáть] (из + *gen.*), to get something out of, derive

моих познаний хоть некоторую пользу. Способности мои недюжинные же наконец, языком я владею... Вот я и решил посвятить себя этому новому делу. Трудно мне было достать место; частных уроков давать я не хотел; в низших училищах мне делать было бы нечего. Наконец, мне удалось достать место преподавателя в здешней гимназии.

— Преподавателя — чего? — спросил Лежнёв.

— Преподавателя русской словесности. Скажу тебе, ни за одно дело не принимался я с таким жаром, как за это. Мысль действовать на юношество меня воодушевила. Три недели просидел я над составлением вступительной лекции.

— Её нет у тебя? — перебил Лежнёв.

— Нет: затерялась куда-то. Она вышла недурно и понравилась. Как теперь вижу лица моих слушателей, — лица добрые, молодые, с выражением чистосердечного внимания, участия, даже изумления. Взошёл я на кафедру, прочёл лекцию в лихорадке; я думал, её хватит на час с лишком, а я её в двадцать минут кончил. Инспектор тут же сидел — сухой старик в серебряных очках и коротком парике; он изредка наклонял голову в мою сторону. Когда я кончил и соскочил с кресла

познания *pl.* of познание, (more often in the *pl.*) knowledge

хоть, at least

некоторый, some

недюжинный, outstanding, remarkable

владеть языком to have a command of the language

место, post, position

низшее училище, elementary school

достать *prf.* [доставать], to get, obtain

преподаватель *m.*, teacher, instructor

словесность *f.* (*obs.*), literature

юношество, young people, youth (*collect.*)

воодушевить *prf.* [воодуше-вить], to inspire, fill with enthusiasm

составление, composition, compiling *n.*

вступительный, introductory, opening *adj.*

затеряться *prf.* [затериваться], to be lost, get lost

недурно *pred.*, quite well

чистосердечный, single-hearted

взойти *prf.* [всходить], to mount

кафедра, rostrum, chair

лихорадка, fever

хватить *prf.* [хватать], to suffice, last out

час слишком, over an hour

очки, spectacles, glasses

соскочить *prf.* соскакивать to jump off / down

он мне́ сказа́л: «Хорошо́-с, то́лько высоко́ немно́жко, темнова́то, да и о само́м предме́те ма́ло ска́зано». А гимна́зисты с уваже́нием проводи́ли меня́ взо́рами... пра́во. Ведь во́т чём драгоце́нна молодёжь! Втору́ю ле́кцию я принёс напи́санную, и тре́тью то́же... пото́м я стал импровизи́ровать.

— И име́л успе́х? — спроси́л Лежнёв.

— Име́л большо́й успе́х. Я передава́л слу́шателям всё, что у меня́ бы́ло в душе́. Ме́жду ни́ми бы́ло три-четы́ре ма́льчика, действи́тельно замеча́тельных; остальны́е меня́ понима́ли пло́хо. Впро́чем, на́до созна́ться, что и те́, кото́рые меня́ понима́ли, иногда́ смуща́ли меня́ свои́ми вопро́сами. Но́ я не уныва́л. Люби́ть-то меня́ всё люби́ли: я ста́вил всем хоро́шие ба́ллы. Но ту́т начала́сь про́тив меня́ интри́га... и́ли не́т! никако́й интри́ги не́ бы́ло; а я, про́сто, попа́л не в свою́ сфе́ру. Я стесня́л други́х, и меня́ тесни́ли. Я чита́л гимнази́стам, ка́к и студе́нтам не всегда́ чита́ют; слу́шатели мои́ выноси́ли ма́ло из мои́х ле́кций... фа́кты я сам знал пло́хо. Прито́м, я не удовлетворя́лся кру́гом де́йствий, кото́рый был мне́ назна́чен... уж э́то, ты зна́ешь, моя́ сла́бость. Я хоте́л коренны́х преобразова́ний, и, кляну́сь тебе́, э́ти преобразова́ния бы́ли и де́льные, и лёгкие. Я наде́ялся провести́ их че́рез дире́ктора, до́брого и че́стного челове́ка, на кото́рого я снача́ла име́л влия́ние. Его́ жена́ мне́ помога́ла. Я, брат, в жи́зни свое́й не мно́го встреча́л

темнова́то, a bit obscure
драгоце́нен *pred.*, precious
успе́х, success
остальны́е, the rest, the others
уныва́ть *imp.* [уны́ть], to lose heart
люби́ть-то меня́ всё люби́ли, they all liked me well enough, that they did
ста́вить *imp.* [по-] балл (*obs.* now: отме́тка) to give a grade
тесни́ть *imp.*, to oppress, cramp
чита́ть, (*here*) to lecture
гимнази́ст (*pre-rev.*), schoolboy, secondary school student

студе́нт, university student; и студе́нтам, even to students
выннося́ть *imp.* [вы́нести] (из + *gen.*), to profit from, get something out of
удовлетворя́ться *imp.* [удовлетвори́ться] (+ *instr.*), to be satisfied
круг де́йствий, field of activity
назна́чен, assigned, *pred.p.p.p.* of назна́чить *prf.*
сла́бость *f.*, weakness
коренно́й, radical
де́льный, sensible, practical
провести́ *prf.* [проводи́ть], to carry out, put through

такѝх жéнщин. Éй ужé бы́ло лéт под со́рок, нó онá вéрила в добро́, люби́ла всё прекрáсное, кáк пятнадца-тилéтняя дéвушка, и не боя́лась выскáзывать свой убеж-дéния перед кéм бы то нѝ бы́ло. Я̀ никогдá не забу́ду её благоро́дной востóрженности и чистоты́. По её совéту, я написáл бы́ло плáн... Нó тýт под меня́ подкопáлись, очерни́ли меня́ перед нéй. Осóбенно повреди́л мнé учи́-тель математики, мáленький человéк, óстрый, жёлчный и ни во чтó не вéривший, врóде Пигáсова, тóлько горáздо дельнéе его́... Кстáти, чтó Пигáсов, жив?

— Жив и, вообрази́, жени́лся на мещáнке, котóрая, говоря́т, егó бьёт.

— Поделóм! Нý, а Натáлья Алексéевна здорóва?

— Дá.

— Счáстлива?

— Дá.

Рýдин помолчáл.

— О чём, бишь, я говори́л?... дá! об учи́теле мате-мáтики. Óн меня́ возненави́дел, срáвнивал мой лéкции с фейервéрком, подхвáтывал на летý кáждое не совсéм я́сное выражéние, а глáвное, óн заподóзрил мой на-мéрения; послéдний мóй мы́льный пузы́рь наткну́лся на негó, как на булáвку, и лóпнул. Инспéктор, с котóрым я срáзу не полáдил, восстанови́л прóтив меня́ дирéктора; вы́шла сцéна, я̀ не хотéл уступи́ть, погорячи́лся, дéло

востóрженность *f.*, enthusiasm

чистотá, honesty, purity

подкопáться *prf.* [подкáпывать-ся] (под + *acc.*), to undermine (from копáть to dig)

очерни́ть *prf.* [черни́ть], to slander, blacken

повреди́ть *prf.* [вреди́ть] (+*dat.*) to do harm to

мещáнка, townswoman, woman of the lower middle class

поделóм, it serves (him) right

возненави́деть *prf. inch.* [не-нави́деть], (to get) to hate

срáвнивать *imp.* [сравни́ть], to compare

фейервéрк, fireworks

подхвáтывать *imp.* [подхва-ти́ть], to catch, seize

на летý, on the wing

заподóзрить *prf.* [подозревáть], to become suspicious, sus-pect

мы́льный пузы́рь *m.*, soap bubble

полáдить *prf.* [лáдить] (с + *instr.*), to get along with

восстанови́ть *prf.* [восстанá-вливать] (прóтив + *gen.*), to rouse against, set against

погорячи́ться *prf.* [горячи́ться], to lose one's temper

дошло́ до све́дения нача́льства; я принуждён был вы́йти в отста́вку. Я́ э́тим не ограни́чился, я́ хоте́л показа́ть, что со мной нельзя́ поступи́ть та́к ... но́ со мной мо́жно бы́ло поступи́ть, как уго́дно ... Я́ тепе́рь до́лжен вы́ехать отсю́да.

Наступи́ло молча́ние. О́ба прия́теля сиде́ли, пону́рив го́ловы.

Пе́рвый заговори́л Ру́дин.

— И ме́жду те́м, неуже́ли я́ ни на что́ не́ был го́ден, неуже́ли для меня́ та́к-таки не́т де́ла на земле́? Ча́сто я ста́вил себе́ э́тот вопро́с, и как я ни стара́лся себя́ уни́зить в со́бственных глаза́х, не мо́г же я не чу́вствовать в себе́ прису́тствия си́л, не все́м лю́дям да́нных! Отчего́ же э́ти си́лы остаю́тся беспло́дными? И во́т ещё что́: по́мнишь, когда́ мы с тобо́й бы́ли за грани́цей, я́ был тогда́ самонадея́н; я́ тогда́ я́сно не сознава́л, чего́ я хоте́л, я́ упива́лся слова́ми и ве́рил в при́зраки; но́ тепе́рь, кляну́сь тебе́, я могу́ гро́мко, перед все́ми вы́сказать всё, чего́ я жела́ю. Мне реши́тельно не́чего скрыва́ть: я́ вполне́, и в са́мой су́щности сло́ва, челове́к благонаме́ренный; я́ смиря́юсь, хочу́ примени́ться к обстоя́тельствам, хочу́ ма́лого, хочу́ дости́гнуть це́ли близ-

нача́льство, authorities, superiors
вы́йти в отста́вку, to resign, retire
ограни́читься *prf.* [ограни́чиваться] (+ *instr.*), to limit oneself to
как уго́дно, as (they) chose / pleased
и ме́жду те́м, and yet
ни на что́ не го́ден *pred.*, good / fit / for nothing
та́к-таки (*colloq.*), in fact, actually
как я ни ..., however much I ...
стара́ться *imp.* [по-], to try, do one's best
не мо́г же я не ..., I couldn't help ...

да́нный, given, *p.p.p.* of дать *prf.*
самонадея́н *pred.*, presumptuous, self-assured
упива́ться *imp.* [упи́ться] (+ *instr.*), to revel in, become intoxicated with
при́зрак, phantom, ghost
скрыва́ть *imp.* [скрыть], conceal
су́щность *f.*, deepest sense, essence
примени́ться *prf.* [применя́ться] (к + *dat.*), to adapt / adjust / oneself to
обстоя́тельство, circumstance
ма́лое, (*neut. adj.* used as *n.*) little
дости́гнуть *prf.* [достига́ть] (+ *gen.*), to achieve, attain

кой, принести́ хоть ничто́жную по́льзу. Не́т! не удаётся!
Что́ э́то зна́чит? Что́ меша́ет мне́ жи́ть и де́йствовать,
как други́е?... Я́ то́лько об э́том тепе́рь и мечта́ю. Но́
едва́ успе́ю я заня́ть определённое положе́ние, остано-
ви́ться на изве́стной то́чке, судьба́ так и го́нит меня́
с неё доло́й... Я́ ста́л боя́ться её — мое́й судьбы́... От-
чего́ всё э́то? Разреши́ мне́ э́ту зага́дку!

— Зага́дку! — повтори́л Лежнёв. — Да́, э́то пра́вда.
Ты и для меня́ был всегда́ зага́дкой. Да́же в мо́лодости,
когда́, быва́ло, по́сле како́й-нибудь ме́лкой вы́ходки, ты
вдру́г заговори́шь та́к, что се́рдце дро́гнет, а та́м —
опя́ть начнёшь... ну́, ты зна́ешь, что я хочу́ сказа́ть...
да́же тогда́ я тебя́ не понима́л: оттого́-то я и разлюби́л
тебя́... Си́л в тебе́ та́к мно́го, стремле́ние к идеа́лу тако́е
неутоми́мое...

— Слова́, всё слова́! де́л не́ было! — прерва́л Ру́-
дин.

— Де́л не́ было! Каки́е же дела́...

— Каки́е дела́? Слепу́ю ба́бку и всё её семе́йство
свои́ми труда́ми прокорми́ть, как, по́мнишь, Пряжен-
цо́в... Во́т тебе́ и де́ло.

— Да́; но до́брое сло́во — то́же де́ло.

Ру́дин посмотре́л мо́лча на Лежнёва и ти́хо покача́л
голово́й.

Лежнёв хоте́л было что́-то сказа́ть и провёл руко́й
по лицу́.

— Ита́к, ты е́дешь в дере́вню? — спроси́л он наконе́ц.

— В дере́вню.

— Да ра́зве у тебя́ оста́лась дере́вня?

— Та́м что́-то тако́е оста́лось. Две́ души́ с полови́-
ною. У́гол е́сть, где умере́ть. Ты, мо́жет быть, ду́маешь

едва́, no sooner, hardly
определённый, a certain, definite
изве́стный, a certain
то́чка, point
доло́й, off, away
разреши́, solve, *imper.* of раз-
реши́ть *prf.*
там, (*here*) then

оттого́-то, that's precisely why
разлюби́ть *prf.* to stop liking,
fall out with
неутоми́мый, indefatigable, tire-
less
слепо́й, blind
ба́бка, (*pop.*) grandmother
прокорми́ть *prf.*, to provide for,
maintain

в э́ту мину́ту: «И ту́т не обошёлся без фра́зы!» Фра́за, то́чно, меня́ сгуби́ла, я́ до конца́ не мо́г от неё отде́латься. Но́ то́, что́ я сказа́л, не фра́за. Не фра́за, бра́т, э́ти бе́лые во́лосы, э́ти морщи́ны; э́ти про́рванные ло́кти — не фра́за. Ты всегда́ был стро́г ко мне́, и ты бы́л справедли́в; но не до стро́гости тепе́рь, когда́ уже́ всё ко́нчено, и ма́сла в лампа́де не́т, и сама́ лампа́да разби́та... Сме́рть, бра́т, должна́ примири́ть наконе́ц...

Лежнёв вскочи́л.

— Ру́дин! — воскли́кнул он: — заче́м ты мне́ э́то гово́ришь? Че́м я заслужи́л э́то от тебя́? Что́ я́ за судья́ тако́й, и что́ бы я́ бы́л за челове́к, е́сли б, при ви́де твои́х впа́лых щёк и морщи́н, сло́во «фра́за» могло́ притти́ в го́лову? Ты хо́чешь зна́ть, что́ я́ ду́маю о тебе́? Изво́ль! я́ ду́маю: во́т челове́к... с его́ спосо́бностями, чего́ бы не мо́г он дости́гнуть, каки́ми земны́ми вы́годами не облада́л бы тепе́рь, е́сли б захоте́л!... а я его́ встреча́ю голо́дным, без приста́нища...

— Я́ возбужда́ю твоё сожале́ние, — промо́лвил глу́хо Ру́дин.

— Не́т, ты ошиба́ешься. Ты́ уваже́ние мне́ внуша́ешь — во́т что! Кто́ тебе́ меша́л проводи́ть го́ды за го́дами у э́того поме́щика, твоего́ прия́теля, кото́рый, я вполне́ уве́рен, е́сли б ты то́лько захоте́л под него́ подла́живаться, упро́чил бы твоё состоя́ние? Отчего́ ты не мо́г ужи́ться в гимна́зии, отчего́ ты — стра́нный чело-

---

обойти́сь *prf.* [обходи́ться] (без + *gen.*), to do without

фра́за, (*here*) high-sounding phrase, claptrap

сгуби́ть *prf.* (*pop.*) губи́ть, to ruin, kill

про́рванный, ragged, threadbare, *p.p.p.* of прорва́ть *prf.*, to wear through, break through

ло́коть *m.* (ло́кти *pl.*), elbow

строг *pred.*, strict, severe

не до... (+ *gen.*), not the right time for...

стро́гость *f.*, strictness, severity

ма́сло, oil

примири́ть *prf.* [примиря́ть], to reconcile

впа́лый, hollow

приста́нище, refuge; без приста́нища, homeless

возбужда́ть сожале́ние, to arouse pity

во́т что! that's what it is!

подла́живаться *imp.* [подла́диться], (под + *acc.*), to humor; to flatter someone's habits/moods

упро́чить *prf.* [упро́чивать], to consolidate, make durable

ужи́ться *prf.* [ужива́ться], to get on / along; to adjust oneself

вéк! — с какúми бы пóмыслами ни начинáл дéло, всякий
рáз непремéнно кончáл егó тéм, что жéртвовал свойми
лúчными выгодами?

— Я родúлся перекатú-пóлем, — продолжáл Рýдин
с унылой усмéшкой. — Я не могý остановúться.

— Это прáвда; нó ты не мóжешь остановúться не
оттогó, что в тебé чéрвь живёт, как ты сказáл мнé сначáла... Не чéрвь в тебé живёт, не дýх прáздного бес-
покóйства, — огóнь любвú к úстине в тебé горúт, и
вúдно, что несмотря на всё, óн горúт в тебé сильнéе,
чéм во мнóгих, котóрые дáже не считáют себя эгоúстами,
а тебя, пожáлуй, называют интригáном. Да я пéрвый,
на твоём мéсте, давнó бы застáвил замолчáть в себé
этого червя и примирúлся бы со всéм; а в тебé дáже
жёлчи не прибáвилось, и ты, я увéрен, сегóдня же, сейчáс, готóв опять приняться за нóвую рабóту, как юноша.

— Нéт, брат, я тепéрь устáл, — проговорúл Рýдин.
— С меня довóльно.

— Устáл! Другóй бы ýмер давнó. Ты говорúшь,
смéрть примиряет, а жúзнь, ты дýмаешь, не примиряет?
Ктó пóжил, и не сдéлался снисходúтельным к другúм,
тóт сáм не заслýживает снисхождéния. А ктó мóжет
сказáть, что óн в снисхождéнии не нуждáется? Ты сдéлал, чтó мóг, борóлся, покá мóг... Чегó же бóльше?
Нáши дорóги разошлúсь...

— Ты, брат, совсéм другóй человéк, нéжели я, —
перебúл Рýдин со вздóхом.

— Нáши дорóги разошлúсь, — продолжáл Лежнёв:
— мóжет быть, úменно оттогó, что, благодаря моемý со-
стоянию, холóдной крóви да другúм счастлúвым обстоя-

пóмысел, (*book.*) design, intention
перекатú-пóле, tumbleweed,
   rolling stone
дýх, spirit
прáздный, idle
беспокóйство, restlessness
примирúться *prf.* [примиря́ть-
   ся] (с + *instr.*), ro reconcile
   oneself to

прибáвиться *prf.* [прибавля́ть-
   ся], to increase in
с меня довóльно, I've had
   enough
снисхождéние, tolerance, indulgence
чегó же бóльше? what more (do
   you want)?

тельствам, ничто́ мне́ не меша́ло сиде́ть си́днем, и остава́ться зри́телем, сложи́в ру́ки, а ты́ до́лжен был вы́йти на по́ле, засучи́ть рукава́, труди́ться, рабо́тать. На́ши доро́ги разошли́сь... но́ посмотри́, ка́к мы близки́ друг дру́гу. Ведь мы говори́м с тобо́й почти́ одни́м языко́м, с полунамёка понима́ем друг дру́га, на одни́х чу́вствах вы́росли. Ведь уж ма́ло нас остаётся, брат; ведь мы с тобо́й после́дние могика́не![70] Мы могли́ расходи́ться, да́же враждова́ть в ста́рые го́ды, когда́ ещё мно́го жи́зни остава́лось впереди́; но́ тепе́рь, когда́ толпа́ реде́ет вокру́г нас, когда́ но́вые поколе́ния иду́т ми́мо нас, к не на́шим це́лям, нам на́до кре́пко держа́ться друг за дру́га. Чо́кнемся, брат, и дава́й-ка по-стари́нному: Gaudeamus igitur!

Прия́тели чо́кнулись стака́нами и пропе́ли растро́ганными и фальши́выми, пря́мо ру́сскими голоса́ми стари́нную студе́нческую пе́сню.

— Во́т ты тепе́рь в дере́вню е́дешь, — заговори́л опя́ть Лежнёв. — Не ду́маю, чтоб ты до́лго в ней оста́лся, и не могу́ себе́ предста́вить, че́м, где и ка́к ты ко́нчишь... Но́ по́мни: что́ бы с тобо́й ни случи́лось, у тебя́ всегда́ е́сть ме́сто, е́сть гнездо́, куда́ ты мо́жешь укры́ться. Э́то мо́й до́м... слы́шишь, старина́? У мы́сли то́же е́сть свой инвали́ды: на́до, чтоб и у ни́х был прию́т.

Ру́дин вста́л.

сиде́ть си́днем (*colloq.*), never to
    stir from a place
зри́тель *m.*, spectator
сложи́в ру́ки, with arms folded
засучи́ть *prf.* [засу́чивать], to
    roll up
рука́в (рукава́ *pl.*), sleeve
полунамёк, half a hint
ма́ло нас остаётся, only a few
    of us survive
могика́нин, Mohican
реде́ть *imp.* [по-], to thin away
поколе́ние, generation
держа́ться друг за дру́га, to
    hold on to each other

растро́ганный, touched, moved,
    p.p.p. of растро́гать *prf.*
пря́мо, (*here*) truly
предста́вить *prf.*[представля́ть],
    себе́ to imagine
укры́ться *prf.* [укрыва́ться], to
    take shelter, hide
старина́ (*colloq.*), old man / boy /
    chap
инвали́д, disabled soldier,
    veteran
прию́т, refuge, shelter

[70] The allusion is to *The Last of the Mohicans* (1826) by James Fenimore Cooper, who enjoyed great popularity in Russia.

— Спаси́бо тебе́, брат, — продолжа́л он. — Спаси́бо! Не забу́ду я́ тебе́ э́того. Да то́лько прию́та я́ не сто́ю. Испо́ртил я свою́ жи́знь и не служи́л мы́сли, как сле́дует...

— Молчи́! — продолжа́л Лежнёв. — Ка́ждый остаётся те́м, че́м сде́лала его́ приро́да, и бо́льше тре́бовать от него́ нельзя́! Ты назва́л себя́ Ве́чным Жидо́м... А почему́ ты зна́ешь, мо́жет бы́ть, тебе́ и сле́дует та́к ве́чно стра́нствовать, мо́жет бы́ть, ты исполня́ешь э́тим вы́сшее, для тебя́ самого́ неизве́стное назначе́ние: наро́дная му́дрость гласи́т недаро́м, что всё мы под Бо́гом хо́дим. Ты е́дешь, — продолжа́л Лежнёв, ви́дя, что Ру́дин взя́л ша́пку. — Ты не оста́нешься ночева́ть?

— Е́ду! проща́й. Спаси́бо... А ко́нчу я скве́рно.

— Э́то зна́ет Бо́г... Ты реши́тельно е́дешь?

— Е́ду. Проща́й. Не помина́й меня́ ли́хом.

— Ну́, не помина́й же ли́хом и меня́... и не забу́дь, что я сказа́л тебе́. Проща́й.

Прия́тели обня́ли́сь. Ру́дин бы́стро вы́шел.

Лежнёв до́лго ходи́л вза́д и вперёд по ко́мнате, остано́вился перед окно́м, поду́мал и сказа́л вполго́лоса: «бедня́га!» и, се́в за сто́л, на́чал писа́ть письмо́ свое́й жене́.

А на дворе́ подня́лся ве́тер и завы́л злове́щим завыва́ньем, тяжело́ и зло́бно ударя́ясь в звеня́щие стёкла. Наступи́ла до́лгая осе́нняя но́чь. Хорошо́ тому́, кто в таки́е но́чи сиди́т под кро́вом до́ма, у кого́ есть тёплый

не забу́ду я тебе́ э́того, I'll never forget your words
я не сто́ю, I am not worth
как сле́дует, in the proper way; as should be
Ве́чный, Жид, wandering Jew
тебе́ сле́дует, you ought to
стра́нствовать *imp.*, wander
назначе́ние, assignment, destination
гласи́ть *imp.*, (*book. obs.*) to say
не помина́й меня́ ли́хом, don't

think badly of me (ли́хо, *pop. poet.* evil)
обня́ться *prf.* [обнима́ться], to embrace
завы́ть *prf. inch.* [выть], (to begin) to howl, roar
злове́щий, sinister, ominous
завыва́ние, howling
зло́бно, spitefully, angrily
ударя́ясь, hitting, beating, *pr. adv.p.* of ударя́ться *imp.*
звеня́щий, rattling, resounding, *pr.a.p.* of звене́ть *imp.*
кро́в, roof, shelter

уголо́к ... И да помо́жет Госпо́дь всем бесприю́тным ски-
та́льцам!

В зно́йный по́лдень, 26 ию́ня 1848 го́да, в Пари́же,
когда́ уже́ восста́ние «национа́льных мастерски́х» бы́ло
почти́ пода́влено, в одно́м из те́сных переу́лков пред-
ме́стия св. Анто́ния баталио́н лине́йного во́йска брал
баррика́ду. Не́сколько пу́шечных вы́стрелов уже́ раз-
би́ли её; её защи́тники, оста́вшиеся в живы́х, покида́ли
её и то́лько ду́мали о со́бственном спасе́нии, как вдруг
на са́мой её верши́не, на прода́вленном ку́зове пова́лен-
ного омнибу́са, появи́лся высо́кий челове́к в ста́ром
сюртуке́, подпоя́санном кра́сным ша́рфом, и соло́менной
шля́пе на седы́х растрёпанных волоса́х. В одно́й руке́
он держа́л кра́сное зна́мя, в друго́й — криву́ю и тупу́ю
са́блю, и крича́л что́-то напряжённым то́нким го́лосом,
кара́бкаясь кве́рху и пома́хивая и зна́менем и са́блей.
Венсе́нский стрело́к прице́лился в него́ — вы́стрелил ...
Высо́кий челове́к вы́ронил зна́мя — и, как мешо́к, по-

да помо́жет Госпо́дь, may the
   Lord help
бесприю́тный, homeless
скита́лец (*book.*), wanderer
восста́ние, uprising
мастерска́я, workshop
пода́влен, suppressed, put down,
   pred.p.p.p. of подави́ть *prf.*
те́сный, narrow
переу́лок, by-street, lane
предме́стье свято́го Анто́ния,
   St. Anthony Suburb (Fau-
   bourg St. Antoine)
лине́йное во́йско, regular army
пу́шечный *adj.* of пу́шка, can-
   non, gun
вы́стрел, shot
защи́тник, defender
оста́вшийся, who remained,
   p.a.p. of оста́ться *prf.*, оста́-
   вшийся в живы́х, surviv-
   ing
спасе́ние, escape, salvation

прода́влнный, broken, caved in,
   p.p.p. of продави́ть *prf.*
ку́зов, body (of a vehicle)
пова́ленный, overturned, *p.p.p.*
   of повали́ть *prf.*
подпоя́санный, girdled, *p.p.p.* of
   подпоя́сать *prf.*
растрёпанный, disheveled
зна́мя, banner
криво́й, crooked
тупо́й, blunt, dull
са́бля, sword, saber
напряжённый, strained
кара́бкаясь, clambering, scram-
   bling, *pr.adv.p.* of кара́бкать-
   ся *imp.*
кве́рху, up
венсе́нский, Vincennes *adj.*
стрело́к, rifleman
прице́литься *prf.* [прице́ливать-
   ся], to take aim
вы́ронить *prf.*, to let fall, drop
повали́ться *prf.* [вали́ться], to
   fall, tumble

валѝлся лицóм внѝз, тóчно в нóги комý-то поклонѝлся...
Пýля прошлá емý сквóзь сáмое сéрдце...

— Tiens! — сказáл одѝн из убегáвших инсургéнтов другóму: — on vient de tuer le Polonais.[71]

— Bigre![72] — отвéтил тóт, и óба брóсились в подвáл дóма, у котóрого всé стáвни бы́ли закры́ты и стéны пестрéли следáми пýль и я́дер.

Этот «Polonais» бы́л — Дмѝтрий Рýдин.

в нóги поклонѝться, to bow to someone's feet	подвáл, cellar
пýля, bullet	стáвня, shutter
инсургéнт, (*book. obs.*) insurgent	пестрéть *imp.* [за-], to be spotted
	ядрó, (*hist.*) cannon-ball, shot

[71] Look there! They have just killed the Pole!
[72] Curses!

VOCABULARY

A

авось (*pop.*), maybe
акáция, acacia
ал.éть; за-, *inch.* to be aglow;
—ый crimson
а тó, or else
аттестáт, diploma
áхать, áхнуть, *inst.*, to Oh and
Ah; exclaim

Б

бáбочка, butterfly
бáр.ин (*pre-rev.*), master, sir (used
by domestics, serfs); squire,
gentleman (obs.); —ич (*pre-rev.*), young master; —ыня
(*pre-rev.*), madam, lady;
—ышня (*pre-rev.*), young lady,
miss
бáтюшка (*obs.*), my good sir;
my friend; (*affect.*) father
бедá, harm, trouble, misfortune;
не — doesn't matter, no
harm; что за —? what matter,
what of it, where is the harm?
э́то еще не — that is not the
worst yet
бедн.éть; о-, to be impoverished;
—ость *f.*, poverty
беднáга *m.*, poor thing / fellow /
man
беднáк, beggar
бéдствовать *imp.*, to be in need /
want; live in poverty

бесéд.овать, по-, to talk, converse; —а, conversation
бесéдка, arbor
беспокó.ить; по-; to trouble,
disturb; —йство, restlessness
беспрестáнно, incessantly, constantly
бесспóрно, unquestionably
би́ться. *imp.*, to struggle (along),
fight
бишь, see note 66, p. 207.
блáго, welfare, good
благоволéние, kindness, benevolence
благоволи́ть *imp.* (к + dat.), to
regard with favor; have a
kind feeling for ...
благоговéть *imp.* (перед + instr.), to stand in awe
благодаря́ (+ dat.), thanks to
благодáть *f.*, blessing, grace
благодéнствовать *imp.*, to flourish, prosper
благодéтельный, beneficent
благонамéренный, benevolent,
well-intentioned
благополýчно, well, safely
благоразýм.ие, good sense;
—ный sensible
благорóд.ный, noble; —нейший
sup., most noble; —ство, nobility, nobleness
благосклóнный, favorably inclined
благотвóрный, beneficial, re-
lieving, beneficent

блажéн.ный, blessed; —ство, bliss, blessedness

бледн.éть, по-, to pale, turn pale; —ый, pale

блеск, gleam, brilliancy

блест.éть, за-, *inch.*, to glitter, sparkle, shine, flash; —я́щий, brilliant

блистáть, за-, *inch.* (fig. *poet.*), to shine

блуждá.ть *imp.*, to rove, wander; —я *pr.adv.p.* wandering, roaming

блюд.о, dish, platter; —ечко, saucer

Бог, God; — с ним! never mind him! ра́ди —а! for God's / heaven's / sake; слáва —у, thank God; ей —у, upon my word

Бóже! *voc.*, (good) God!

бок, side; —овóй, sidelong; с —у нá —, from side to side

бокáл, glass, goblet

болéзнь *f.*, illness

болт.áть, по-, to chat, have a chat; —ли́вость *f.*, talkativeness, indiscretion; —овня́, chatter; —ýн, chatterer, talker

бóльшею чáстью, for the most part

большинствó, majority

бормотáть, про-, to mutter

борóться *imp.*, to struggle

боя́ться *imp.*, to fear

брак, marriage

барни́ть *imp.*, to scold +ся *imp.*, to swear, curse, scold

брáт, brother (*colloq.*) my friend / good fellow, old man; —ец (*affect.*)

бред, delirium; брéдни, ravings, fantasies

бровь *f.* (брóви *pl.*), eyebrow

брос.áть, брóсить, to throw; give up; abandon; leave, drop; -ив *p.adv.p.*, having left, leaving; +ся, to dash off,

rush up to / toward; throw oneself; —ьте (*imper.*), drop it! forget about it!

бýдет! (*colloq.*), that will do; enough; — с вас, that will do for you

буди́ть, раз-, to wake up, awake *trans.*

бýдто(бы), alledgedly; as if, seemingly

бýдущ.ее (*neut. adj.* used as *n.*), the future; —ий, future *adj.*, next

булáвка, pin

бýр.я, storm; —ный, stormy, tempestuous

бы́ло (*unstressed*) with a *verb*; see note 2, p. 40

бывáло, see note 45, p. 116

бы́вший, former

было́е (*adj.* used as *n. book. poet.*), the past

быт, way of life, every day existence

В

вдохновéние, inspiration

вдохнов.ля́ть, —и́ть, to inspire; —éние, inspiration; —лённый, inspired

велéть *imp. & prf.*, (+ *dat.*) to order, command, tell

великодýш.ие, generosity; —ный, magnanimous, generous

великолéп.ие, splendor, magnificence; —ный, splendid, magficent

вели́чественный, majestic

ведь, of course, since; but, why, after all, well

вéра, faith

вéрить, по-, to believe, trust

вéр.но, apparently; correct(ly); —ный, faithful, true, correct

вероя́тно, probably; вполнé —, very / most probable

ве́рхний, upper

верши́на, top, crest

вести́ себя́, to behave, conduct oneself

ве́чн.о, eternally; (*colloq.*) always; —ый, eternal, everlasting

весьма́ (*book.* for о́чень), very; most; exceedingly

вещь *f.*, thing; work (of art, music, lit.)

ве́я.ть, по-, to blow gently; emanate; breathe forth; —ло (+ *instr.*), came a breath of...

взад и вперёд, up and down, back and forth

взбира́ться, взобра́ться, to climb up / on; mount

взгляд, look, glance, opinion

взгляну́ть *prf. inst.*, to give a look

вздор, nonsense, rubbish

вздох, sigh

вздыха́ть, вздохну́ть, to sigh; take a breath

вздра́гивать, вздро́гнуть *inst.*, to start, shudder

взобра́ться, see взбира́ться

взор, glance

взъеро́шенный, disheveled, rumpled up

вид, air, appearance, view; на —, in appearance; показа́ть —, to give the appearance, pretend; —имо, apparently, evidently; —но, probably, evidently

видне́ться *imp.*, to be seen, visible

вин.а́, fault, guilt; —ова́т *pred.*, wrong; at fanlt; sorry!

вишь! (*pop.* contraction of ви́дишь), see!

вкось, aslant; obliquely; sideways

вкус, taste

вла́га, moisture; (*poet.*) liquid

владе́л.ец, owner, proprietor; —ица *f.*

владе́ть, to possess; own;

— языко́м, to have a command of the language

власт.ь *f.*, authority, power; —ный, domineering

влече́ние, attraction

влечь, при-, to attract

влия́.ние, influence; —тельный, influential

влюб.ля́ться, —и́ться (в + *acc.*), to fall in love; —лённый, in love

внеза́пн.о, suddenly, in an instant; —ость *f.*, suddenness; —ый, sudden, impromptu

вника́ть, вни́кнуть (в + *acc.*), (*fig.*) to go deep into (a matter)

внима́.ние, attention; —тельный, attentive, careful

вну́тренн.е, inwardly; —ий, internal

внуш.а́ть, —и́ть, imbue; suggest; inspire; —е́ние, suggestion, prompting

во́все не ..., not at all; — —, так как ..., not at all, as ...

вожжа́, rein

возбу.жда́ть, —ди́ть, to arouse, excite

возвыша́ться, возвы́ситься, to be above, to rise to the heights of ..., tower

во́зле, beside, near

возму.ти́тельный, revolting, shocking; —ще́ние, indignation

возобнов.ля́ть, —и́ть, to renew; resume, take up again

возра.жа́ть, —зи́ть, to answer, retort; —же́ние, answer; retort; objection

волна́, wave

волне́ние, agitation, excitement; anxiety

во́лос, hait; (*dim.* —о́к)

вообра.жа́ть, —зи́ть, to imagine; —зи́ / те! *imper.*, imagine! —же́ние, imagination

вообще, in general; generally

восклицáние, exclamation

восклицáть, воскликнуть, to exclaim

воспит.áние, education, upbringing, rearing; —ываться, to be brought up

воспоминáние, recollection, reminiscence, memory

востóрг, rapture, delight

востóрженн.ость *f.*, enthusiasm; —ый, enraptured

восхи.щáться, —титься (+ *instr.*), to admire, go into raptures, get enthusiastic; —щéние, admiration, delight

впервы́е, for the first time

вполнé, fully, completely

впослéдствии, later (on), afterwards

впрóчем, incidentally, however

враждéбн.о, with animosity; —ый, hostile

враждовáть *imp.*, to strife

врéм.я *neut.* time —енный, transitory; temporary; в послéднее —, lately; по —енáм, from time to time; at times; со —енем, in time

врóде, a kind of; something like

вря́д ли hardly; it is improbable

всё, all. everything; (preceding a verb, see note 1, p. 38); — ещё, still (continuance); — равнó, all the same; — -таки, still, nevertheless, just the same

вскáкивать, вскочи́ть, to jump up

вскружи́ть see кружи́ть

вслéд (за + *instr.*), after, following; —ствие, as a consequence; as a result

вспы́х.ивать, —нуть *inst.*, to flare up; flush

встря́х.ивать, —нуть *inst.*, to shake (*tans.*)

вступ.áть, —и́ть (в, на + *acc.*), to enter (into); join; —и́тельный, introductory, opening *adj.*

вся́.кие, all sorts / kinds of; —кий, anyone, any; во —ком слу́чае, in any case; —чески, in every way

вы́год.а, benefit, profit, advantage; —ный, advantageous

выгоня́ть, вы́гнать, to drive / chase / turn / out

вызывáть, вы́звать, to call, call forth, provoke

вынимáть, вы́нуть, to remove, take out

выпрямля́ться, вы́прямиться, to draw / straighten oneself / up

выражáть, вы́разить, to express; +ся, to say, express oneself, to use an expression

выражéние, expression

вырази́тельный, expressive

выскáзываться, вы́сказаться, to have one's say; express oneself; speak out; be expressed

выскáкивать, вы́скочть, to jump out, dart out

выслу́шивать, вы́слушать, to hear one through / out

вы́стрелить, see стреля́ть

вы́сший, higher standing, highest; в вы́сшей стéпени, extremely, in the highest degree;

вы́ход, withdrawal, severance, way out, issue

вы́ходка, eccentricity, sally; prank

вя́л.о, languidly, apathetically; —ый, apathetic, inert, sluggish, listless

Г

глубó.кий, deep, profound; —чáйший, most profound

глубокомы́слие, profoundity

глубь *f.*, depth

глу́хо, toneless(ly); глухо́й, deaf;
remote, isolated; глу́ше *comp.*
глушь *f.*, thicket; remote corner
гляде́ть, по-, to glance, look
гнать, по-, to drive, chase
гнев, anger, wrath
гнездо́, nest
голубо́й, light blue
го́рбиться, с-, to be / get /
stooped
горд.и́ться *imp.* (+ *instr.*), to be
proud (of) ́-ость *f.*, pride;
́-ый, proud, arrogant
го́ре, grief, woe
го́р.ечь *f.*, bitterness; —ький,
bitter
горя́ч.ий, hot; —ка (*colloq.* or
fig.), fever; —о́, fervently,
warm(ly); hot *pred.*
горячи́ться, по-, to lose one's
temper; get excited
гостеприи́м.ный, hospitable;
—ство, hospitality
гости́ная, living room
гра́мот.a, reading and writing;
—ный, literate
гре́.х, sin; —шник, sinner;
—шно́, it is a sin
гроза́, storm
грози́ть, по-, to threaten; shake
one's finger (at)
грош, half a ко́реск, penny
гру́б.ость *f.*, crudeness, rudeness;
—ый, rude, coarse, crude
грудь *f.*, chest, breast
гру́ст.ный, sad, melancholic;
—ь *f.*, sadness, melancholy
гря́з.ный, dirty, filthy; —ь *f.*,
dirt, mud, filth
губа́, lip
губе́рн.ия (*hist.*), province; see
note 4, p. 46 —ский, province
adj.
губи́ть; по-, to ruin; kill
густо́й, thick; dense

Д

да (unstressed), but, and, why
дав.и́ть, press, crush, oppress;.
—ле́ние, pressure
да́р, gift (*abstr.*); —ом, free; for
nothing; in vain
дари́ть, по-, to give (as a present)
make a present
даров.а́ть *imp.*, to bestow, grant;
—и́тый, gifted
дви́гать *imp.*, to stir, move
движе́ние, movement, motion
дворе́цкий, major-domo
дворяни́н, nobleman
дворя́нский, of the gentry
де́вушка, young girl
де́йств.ие, action, act; —и́тель-
но, in fact, actually, truly;
—ующее лицо́, character (in
a play or literary work)
де́йствовать, по-, to act, function; (на + *acc.*), to impress,
influence, have an effect
upon
де́л.o, matter; business; — в
то́м, the point is; — в шля́пе,
and there you have it; you've
got it in the bag; — де́лать,
to do the work, do something
useful; —ьно, effectively, sensibly; —ьный, sensible, practical; име́ть — с to, deal with;
в са́мом —е, indeed, really;
в чём —? what is the matter?
на —е, in fact, actually; то́
и —, time and again
держа́ться, *imp.* to carry / keep /
oneself; behave; hold (on)
дерз.а́ть; —ну́ть, to dare;—ость
f., impertinence
де́ятельн. ость *f.*, activity; —ый,
effective, active
ди́вный, marvelous
диви́ться, у-, (+ *dat.*), te be
amazed, marvel (at)
добива́ться *imp.* (+ *gen.*), to
strive for, try to obtain,

struggle for; добиться *prf.*, achieve / obtain(through effort)

добр.о, the Good; property, belongings; —одушие, good nature; —одушный, good-natured; —ожелательный, benevolent, well-meaning; —онравный, well behaved; —особестный, conscientious, scrupulous; —ый, kind, goodhearted

довер.ие, confidence, trust; —чиво, confidently; trustingly; —чивость *f.*, trustfulness; —чивый, trusting

доверять, доверить, to trust, intrust

доказ.ывать, —ать, to prove, demonstrate; —ательство, proof

дол.г, duty, debt; —ги, debts; (—г, duty has no *pl.*); —жно быть, probably, must have / be

должность *f.*, post, job; position

докладывать, доложить, to announce, report, inform

дорожить *imp.* (+ *instr.*), to value

досада, vexation, annoyance

досадовать *imp.* (на + *acc.*), to be vexed / annoyed (by)

досто.инство, dignity, merit, good quality; —йно, worth/y/-ily; —йный, worthy

доста.вать, —ть, to get, obtain; +ся (*pass.* with *dat.*), to catch it, be scolded, get one's share

достояние (*abstr.*), property, possession

досуг, leisure, spare time

доходить, дойти (до + *gen.*), to extend to, attain, reach

дразнить *imp.*, to tease

дрем.ать, за-, *inch.*, to doze; —отный, slumberous; drowsy

дрожать, дрогнуть *inst.*, to quaver, shake, tremble

друж.ба, friendship; —елюбно, kindly, amiably, in a friendly way —но, in harmony

дряхлый, decrepit, old

дуб, oak; —овый *adj.*

дурной, bad; poor

дух, spirit; в —е, in good spirit; не в —е, in a bad mood; —овный, spiritual

душ.а, soul; (see also note 13, p. 61); в —е, inwardly, at heart; —й не чаять, to worship, adore; от —й, sincerely, wholeheartedly; —евно, sincerely, heartily

душистый, fragrant

дым, smoke; —но, smoky; —чатый, smoke-colored

дымить, на-, to (produce / fill with) smoke

дыхание, breath, respiration

дышать, по-, & дохнуть *inst.*, to breathe

Е

едва, scarcely, barely, almost, no sooner; — ли, hardly

единственный, an / the only

ещё бы! (exclamation of emphatic agreement), I should think / say (not!) (yes!)

Ж

жадн.ость *f.*, eagerness, greed; —ый, greedy; avid

жажда, thirst, yearning

жаловать, по-, (*obs. cerem.*), to do the favor to come, to favor with a visit

жаловаться, по-, (на + *acc.*), to complain (about)

жал.кий, pitiful; -ь, it is a pity

жар, heat; fever; ardor; с —ом, heatedly, with ardor / fire

желте́ть, по-, to grow yellow / sallow

жёлтый, yellow

жёлч.ь *f.*, bile; bitterness (*fig.*); —ный, bilious; bitter; peevish

же́ртв.а, victim, sacrifice; приноси́ть, принести́ в —у, to offer as a sacrifice

же́ртвовать, по-, to sacrifice, donate

жесто́.кий, cruel; —кость *f.*, cruelty, heartlessness; —че, *comp.*

жив, alive; —е́йший, most vivid; —о, vividly; —о́й, living, real —ость *f.*, vivacity, animation

жи́дкий, liquid, thin, sparse, scanty

жиле́т, vest

З

забо́титься, по-, (о + *loc.*), to take care; take the trouble, trouble about

загла́вие, title

зага́дка, enigma, riddle, mystery, puzzle

загор,а́ться, —е́ться catch fire, burn

заду́м.ываться, —аться, to become pensive / thoughtful; —анный *p.p.p.*, projected, conceived; —чиво, pensively; —чивый, pensive

заём (*pl.*: за́ймы), borrowing, loan; дава́ть / дать взаймы́, to lend

заключ.а́ть, —и́ть, to conclude, deduct; — е́ние, deduction, conclusion, confinement

замен.я́ть, —и́ть, to substitute; replace

заме́.тно, noticeab/le/ly; —ть/те *imper.*, mark you, observe; —ча́тельный, extraordinary, remarkable, wonderful

замеша́тельство, confusion, embarrassment

замеча́ться *imp.* (3d prsn. only), to be noticed, perceived

за́мысел, project, plan

замышл.я́ть, замы́слить, to plot, think up, plan

запер.а́ть, —е́ть, to lock

запу́т.ываться, —аться, to get involved / entangled; —анный intricate, confused, tangled

запылённый, covered with dust

зара́нее, beforehand, in advance

заро.жда́ться, —ди́ться, to be conceived, to originate

заскрипе́ть, see скрипе́ть

заслу́живать, заслужи́ть, to deserve; gain; win

зас.ыха́ть, —о́хнуть, to wither away, dry up; (сухо́й, dry); —о́хший *p.a.p.* (*lit.*, dried up), withered

застава́ть, заста́ть, to find (upon arriving somewhere)

заставл.я́ть, заста́вить, to force, compel, make

зато́, on the other hand; to make up for that; but; but then

зва́ть, по-, to call, invite

зде́шний, resident of this place, local

здоро́ваться, по-, to greet

здоро́вье, health; за —! to the health! the health!

да здра́вству/ет/ют! long live!

здра́вый смысл, common / good / sense

зев.а́ть, —ну́ть, *inst.*, to yawn

зло, evil; на —, to spite; —ве́щий, sinister, ominous; —й, wicked, malicious

змея́, serpent, snake

знако́м.ить, по-, to have someone meet; to introduce; + ся, to make the acquaintance; —ый (*adj.* used as *n.*), acquaintance, friend

знамени́т.ость *f.*, celebrity; —ый, famous

зна́ние, knowledge

зна́тный, of quality, distinguished, notable

знато́к, expert, connoisseur

зна́ться *imp.pop.* (с + *instr.*), to mingle with, see much of

знач.е́ние, significance; —и́тельно, significantly; expressively; considerably; —и́тельный, significant, important

зно́й, sultriness, heat; —ный, sultry

зре́ние, view, sight

зри́тель *m.*, spectator

И

игр.а́, play; —а́ть роль .*f*, to play a part; —о́к, gambler

избавля́ть, изба́вить, (от + *gen.*) to save, deliver, spare

избега́ть, избе́гнуть, (+ *gen.*) to avoid, shun, escape

изве.ща́ть, —сти́ть, to inform

изво́л.ить *imp.* (*obs.resp.*; in modern usage, *iron.*), to deign; —ь/те *imper.*, please, pray; also signifying agreement: if you like, very well, as you please

издава́ть, изда́ть, to publish

изда́ние, edition, publication

изобра.жа́ть, —зи́ть, to picture, depict; + ся *intr.*, to show, be pictured; —жа́ющий *pr.a.p.* depicting; —же́ние, picture, image

и́зредка, now and then

изум.ля́ться, —и́ться, to be amazed, astonished; —ле́ние, amazement, surprise

изы́сканн.ость *f.*, refinement; sophistication; —ый, elaborate, select, refined

изя́щный, smart, elegant, graceful

име́ние, property, estate

и́менно, precisely, exactly, just

ина́че, other than, otherwise, differently, in an other way, or else

иска́тель *m.*, seeker, searcher

иска́ть, по-, to seek, look for, search

исключ.а́я, with the exception·—и́тельно, nothing but; exceptionally

и́скренн.ий sincere; —ость *f.*, sincerity

исполня́ть, испо́лнить, to carry out, fulfill; — роль *f.*, to play the role, take the part

испо́льзовать *prf.* and *imp.*, to make use of, use

испо́ртить, see по́ртить

испы́т.ывать, —а́ть, to experience, feel; —а́ние, experience, trial, test

и́стин.а (*book.*), truth; verity; —ный (*book.*), true

исчеза́ть, исче́знуть, to vanish; disappear

и т.п., и тому́ подо́бное, and the like

К

-ка, see note 25, p. 83.

как, how, as; — бу́дто, as if, seemingly; — бы, as though, as if; и — ещё! and how! — же! of course / sure (I did; and did I); — и, as well as; — ни, however, much / hard; — то, somehow or other; — то́лько, as soon as

с како́й ста́ти? why on earth? — — — мне э́то де́лать? why should I do it?

каса́ться, косну́ться, to touch, concern; что́ (же) каса́ется (меня́), as for (me), as far as (I am) concerned

кача́ть, по,- to shake; rock,

swing; — головóй, shake one's head

кáчеств.о, quality; в —е, as, in the capacity of

кипéть, за-, *inch.*, to boil, seeth

клáняться, поклонúться, to greet, bow, give one's regards

клевет.áть *imp.*, to slander; —á, slander, calumny; —нúк, slanderer

клsться, по-, to swear, take an oath

кóе-где, here and there; — как, somehow, somehow or other

колебáть, по-, to make waver / hesitate; +ся *imp.*, to hesitate

кóли (*pop.* for éсли), if

колsска, carriage

конь *m.* (*mil. or poet.*), steed

кóрен.ь *m.*, root; —нóй, basic, radical

крáй, edge; —не, extremely; по —ней мéре, at least; —ний, extreme; last; endmost

крáска, color, hue, flush

красноречие, eloquence

крéпкий, strong, firm, sturdy

крепостн.úчество, serfdom; —óй (*adj.* used as *n.*), serf

крóвь *f.*, blood

крýг, circle; —лый, round; —óм, around

кружúть, вс-, to turn (whirl); +ся *imp.*, to whirl

кружóк *dim.* of круг, circle

крýпный, big; large, massive

крыльцó, porch

крылó (крsлья *pl.*), wing

кстáти, by the way, incidentally; opportunely

кудá (мне, емý, etc.), it is not for (me, him); how could (I, he)

кýдри (*pl.* only), locks, curls

кулáк, fist

курчáвый, curly haired / headed

кушéтка, couch

Л

ладóнь *f.*, palm

лампáд.а or —ка, lamp (*poet.*), icon lamp

ласк.áть *imp.*, to caress; —áя *pr.adv.p.*, caressing, stroking; —овый, caressing, affectionate

лгать, со-, to lie

легкомsслие, light-headedness, frivolity

лéзть *imp.actual*, по-, to climb, crawl

лен.úвый, lazy; —ь *f.*, laziness, indolence; also *predicatively* with *dat.*: мне —ь ..., I feel too lazy to ...

лéстный, flattering

лúбо ... лúбо, either or

лизоблsд, sponger, parasite

лúп.a, linden tree; —овый, linden *adj.*

лúться, по-, *inch.*, to stream, pour, flow

лицó, face; *offic.*, person

лúчн.о, personally, in person; —ость *f.*, personality; —ый, personal

лиш.áть, —úть, to deprive; +ся (+ *gen.*), to be deprived; —ний, extra, superfluous

лишь бы, so long as; if only; — тóлько, as soon as, the moment

лоб, forehead, brow

лóвкий, adroit, clever, shrewd; skilful

лóж.ь *f.*, lie; —ный, wrong; false, erroneous

лóп.аться, —нуть, to break, burst

луг, meadow

лукáв.ство, cunning; —ый, sly, cunning *adj.*

луч, beam; —езáрный, radiant

любéзный, kind, obliging, dear (*obs.* in this usage)

люб.и́тель *m.*, lover, amateur

любо́й, any

любова́ться (+ *instr.*) *imp.*, to admire (enjoy the sight of)

любопы́тствовать, по-, to inquire, show curiosity

M

ма́лый (*adj.* used as *n*) fellow

ма́стер, expert, (handi)craftsman; —ски́, masterful(ly), in a masterly way

мгнове́н.ие moment, instant; —ный, momentary, instantaneous

ме́жду between, among: — про́чим, by the way, among other things; — тем, meanwhile, and yet

ме́л.кий, insignificant, small, petty; —очь *f.*, detail, trifle

ме́р.а, measure; по —е возмо́жности, as far as possible, in as much as possible; по кра́йней —е, at least

ме́сто, place; position, post, job

мечта́, (day)dream

мечта́ть, по-, to (day)dream

меша́ть, по-, to prevent, hinder, interfere

миг, moment

милови́дный, pretty, sweet

ми́лостивый, merciful; gracious

ми́л.ый, nice, kind; —е́йший, dearest; most kind/charming

мне́ние, opinion

мно́гое (*neut. adj.* used as *n.*), many things

мно́жеств.о, (great) quantity, multitude; —енное число́, plural (number)

мол, see note 28, p. 87

молча́.ть, to be silent; —ли́вый, silent, uncommunicative

мори́ть, у-, to exhaust, kill, exterminate

морщи́на, wrinkle

мо́рщить *imp.*, to knit, wrinkle; + ся *imp.*, to wrinkle, frown

мра́чный, gloomy

мудрено́, difficult, complicated

мысл.ь *f.*, thought, idea; —енно, mentally, in thought; —и́тель *m.*, thinker

H

наблюд.а́ть *imp.* (за + *instr.*), to watch, observe; —а́тельность *f.*, keenness / ability of observation; —е́ние, observation

наве́рное (or наве́рно), for sure / certain; probably

навстре́чу, toward; to meet

на́глость *f.*, impudence, insolence

назва́ние, appelation, name

назыв.а́ть, назва́ть, to call, to name; так —а́емый *pr.p.p.*, so-called

наказ.ывать, наказа́ть, to punish; —а́ние, punishment

наконе́ц, at last, after all, finally

налива́ть, нали́ть, to pour (out)

намёк, insinuation, hint

намек.а́ть, —ну́ть, to insinuate, hint

наме́реваться *imp.*, to have the intention

наме́рение, intention; с —м, deliberately; (я, он) наме́рен *pred.*, intend(s)

напада́ть, напа́сть (на + *acc.*), to attack, fall upon

напо́йть, see пойть

напомина́ть, напо́мнить, to remind

направле́ние, direction; trend

направля́ть, напра́вить, to direct

напра́сно, in vain, to no purpose; one should not

напро́тив, on the contrary

наро́дн.ость *f.*, nativeness, nationality; —ый, vernacular; popular, national

наро́чно, deliberately, intentionally

наско́лько, as far as, so far as

насла.жда́ться, —ди́ться, (+ *instr.*), to enjoy, relish; —жде́ние, relish, enjoyment, delight

настава́ть, наста́ть, to come, begin (for a period of time, season or condition)

наст.а́ивать, —оя́ть, (на + *loc.*), to insist (on); —о́йчивость *f.*, perseverance; —оя́ние, insistence

настоя́щий, real, genuine

наступ.а́ть, —и́ть, to come, set in (of a period of time or a condition); step on something; (*imp.* only), to advance, take the offensive

на (or за) счёт (+ *gen.*), at the expense (of)

насчёт, about; concerning, in regard

натыка́ться, наткну́ться, to run up / against; come / hit / upon

нау́ка, science; learning; knowledge

небо́сь (*pop.*), I bet, surely, probably

небре́жно, carelessly; casually; —сть *f.*, carelessness, nonchalance

нево́льн.о, could not help, involuntary; —ый, involuntary

невыноси́мый, unbearable; intolerable

негодова́.ть *imp.*, to be indignant; —ние, indignation; придти́ в —ние, to get indignant

неда́ром, not without reason, for some good reason

недостава́ть, недоста́ть (*pass.*

with *dat.*, *obj.* in *gen.*), to be lacking; to lack (ему́) недостаёт ... (he) is lacking ...

недоста́то.к, lack, defect, shortcoming; —чно, not enough, not sufficient(ly)

недоуме́ние, perplexity

неду́рно, not bad, rather well

не́жели (*obs.*), than

не́жить *imp.*, to caress

не́жно, tenderly; —сть *f.*, tenderness, affection; —ый, tender

не́кто, one, a certain

нело́вк.ий, clumsy, awkward; —о awkward(ly), ill at ease; (*pass.* with *dat.*) ему́ —о, he feels awkward

ненави́деть, воз-, *inch.*, to hate

не́нависть *f.*, hatred, detestation

необходи́м.ость *f.*, necessity; urge; —ый, indispensible, essential

неожи́данн.о, unexpected(ly); —ый, unexpected; startling

неопределённый, vague, indefinable

неподви́жн.о, immovably; —ый, immobile, motionless

непреме́нно, without fail, absolutely

нескро́мный, indiscreet, indelicate; immodest

несмотря́ на, in spite of, despite

несомне́нн.о, doubtless, undoubtedly; —ый, unmistakable, unquestionable, obvious

несправедли́в.ость *f.*, injustice; —ый, unjust

несча́стье, calamity, disaster, misfortune

нетерпе́ние, impatience

неторопли́вый, unhurried

неуда́ча, failure

неуже́ли, is it possible; see note 10, p. 55.

see note 10, p. 55.

никáк не, in no/any way at all; not in the least

никуда́ не годи́ться, to be no good at all; good for nothing; (годи́ться *imp.* to suit, fit)

ниско́лько, not at all

нить *f.* (*poet.* or *fig.*), thread

ничто́жный, slight, insignificant, worthless

ничу́ть (не), not a bit, not at all

нищ.ета́, poverty, destitution; —ий, poor, needy, beggar

нововведе́ние, innovation

носово́й, nasal; — плато́к, handkerchief

ночева́ть *imp.* and *prf.*, пере-, to stay over night, spend a night

нрав, temper, disposition

нужда́, poverty, need, want

нужда́ться *imp.*, to live in poverty / in need; (в + *loc.*), to be in need (of, for)

ны́нешний, present(-day) *adj.*

ню́хать, по-, to sniff, smell

O

обвин.я́ть, —и́ть, to accuse; —е́ние, accusation

оберну́ться, see обора́чиваться

оби́дн.ый, vexing; —ее *comp.*

обижа́ть, оби́деть, to hurt, do wrong (to somebody)

оби́л.ие, abundance; —ьный, abundant

облада́ть *imp.* (*book.*), to possess, have

обма́н.ывать, —у́ть, to deceive, cheat; +ся, to delude oneself; make a mistake; be deceived; —щик, deceiver, imposter

обнима́ть, обня́ть, to embrace; +ся, to embrace one another

обожа́ть *imp.*, to adore, worship

обойти́сь, see обходи́ться

обра́доваться, see ра́доваться

о́браз (*book.*), image; — жи́зни, way of life, mode of living;

— мы́слей, way of thinking, views

образо́в.анный, educated; —аность *f.*, knowledge, education; —а́ние education

обора́чиваться, оберну́ться, to turn (round)

оборо́т, turn

обра.ти́ть, —ща́ть, to turn (fig.); — внима́ние (на + *acc.*), to notice; turn / pay attention; — на путь и́стины, to set on the path of truth; +ся (к + *dat.*), to address, turn to; —ща́ться (с + *instr.*) *imp. only*: to treat; — в бе́гство, to turn to flight, beat a retreat, — тя́сь *p.adv.p.* (having addressed), addressing, turning to

обро́к (*hist.*), quit-rent; see note 34, p. 102.

обстоя́тельство, circumstance

обходи́ться, обойти́сь (с + *instr.*), to treat, to deal; —(без + *gen.*) do / manage / without

обхожде́ние, manner, treatment

обши́рный, vast, broad, extensive

о́бщ.ий, common, general; —ество, society, company; —е́ственный, social, public *adj.*

объяв.ля́ть, —и́ть, to announce; declare

обя́занность *f.*, obligation, duty; налага́ть, наложи́ть — to impose / lay on / an obligation; обя́зан *pred.*, compelled, obliged; indebted

огля́дываться, огляну́ться, to look round / back

огляну́ться, see огля́дываться

ого́нь *m.*, fire

огорч.а́ть, —и́ть, to grieve; distress; —ён *pred.*, aggrieved; —и́тельный, distressing, grievous

одино́.кий, solitary, lonely; —ко, in solitude, lonely; —чество, solitude, loneliness, seclusion

одна́ко, well, but, however

однообра́зно, monotonously

одобр.я́ть, одо́брить, to approve; —йтельно, approvingly

ожида́ть, *imp.* (+ *gen.*) expect, anticipate, wait (for)

озлобл.е́ние, bitterness, spite, animosity; —ённо, with irritation; angrily —ённый, embittered

озлоб.ля́ться, —и́ться, to become embittered

окончча́тельный, final; definite

определён.ие, definition; —но, definite(ly); explicit(ly); —ный, definite; certain

определ.я́ть, —и́ть, to define; characterize; determine

о́пыт experience; по —у, by experience; —ный, experienced

опя́ть-таки (*colloq.*), then again

оскла́биться *prf.*, to smirk, grin

оскорб.и́тельный, abusive; insulting; —ле́ние, insult

оскорб.ля́ть, —и́ть, to offend; +ся, to be / feel / offended

осно́в.а, base, basis; —а́ние, basis, ground; —анный, based; founded; —но́й, fundamental, basic

осо́ба (*obs.* or *iron.*), person

осо́б.енно, especially, particularly, peculiarly, in a special way; —енность *f.*, peculiarity, particularity; в —енности, in particular; —ый, special

остава́ться, оста́ться, to stay; remain; оста́нь/ся/тесь *imper.*, stay

оставля́ть, оста́вить, to leave; abandon; оста́вь/те (меня́) *imper.*, leave (me alone)

остан.а́вливать, —ови́ть, to stop *trans.*, +ся (*intr.*)

осторо́жный, cautious, careful

о́стр.ый, sharp, keen; —о́та, witticism; —рое словцо́, witty remark

отдал.я́ться, —и́ться, to grow away (from); в —е́нии, at a distance; —ённый, distant

отде́л.ываться, —аться (от + *gen.*), to rid/free oneself; get away

о́тдых, rest, relaxation

отдыха́ть, отдохну́ть, to rest

оте́чес.кий, paternal; —тво, fatherland

отзыва́ться, отозва́ться, (о + *loc.*), to speak of; give one's opinion (about); echo/respond

отка́з.ывать, —а́ть, to deny, refuse (something to somebody), +ся (от + *gen.*), to refuse, renounce

открове́нн.ость *f.*, frankness; —ый, frank

откры.ва́ть, откры́ть, to discover, open; —тие, unveiling, opening, discovery

отлич.а́ться, —и́ться, to distinguish oneself; *imp.only*: to differ (in), to be noted (for)

отли́чн.о, wonderfully; excellent; very well; —ый excellent

относи́ться, отнести́сь (к + *dat.*) to treat (somebody); feel (toward); regard (something); *imp. only*: to concern; apply to; belong to

отноше́ни.е (к + *dat.*), feeling/ attitude/toward, relation to, connection; —я, relationship, terms, relations; по —ю к, toward, with respect to, in connection with

отправля́ть, отпра́вить, to send (off, away); +ся, to go, set out отра.жа́ть, —зи́ть, to reflect; +ся, to be reflected

отриц.а́ть *imp.*, to deny, negate; —а́ние negation, denial

о́троду, never (in one's born days)

отры́вок, selection, excerpt

отры́вистый, abrupt

отста́в.ка, retirement, resignation; в —ке, retired (on the retired list); выходи́ть, вы́йти в —ку, to resign, retire; —но́й, retired *adj.*

отчёт, account; отдава́ть, отда́ть себе́ — (в + *loc.*), to understand, realize

отчуждённость *f.*, estrangement

оты́скивать *imp.*, to search; отыска́ть *prf.*, to find

охо́т.иться *imp.*, to hunt; —a, hunt, hunting; desire; —ник, hunter; —но, readily, willingly, gladly

очарова́.ние, enchantment, illusion; —тельный, charming

очаро́в.ывать, —а́ть, to charm, enchant

ошиб.а́ться, —и́ться, to err, make mistakes

ощу. ща́ть, —ти́ть, to feel; —ще́ние, sensation; feeling

П

па́мят.ь *f.*, memory, recollection; —ник, memorial, monument; —ный, memorable

пари́к, wig

пе́пел, ashes

пе́рвый, first; foremost; — план, foreground; — попа́вшийся, the first that came to mind; first to come across

переб.ива́ть, —и́ть, to interrupt

перев.оди́ть, —ести́, to translate; transfer

перед.ава́ть, —а́ть, to render; convey, give; hand; —а́ча, transmission

переде́л.ывать, —ать, to change, rework, alter; —ка, revision, alteration

перепи́с.ываться, *imp.*, *only* (с + *instr.*), to correspond; —ка correspondence

перехо́д, transition; —ный, transition *adj.*, transitional

переходи́ть, перейти́, to cross, pass (to), turn to

перча́тка, glove

печа́литься, о-, to feel sad, be grieved

печа́ль *f.*, sorrow, sadness; —ный, sad

пла́к.ать, за-, *inch.*, to cry; —у́чая берёза, weeping birch-tree

печа́тать, на-, to publish, print

печа́т. ь *f.*, print, press, imprint, mark, seal; появи́ться в —и, to appear in print

пла́вн.ость *f.*, smoothness, fluency; —ый, smooth

плут, crook, swindler, cheat, imposter

по́весть *f.*, short novel, long short story, novelette

повреди́ть, see вреди́ть

по́вод, grounds, reason, occasion

поворо́т, turn

погово́рка, adage, saying

погляде́ть, see гляде́ть

погоди́/те, wait a little/a moment (no *inf.*)

погру.жа́ться, —зи́ться, to become immersed, be absorbed, plunge deep; —жённый *p.p.p.*, immersed, plunged

подава́ть, пода́ть, to hand, present, serve, give

подари́ть, see дари́ть

пода́рок, a present

подборо́док, chin

подверга́ться, подве́ргнуться

(+ *dat.*), to undergo, come under, be subjected/exposed/ to

подело́м, it serves (him) right; rightfully

подёрг.ивать, —ать, to pull, jerk; —иваться *imp.*, to twitch; —ивая *pr.adv.p.* pulling

по́дле (+ *gen.*), beside, nearby

подн.има́ться, —я́ться, to rise, arise

подо́б.ие, likeness, similarity; ничего́ —ного, not at all, nothing of the kind; —ный, similar, of (this, his, etc.) kind, such, like

подозр.ева́ть, заподо́зрить, to suspect, become suspicious; —и́тельный, suspicious

подро́бност.ь *f.*, detail; вдава́ться в —и, to enter into details

подслу́ш.ивать, —ать, to eavesdrop

подсма́тривать, подсмотре́ть, to spy, watch

подтвержде́ние confirmation; в —, to confirm, in confirmation

подсме́иваться, подсмея́ться (над + *instr.*), to make fun of, mock at

подтру́н.ивать, —ить, (над + *instr.*), to tease, chaff

поду́шка, cushion, pillow

подхва́т.ывать, —ить, to join/ chime/in, rejoin; pick up

подходи́ть, подойти́ (+ *dat.*), to match, suit, fit; — (к + *dat.*), to approach, come up to

подчин.я́ться, —и́ться, (+ *dat.*), to submit, surrender; —ённый (*p.p.p.* used as *n.*), inferior, subordinate

пожа́ловать, see жа́ловать

пожа́луй, perhaps, if you like, maybe so, very likely, why not

поже́ртвовать, see же́ртвовать

пожило́й, elderly

пож.има́ть, —а́ть ру́ку, to press the hand, shake hands; — плеча́ми, to shrug one's shoulders

позва́ть, see звать

позв.оля́ть, —о́лить, to permit, allow; —о́ль/те *imp.*, allow me; may I; one moment

поздоро́ваться, see здоро́ваться

поздр.авля́ть, —а́вить, to congratulate

позо́р, disgrace

пои́ть, на-, to give to drink, make drink

пока́, so far, while

покача́ть see кача́ть

покида́ть, поки́нуть, to leave; abandon, desert

покло́н, bow; greeting, regards; —и́ться, see кла́няться; —и́сь/ тесь *imp.*, give my/our/regards; —ни́к, admirer

поколе́ние, generation

поко́рный, submissive

покор.я́ть, —и́ть, to subdue, win, subjugate; +ся, (+ *dat.*), to submit, resign oneself (to)

полага́ть *imp.*, to suppose; think, presume

поле́зть, see лезть

по́лно! or по́лноте! (*colloq.*), please don't! stop (it); that's enough

по́лный, full; absolute; complete

положе́ние, situation, position

поло́жим(что . . .) let us admit/ assume, assuming (that . . .)

по́льз.а, usefulness, good, use; приноси́ть, принести́ —у, to do good; в —у, in favor of; for the benefit of

по́льзоваться, по-, (+ *instr.*), take advantage of; use; enjoy; —успе́хом (*imp.* only), to have success

полюбопы́тствовать, see любо-
пы́тствовать
поме́стье, estate
поме́щ.ик, landowner; *f.*: —ица;
—ичий *adj.*
поми́луй/те! (expresses protest)
for heaven's sake! Please! (*lit.*)
have mercy
по́мнится,*impers.*as (I) remember
поню́хать, see ню́хать
поня́тие, idea; notion, concept
поо́даль, at a distance; at some
distance
попада́ть, попа́сть (в, на + *acc.*),
to get (to, into); — в число́,
to be included in the number
of; +ся, to occur, come upon,
come across; be cought;
пе́рвый попа́вшийся, the first
one happens upon
попр.авля́ть, —а́вить, to improve, correct, repair +ся, to
improve, get better, recover
попре́жнему, as before
по́пусту, in vain, uselessly, to
no purpose
пора́, the time of . . .; it is time
to . . . (*pass.* with *dat.*) мне
— . . ., it is time for me to . . .
пора.жа́ть, —зи́ть, to startle,
strike, amaze, defeat; —же́ние
defeat; —жённый *p.p.p.*,
struck, impressed, amazed;
—жён *pred.* —зи́тельно, strik-
ing(ly), amazing(ly)
порисова́ться, see рисова́ться
порица́ть, *imp.*, to censure; find
fault, reprove
по́ртить, ис-, to spoil, ruin
поруче́ни.e, commission; errant;
по —ю, on a commission
посади́ть see сажа́ть
посвя.ща́ть, —ти́ть, to devote,
dedicate
поселя́ться, посели́ться, to settle
(down), take up one's residence
посети́тель *m.*, visitor; —ница *f.*

посе.ща́ть, —ти́ть, to attend,
visit; —ще́ние, visit
посма́тривать *imp.*, to throw
glances, keep glancing
поспе́шно, hastily; promptly,
hurriedly
постепе́нно, gradually
постоя́нн.ый, constant, permanent, steady; —о, constantly,
ceaselessly
поступ.а́ть, —и́ть, to act, do,
behave; (— на, в + *acc.*), to
enter/join (school, service);
—ле́ние entering (*n.*)
посту́пок, act, action
потеря́ться, see теря́ться
потре́бность *f.*, need, necessity
потряс.а́ть, —ти́, to shake,
brandish; —ённый *p.p.p.*,
shaken
поумне́ть, see умне́ть
похвала́, praise; похва́льно,
praiseworthy, loudable
похвали́ть, see хвали́ть
похва́стать, see хва́стать
похо́ж *pred.* (на + *acc.*), resembles, is like
походи́ть *imp. only* (на + *acc.*),
to resemble
похо́дка, walk, gait
похуде́ть, see худе́ть
поцелова́ть, see целова́ть
по́чва, ground, soil
почётный, honorary, distinguished, of honor
почему́-то, for some reason
пошути́ть, see шути́ть
правди́вый, truthful
пра́вильный, correct
пра́во, right; law; really, truly;
I mean it
превосхо́д.ный, superb, perfect;
—ство, superiority
пре́данн.ость *f.*, devotion; —ый,
devoted
пред.лага́ть, —ложи́ть, to propose, suggest, offer

предложе́ние, proposition; offer; proposal; suggestion; сде́лать —, to propose

предло́г, pretext; preposition (*gram.*)

предме́т, subject, topic; object, thing; a person with whom one is in love (*obs.*)

предпоч.ита́ть, —е́сть, to prefer

предприя́тие, undertaking; enterprise

предрассу́док, prejudice

пред.ставля́ть, —ста́вить, to present, represent; — интере́с, to be of interest; — себе́, to imagine

предстоя́ть, *imp.* (*pass.* with *dat.*), to be faced with, be in prospect (of)

предупре.жда́ть, —ди́ть, to warn, anticipate, get ahead

предчу́вствие, foreboding, premonition

пре́жде, in former times; before; once

преобразова́ние, reform

преле́стный, delightful, charming; пре́лесть *f.*, charm, delight

преподава́.ние, teaching; —тель (*f.*: —тельница), teacher

преступле́ние, crime

преувели́ч.ивать, —ить, to exaggerate; —е́ние, exaggeration; —енный, exaggerated

при, with; at; in the presence of; at the time of

при.бавля́ть, —ба́вить, to add

прибл.ижа́ться, —и́зиться, to approach, come up

приве́т, regard(s), greeting; —ливо, hospitably, in a friendly way; —ливый, friendly, affable; —ствовать, *imp.* to greet, salute, welcome

привл.ека́ть —е́чь, to attract; —ека́тельный, attractive

при.выка́ть, —вы́кнуть (к + *dat.*), to get used / accustomed to

привы́чк.а habit; (мне, ему) не в —у, not customary (for me, for him, etc.)

привя́з.ываться, —а́ться (к + *dat.*), to become/get attached

при.дава́ть, —да́ть, to impart; add; give

приде́рживаться *imp.* (+ *gen.*), to keep to, to adhere, stick to

призв.а́ние, vocation, calling; —анный *p.p.p.* (к + *dat.*), designed for

призн.ава́ться, —а́ться, to tell the truth, confess, admit; —а́ние, recognition; confession

при́зрак, ghost, phantom

прика́з.ывать, —а́ть, to order, give orders

прики́.дываться, —нуться (+ *instr.*), to pose as; to pretend (to be), feign

примен.я́ть, —и́ть, to apply; — на де́ле, to apply in practice; —ён *pred. p.p.p.*, applied; —е́ние, way of use, application

принадлежа́ть *imp.* (+ *dat.*), to belong

прин.има́ть, —я́ть recieve, take, accept, — госте́й, receive visitors; — (за + *acc.*), to take for; — лека́рство, take medicine; — направле́ние, assume/take a trend, direction; — предложе́ние, accept an offer; — реше́ние, make a decision; — уча́стие, to take part, participate

прин.има́ться, —я́ться (за + *acc.*), to begin; set to, start, take up

при.носи́ть, —нести́ to bring; — в же́ртву, to sacrifice (something); —по́льзу, to do good, be of use

прину.ждáть, —дить, to force
принуждённ.о, constrainedly,
stiffly; —ый, forced, constrained, compelled
припáдок, fit, attack
прислон.яться, —иться, to lean;
—ясь *p.adv.p.*, leaning
пристáльно, fixedly; intently
присýтств.ие, presence;
—ующий *pr.a.p.*, used as *n.*,
one present
при.сылáть, -слáть, to send
притóм, besides, moreover, and
also, what's more, at the same
time
причёс.ывать, —áть, to comb,
wear one's hear;—ка, coiffure;
—анный *p.p.p.*, groomed
причина, cause, reason
пробормотáть, see бормотáть
про.водить, —вести, to drow/
trace out (a line), spend (time),
pass (a hand, finger), carry out
провóрный, brisk, quick, swift
прогов.áриваться, —ориться,
to let out a secret; blab
про.должáть, —дóлжить, to
continue, go on
произведéние, work (of art, lit.)
про.исходить, —изойти, to take
place, occur; to come from,
derive, originate
происхождéние, origin
происшéствие, event, episode
про.ливáть, —лить, to spill;
shed (tears)
промышленность *f.*, industry
про.падáть, -пáсть, to get lost
пропитанный, impregnated
p.p.p., of пропитáть *prf.*
просвещéние, enlightment, education, learning
простотá, simplicity
про.сыпáться, —снýться, to
awaken, wake up *intr.*
противник, opponent, adversary
противный, repulsive, disgusting

противополóжный, opposite
противорéчие, contradiction
прощá.й/те, good-by, farewell;
—льный, farewell *adj.*
про.щáть, —стить, to forgive
про.щáться, —ститься, to say
good-by
прямóй, straight, straight-for-
ward; forthright, direct
пýговица, button
пýля, bullet
пус.кáться, —титься, to start;
set out
пустóй, empty, shallow, vain,
empty-headed
пуст. як, trifle; —яки, nonsense;
it is nothing
пылáть, за-, *inch.*, to flame;
burn, blaze, glow
пятнó, stain; spot, patch

Р

раз.бивáть, —бить, to break,
smash; defeat; —битый *p.p.p.*,
broken
раз.бирáть, —обрáть, to analyze, make out, sort out, distinguish
разбудить, see будить
рáзве, see note 7, p. 50
раз.вивáть, —вить, to develop,
improve *trans.*, +ся, to develop *intr.*; вит *pred. p.p.p.*,
developed
рáзом, in one draught, at once,
in one breath
разочар.óвываться, —овáться,
to be disillusioned, disappointed;—овáние, disillusionment,
disenchantment
рáвенство, equality
равнодýш.ие indifference; —но,
calmly, with indifference;
—ный, indifferent
рáди, Бóга, for God's/heaven's/
sake

ра́доваться, об-, (+ *dat.*), to rejoice at, be glad (about)

ра́дост.ь *f.*, joy; —ный, joyful

не ра́з, more than once

раз.бира́ть, —обра́ть, to make out, sort out

развл.ека́ться, —е́чься, to distract/amuse oneself; —ече́ние, diversion, amusement

развя́з.ка, denouement, outcome; —ный, pert, unceremonious

разгово́р, conversation; — не кле́ится, the conversation flagged

разгор.а́ться, —е́ться, to flare up, warm up

раз.дава́ться, —да́ться, to resound

раздел.я́ть, —и́ть, to divide, share; —е́ние, division; —е́ние труда́, division of labor

раздраж.а́ть, —и́ть, to irritate; —и́тельность *f.*, irritability; —и́тельный, irritable

разлуч.а́ть, —и́ть, to separate; разлу́ка, separation, parting

раз.мышля́ть, —мы́слить, to think, ponder, meditate

ра́зн.ица, difference; —ообра́зный, varied

разноцве́тный, multi-colored

раз.обра́ть, see —бира́ть

разойти́сь, see расходи́ться

раздраж.а́ться, —и́ться, to be irritated

разреш.а́ть, —и́ть, to permit, solve; —и́/те *imper.*, solve; allow, permit; —е́ние, solution; permission

разря́д, category, class

разуме́.ть *imp.* (*obs. pop.*), to understand, comprehend; —ется, of course, it goes without saying

разу́мный, sensible, reasonable

раска́яние, remorse, regret, repentance

рас.крыва́ть, —кры́ть, to open

распо.лага́ться, —ложи́ться, to settle oneself; —ло́жен *pred.*, disposed, well disposed; located; —ложе́ние, favor, inclination; disposition

распоря.жа́ться, —ди́ться, to manage; give orders, be in command/charge; dispose of; —же́ние, order; instruction; management

рас.правля́ть, —пра́вить, to straighten, spread, smooth out

рассе́янный, absent-minded, distracted

рас.става́ться, —ста́ться, to part с расстано́вкой, without haste; with deliberation

расстр.а́ивать, —о́ить, to upset, disturb; —о́енный *p.p.p.*, upset, disturbed

рассу́д.ок reason; —ительный, reasonable, sober-minded

рассужд.а́ть, *imp.*, to theorize, discuss, discourse, talk; —е́ние theorizing, reasoning, discourse

рассчи́тывать *imp.* (на + *acc.*) to take into account, count on

расчёт, calculation

растеря́ться, see теря́ться

ревнова́ть *imp.*, to be jealous; ре́вность, *f.* jealousy

реда́к.тор, editor; —цио́нный, editorial

ре́зкий, harsh, sharp

реш.а́ть, —и́ть, to decide; +ся, to bring oneself to, resolve, dare; —ся на всё, to be ready for anything; —е́ние, decision; —и́тельно, resolutely, definitely, —и́мость *f.*, resoluteness, decisiveness

речь *f.*, speech; о чём —? what is it all about?

рисова́ться, по-, to pose, show off
ро́б.ость *f.*, shyness; —кий, shy, timid; —ко, timidly, shyly
ро́вный, even, flat; smooth
ро́д, kind; family; kin; (*gram.*) gender; —ина, birthplace, native land; —но́й, native, own, dear; —ственный, of a near relation; akin
роди́ть *imp.* and *prf.* рожа́ть *imp.*, to give birth to
родни́к, source, spring
рома́н, novel, romance
роня́ть, урони́ть, to drop, let fall
роса́, dew
ро́с.лый, big, of good stature; —т, stature, height
руга́ть *imp.*, scold, slander, curse
румя́н.ец, blush, color, —ый, rosy
рысь, *f.*, trot; lynx

С

...-c, see note 3, p. 43
садо́вник, gardener
сажа́ть, посади́ть, to seat, give/ offer/a seat; plant
самодово́ль.ный, conceited, self satisfied; —ство, smugness
самолю́б.ие, self-respect, pride, touchiness; —и́вый, proud, touchy
самонаде́янный, presumptuous, self-assured
самопоже́ртвование, self-sacrifice
самостоя́тельный, independent, self-dependent
самоуби́йство, suicide
самоуве́ренн.ость *f.*, self-assurance; —ый, self-confident, self-assured
самоуниже́ние, self-abasement, self-depreciation

са́мый, the very; most
сано́вник, dignitary
сбива́ть, сбить с то́лку, to disconcert, confuse, knock off the balance
сближа́ться, сбли́зиться (с + *instr.*), to draw/grow/close; become intimate
све́д.ение, information; knowledge; —ущий, well informed, educated; versed
све́жесть *f.*, freshness, coolness
сверну́ть, see свора́чивать
свёрток, package, bundle
сверх того́, moreover, besides
све́рху до́низу, from top to bottom
свети́ться *imp.*, to shine
све́т, world; light; — Бо́жий, God's world; вы́вести в —, to introduce to society; —ский, of the world, wordly; —ский челове́к, man of the world; —лый, bright; light, luminous
свеча́ (or све́чка), candle
свида́ние, meeting, appointment, reunion; назнача́ть, назна́чить —, arrange a meeting; give an appointment
свиде́тель *m.*, witness; —ство, testimony, evidence, certificate
свист, whistle, hiss
свисте́ть, сви́стнуть, to whistle
свобо́д.а, freedom, liberty; —ный, free; —но, freely; fluently
своди́ть, свести́ с ума, to drive out of one's senses, drive mad
своевре́менно, in proper / good / time
своего́ ро́да, of a kind, in it's way
своеобра́зно, original, in a peculiar fashion
сво́йств.енно (ему́, мне, etc. ...) (*pass.* with *dat.*), natural, proper, peculiar; —о, prop-

erty, characteristics, nature;
—енный, proper; peculiar,
characteristic of
свора́чивать, сверну́ть, to turn
off
свя́з.ывать, —а́ть, to bind; —ан
pred. p.p.p., bound, tied; —ь
f., liaison, link, (inter)connection
свят.ота́тство sacrilege; —ы́ня,
sanctity
сня́щ.е́нный, sacred, holy; —е́ннейший, most sacred
сго́рб.иться, see го́рбиться;
—ленный *p.p.p.*, hunched,
stooped
сде́рж.ивать, —а́ть, to keep
back, restrain, contain; —анный, reserved, repressed
себе́ на уме́, to keep one's own
counsel, be sly
сед.е́ть, по-, to grow/turn gray
(-haired); —о́й, gray-haired
сели́ться, по-, to settle down,
take up one's quarter
село́, (large) village
семе́й.ный, family *adj.*; —ство,
family
се́мя *neut.*, seed (pl. семена́);
зарони́ть —, to sow a seed
(*fig.*)
серди́тый, angry
серди́ть, рас-, *inch.*, to anger,
make angry; +ся, to be/
become/angry
се́рдце heart; с —м, angrily
сер.ебро́, silver; —е́бряный, silver *adj.*; —ебри́стый, silvery
сер.е́ть, to show gray; у́тро
—е́ет, the morning is downing;
(се́рый, gray)
сире́н.ь *f.*, lilac; —евый, lilac
adj.
скаме́йка or скамья́, bench
скве́рн.о, bad(ly); —о на душе́,
to be sick at heart; —ый,
bad

сквоз.но́й, transparent; through
adj.; —ь, through
скрипе́ть, за-, *inch.*, to creak
скро́мн.ичать *imp.*, to act modest; —ость *f.*, modesty, discretion; —ый, modest
скры.ва́ть, —ть, to hide, conceal;
+ся *intr.*, to hide; disappear
скры́тничать *imp.*, to be reticent,
be secretive
слаб.ость *f.*, weakness; —ый,
weak, —ее, weaker
сла́в.а, fame, glory; —а Бо́гу!
thank God! —ный, nice,
glorious
сла́виться *imp.* (+ *instr.*), to be
famous for
сла́дость *f.*, sweetness
слегка́, slightly
след, trace; не оста́лось и —а́,
nothing remained; —ующий,
the following, next
следи́ть (за + *instr.*), to watch,
look after
сле́довать, по-, (за + *instr.*), to
follow
след.ует, one ought to; (*pass.*
with *dat.*) мне —, I ought to;
не —, one must/ought/not;
как —, in the proper way, as
should be, properly
слеза́ (*pl.* слёзы), tear
слов.ом, in a word; —но, as
though, as if; —цо́ (*dim.* of
сло́во), witty remark; на —а́х,
in words
сло́жный, complicated, complex
adj.
слу́жба, job, service, government
service
служи́ть *imp.*, to be in service,
be employed
слух, rumor, hearing, ear; ходи́ло, ма́ло —ов, few rumors
had gone round
случа.й, occasion, event, chance,
opportunity, case; обра́до-

ваться —ю, welcome the chance, opportunity; в таком —е, in that/such/case; во всяком —е, in any case; представляется —й, an opportunity presents itself

случайн.о, by accident; —ый, fortuitous, accidental

случ.аться, —йться, to happen, occur

слуша.ться, по-, to obey, listen; —й/ся/тесь *imper.*; —тель *m.* listener

слыть, про-, (за + *acc.*), to be reputed, to have the reputation of

смел.ость *f.*, daring, courage; —ый, daring, courageous

смертный, mortal, death *adj.* — час, last hour, hour of death

смерть *f.* death, — моя, I abominate; it will be the death of me

смех, laugh, laughter; смешной, ridiculous, funny

смешить *imp.*, to make one laugh

сметь, по-, to dare

смирный, peaceable, quiet

смир.яться, —йться, to submit; become humble

смуглый, swarthy

смутный, vague, dim, confused

сму.щать, —тить, to embarrass, disturb; +ся, to get embarrassed; —щение, embarrassment

смысл, meaning, sense

снисхо.ждение, indulgence, tolerance, condescendence; —дительный, tolerant, lenient, condescending

соб.ираться, —раться, to prepare for, intend, gather; — с духом, to gather one's spirits, screw up courage

собственн.о, as a matter of fact, actually, in fact; —ый, own

соверш.аться, —йться, to be performed, be accomplished, happen

соверш.енство, perfection; —енно, wholly, absolutely, perfectly; —енный, perfect, complete, absolute; —ённый *p.p.p.* committed, performed

совест.ь *f.*, conscience; говоря по —и, honestly (speaking); to tell the truth; —но, embarrassing, to feel embarrassed

совет, advice; counsel; —оваться, по-, (с + *instr.*), to consult

согла.шаться, —ситься, to agree; — на + *acc.*, to agree to, consent; —сие, consent; —шение, agreement

согр.евать, —еть, to warm

сожале.ть *imp.* (о + *loc.*), to feel/be/sorry, regret; —ние, regret, pity; к —нию, unfortunately

созн.авать, —ать, to be aware/conscious/of; realize; +ся (в + *loc.*), to confess (something); —ание, consciousness, knowledge; —ательный, conscious

сойтись, see сходиться

солгать, see лгать

солом.енный, straw (*adj.* of —а)

сомн .еваться, усомниться (в + *loc.*), to doubt, have doubts (about); —ение, doubt

сообщ.ать, —йть, to announce, tell, communicate

сосредоточенный, concentrated, intense

состояни.е, condition; state; fortune, means; в —и, capable; in a position; не в —и, incapable, not in a position

состоять *imp.* (из + *gen.*), to consist of; — в (+ *loc.*), to consist in

сосуд, vessel

сотру́д.ничать *imp.*, to contribute, collaborate; —ник, contributor, collaborator

со́хнуть,за-,вы́-,to wither,dry up

сохран.я́ть, —и́ть, to keep, retain, preserve; +ся, to be preserved

сочин.я́ть, —и́ть, to compose; —е́ние, a work (of lit.); theme; writing; composition

сочу́вств.овать, по-, to, sympathize; —ие, sympathy

спас.а́ть, —ти́, to rescue/save; +ся, +сь, to escape

сперва́, at first, first

сплёт.ничать, на-, to gossip; —ня, gossip

спор, argument, controversy; —у нет, no question

спо́рить, по-, to argue

спосо́б.ность *f.*, ability, talent; —ен *pred.*; (на + *acc.*), capable of; —ный, capable, apt

справедли́в.ость *f.*, justice; отдава́ть, отда́ть —, to do justice; —ый, just

спус.ка́ться, —ти́ться, to come down, descend, go down

спустя́, later, after (only if time elapsed is refered to)

сра́вн.ивать, —и́ть, to compare; —е́ние, comparison; в —е́нии, in comparison

сред.а́, milieu, environment; —й, among; —них лет, middleaged

сре́дств.a, means (money *pl.* only); —o, means; remedy

ссо́р.иться, по-, рас-, to quarrel; —a, quarrel

ссыла́ть, сосла́ть, send off, banish, exile

ссы́лка, exile, banishment

ста́вить, по-, to put; stage, produce; — на ка́рту, to stake

ста́ло быть, consequently; then; so; that means

стара́ться, по-, to endeavor, try

стар.е́ть, по-, to grow old; —ая де́ва, old maid, spinster; —ец (*book.*, solemn) old man; —ина́ old days/times; antiquity; по —и́нному like in old times; as of old; in an old fashion; —и́нный ancient, old; —ость, old age; —ческий, senile

статья́ *f.*, article

сте́пен.ь *f.*, degree, extent; в вы́сшей —и, to the highest measure; extremely; до како́й —и, to what extent; до изве́стной —и, to a certain degree/extent

стесн.я́ть, —и́ть, to constrain, bother, hamper

сти́с.кивать, —нуть, to press; squeeze; clench

стих, verse; —и́, poems, poetry, verses; —отворе́ние, poem

сто́ит *impers.* be worth

сторона́, aspect, side

стра́ст.ь *f.*, passion; обуре́ваем —ью, overwhelmed/all worked up/by passion; —ный, passionate; very enthusiastic

столи́чный, big city *adj.* (from столи́ца, capital)

страда́ть *imp.*, to suffer

страх, fear, terror

стра́шный, frightful, fearful

стрем.и́ться *imp.*, to seek. strive; —ле́ние, striving, effort, aspiration; —и́тельный,impetuous

стро́г.ость *f.*, strictness, severity; —ий, strict, rigid, severe; —о, severely

стро́йный, shapely, harmonious

строка́ or стро́чка, line

струна́, string; chord

струя́, stream, jet

стук, rumble, knock

ступ.а́ть, —и́ть, to tread, step; —а́й/те *imper.*, go along; go; —е́нь or —е́нька, step (of a staircase)

стыд, disgrace, shame; —но, it
is a shame; —ли́вость *f.*, bashfulness
стыд.и́ть, при-, to put to shame
суд, judgment; court, trial
суди́ть *imp.*, to judge; —
други́х по себе́, to judge
others by oneself
суда́рыня *obs.*, madam (*f.* of
су́дарь, sir)
судьба́, fate, lot
суд.ья́ *m.*, judge; —я́ по, judging
by
сужде́ние, judgment, opinion
(мне, ему) суждено́, predestined,
decreed, destined
суро́вый, stern
суту́ловат.ый, stooped, round-
shouldered; —о, somewhat
stooped
сух.а́рь *m.*, dry/stale/bread,
rusk; (from —о́й, dry)
сущ.ествова́ть *imp.*, to exist;
—ество́, being, person, creature; —ествова́ние, existence;
—ность *f.*, essence; в —и, in
actual fact
схва́т.ывать, —и́ть, to grasp,
catch, grab
сходи́ть, сойти́ to leave, step/
get/off, go down; — с ума́, to
go crazy, go out of one's mind;
+ся, +сь, to become friends/
intimates; take up (with);
gather, get together
схо́дство, resemblance
сча́сть.е, happiness, joy; к —ю,
fortunately
счёт (*pl.* счета́), account, bill
счит.а́ть, *imp.*, to count, consider; —а́ть, счесть за (+ *acc.*),
to consider as; —а́ться *imp.*,
to be considered, regarded
сюрту́.к, frock coat, —чо́к (*dim.*)

Т

та́й.на, mystery; secret; —но,
secretly; —ный, concealed,
secret *adj.* —ный сове́тник,
privy councillor; —ко́м, in
secret; таи́нственный, mysterious
таи́ть, у-, to conceal, make a
secret
так, so; so much; — и (used
before a verb to stress intensity of action), positively,
just, simply; — называ́емый,
so called; — что, so that; —
что́? so what?
таска́ться *imp. indet.*; тащи́ться
imp. det. по-, *prf.*, to drag
(oneself) about/along, jog
та́ять, рас-, to melt, thaw,
dwindle away
тво́рче.ство, (creative) work;
—ский, creative
тем *instr.* of тот; — бо́лее, all
the more; especially since; the
more so; — лу́чше, so much
the better; — са́мым, thereby,
by this very fact; с — что, on
the condition that
темн.е́ть, по-, to darken, get/
become/dark; loom/appear/
dark (*imp.* only); —ова́то,
somewhat obscure
терп.е́ть, вы-, по-, to bear,
stand, endure; —е́ть не мочь,
not to stand; —е́ние, patience
теря́ться, рас-, по-, to be disconcerted, lost, lose one's
presence of mind
тесн.и́ть, притесня́ть, *imp.* to oppress, cramp; —и́ться, по-
и́ться to crowd in, press; —ый,
narrow, tight, cramped; —о,
crowded; tight(ly), very close
тече́ние, current, course; в —,
in the course of, during
ти.шина́, silence, quiet, peace;

⸺ше! hush! ⸺хо, softly, quietly; ⸺хо́нько, slowly; very gently; quietly

тогда́ же, right at that time

то́ есть, that is to say; that is то́лько, only, merely; и ⸺, and that is all, and there it ends; как ⸺, as soon as

том.и́ть *imp.*, torment; ⸺ле́ние, languor, torment; ⸺и́тельный tormenting, oppressive

то́н.кость *f.*, subtlety, slenderness; ⸺кий, thin, high-pitched, subtle; ⸺енький *dim.*, ⸺ьше *comp.*

то́поль *m.*, poplar

торже́ственн.ость *f.*, solemnity, festiveness; ⸺ый, formal, solemn, festive; ⸺о, solemnly, festively

торго́в.ля, trade; ⸺ый, commercial, trade *adj.*

тороп.и́ться *imp.*, по-, за-, *inch.*, to hurry; ⸺ли́вый, hurried

тот са́мый, the same one, the very same

то́-то, that's why; so that's just it

то́ . . ., то́, now . . ., now

тотча́с, instantly, immediately

то́чка, point, period; ⸺ зре́ния, point of view

то́чно exactly, accurately, as if; indeed, actually (*obs.*); ⸺ так, quite right, exactly

то́щий, lean, scant, emaciated, poor

трава́, grass

тра́тить, ис-, по-, to spend, waste

трево́ж.ить, по-, to trouble, worry; ⸺ный, anxious; alarming; troubled

тре́пет, trembling *n.*; ⸺ный, tremulous, trembling

тре́тьего дня, day before yesterday

треуго́льник, triangle

трехгоди́чный, three-year

тро́.гать, ⸺нуть, *inst.*, to move, touch; ⸺гательный, moving, touching ⸺нутый *p.p.p.*, touched

тро́йка, three horses harnessed abreast; three in cards

трус, coward; ⸺ли́вый, cowardly

тру́сить, с-, to turn coward, get frightened / scared

тряс.ти́сь, за-, *inch.*, to be shaken, to tremble; ⸺кий, jolting

тща́тельно, with great care

тяготи́ться *imp.* ($+$ *instr.*), to be oppressed (by), to feel something as a burden

тя́гостный, disagreable; depressing

тя́ж.есть *f.*, weight, load; ⸺ёлый, heavy, hard; ⸺ело́, heav/y/ily; painful(ly); hard

тяну́ться, по-, (к $+$ *dat.*), to stretch (toward)

У

убе.жда́ть, ⸺ди́ть, to convince, persuade; $+$ ся (в $+$ *loc.*), to find out for oneself, get the conviction, make sure of; ⸺жде́ние, conviction; по ⸺жде́нию, according to one's conviction; ⸺ди́тельно, insistently, convincingly; ⸺ждён *pred.*, convinced

уваж.а́ть *imp.*, to respect, esteem; ⸺а́ющий *pr.a.p.*, who has respect, respectful of; ⸺е́ние, respect, esteem

увер.я́ть, уве́рить, to maintain; assure; assertain; ⸺ен *pred.*, sure; ⸺е́ние, assertion

увлека́ть, увле́чь, to carry along /away/with one . . . $+$ ся ($+$ *instr.*), to be carried away

увлека́тельно, fascinating(ly), captivating(ly)
увы́! alas!
угов.а́ривать, —ори́ть, to persuade, talk into, reason
уго.ща́ть, —сти́ть, to treat to, offer, entertain
угрожа́.ть *imp.*, to threaten; —ющий *pr.a.p.*, threatening, menacing
удава́ться, уда́ться, to succeed, manage (*pass.* with *dat.*); (мне, ему́)удало́сь, (I, he) succeeded
удал.я́ться, —и́ться, to walk away, withdraw, grow away from, grow distant
уда́р blow, stroke; в —e, in good vein/form; —е́ние, stress, emphasis
ударя́ть, уда́рить, to strike, flick, tap
уда́чно, well, successfully
удерж.ивать, —а́ть, to detain; retain, hold (back); keep
удив.ля́ть, —и́ть, to surprise, amaze; + ся (+ *dat.*), to marvel, be surprised; —и́тельный, amazing, surprising, wonderful; —ле́ние, astonishment
удовлетвор.я́ть, —и́ть, to satisfy; + ся (+ *instr.*), to be satisfied; —е́ние, satisfaction, indulgence; —и́тельный, satisfactory
уе́зд, district, see note 11, p. 59; —ный *adj.*
ужас.а́ться, —ну́ться, to be horrified; у́жас, horror; ужа́сный, awful, terrible
уже́ не, no longer
узна.ва́ть, узна́ть, to learn, find out, recognize, get to know
уклон.я́ться, —и́ться, to evade; укло́нчивый, evasive
укро.ща́ть, —ти́ть, to tame, restrain

улыб.а́ться, —ну́ться, to smile; улы́бка, smile
ум, mind, intelligence; —ный, intelligent, bright, clever; —ён *pred.* —но́, cleverly; —ник, clever fellow —ница *m. and f.* bright/clever/person
умил.я́ться, —и́ться, to feel moved (with tender emotion); —ённый, full of emotion, touched, moved
ум.не́ть, по-, to grow wiser; improve one's mind, —ственный, mental, intellectual
умозаключе́ние (*phil.*), deduction, conclusion
умол.я́ть, —и́ть, to implore; —я́ющий, imploring
умор.и́ть, see мори́ть; —a! it's killing!
унижа́ть, уни́зить, to humble, lower somebody; +ся, to humble/lower/oneself
унива́ть, уны́ть, to lose heart; не унива́й/те *imper.*, don't lose heart; уны́лый, sad, cheerless, downcast
упо́рствовать *imp.*, to persist, be stubborn/obstinate
упо́р.ство, obstinacy, stubborness; —ный obstinate
употреб.ля́ть, —и́ть, to use; —ле́ние, use, usage
упрек.а́ть, —ну́ть, to reproach; упрёк, reproach
урони́ть, see роня́ть
уса́дьба, farm, manor house
уса́.живать, —ди́ть, to seat
уси́лие, strain, effort
ускольз.а́ть, —ну́ть, to slip away, escape
усмех.а́ться, —ну́ться, to smile (ironically, sadly); smirk, усме́шка, fleeting smile (ironical, sad)
усп.ева́ть, —е́ть, to manage,

succeed, have the time (for);
make progress
успéх, progress, success
устá (*obs. poet.*), lips
устáлость *f.*, tiredness, weariness, fatigue
устрем.ля́ться, —йться, to rush, direct oneself;—лённый *p.p.p.*, riveted, fixed
устр.áивать, —óить, to organize, set up, arrange; + ся, to be arranged, get settled; —óенный *p.p.p.*, arranged, set up, organized
уступ.áть, —йть, to yield, give in
утвер.жда́ть, —дйть, to ratify, approve; *imp. only*: to maintain, assert, affirm
утеш.áться, утéшиться, to be consoled/comforted; утéшь/ся /тесь *imper.* —éние, comfort, consolation
ухáживать по-, (за + *instr.*), to court, carry favor, make love; attend, take care
учáст.вовать *imp.*, to participate, take part; —ие, sympathy; interest; participation
ýчасть *f.*, fate, lot
учéние, teaching, doctrine, learning
учúлище, school

Ф

фальшúвый, out of tune; false; insincere; forged
фóн, background; на —е, against the background

Х

хвал.úть, по-, to praise; —ёный, *p.p.p.*, much lauded / praised
хвáстать по-, +ся, to boast, brag

хват.áть, —йть, to suffice, be sufficient (*pass.* with *dat.*, *obj.*: *gen.*) (мне, емý) хватúло . . ., there was sufficient of ... for (me, him)
хвост, tail
хитрúть, с-, be cunning/crafty, use cunning; хúтрый, sly
хладнокрóв.ие (*lit.*, cold-bloodedness), coolness, composure; —ный, calm, cool
хлопот.áть, по-, to trouble/busy oneself; —лúвый, bustling
хмýриться, на-, to frown
хозя́.ин, master, proprietor, host, —йка, mistress, housewife, hostess; —йство, farming, farm management, housekeeping, household
хорóш.енькая, pretty; —á собóй, good looking
хорошéнько, thoroughly, properly, well
хот.ь, at least, even, also; —я́, though; —я́ и, even tough, even if, although; —ь рáз, if only once
худ.éть, по-, to grow thin/thinner, lose weight, reduce; —óй, thin, skinny, slim; —енький (*dim.*)
худóжество, art

Ц

царúть *imp.*, to reign
царь *m.*, tsar
цвет, color, shade
цвет.éние, flowering; —óк (*pl.* —ы́), flower; —ýщий *pr.a.p.*, blooming
ценúть, o-, to value, evaluate
ценá, value, price
цензýра, censorship
целовáть, по-, to kiss
цель *f.*, aim; object; goal

Ч

чад, fumes, smoke; в —ý, in a daze, dazed

частéнько *pop. colloq.*, fairly often

чáстный, private; particular

чáст.ь *f.*, part; line, duty; по (моéй) —и, it is (my) line/ field/duty

чегó дóброго (expressess fear/ apprehension) who knows! God forbid!

человéческий род, human race

к чемý, why, what for

чепéц, bonnet, cap

чепухá nonsense

червь *m.*, worm

чéрез сúлу, with great effort; at the limit of (one's) strength

чернúть, о-, to slander, blacken

чёрный как смоль, pitch black, jet black

чертá, feature; line, trait

чест.ь *f.*, honor; —олюбие, ambition; имéть —ь, to have the honor; —ный, honest, upright

чин, rank; в — производúть, to promote in rank; —óвник, official, civil servant; —óвничий, civil servant's

чúст.ый, pure, clean; —осердéчный, frank, sincere (*lit.* purehearted)

член, member

чóк.аться, —нуться, to touch/ cling/glasses

чóрт, devil; — бы их побрáл! the devil take them! мнé ни к —у не нýжен, the devil may have it for all I care; — дёрнул меня, the devil drove me

чрезвычáйно, extremely, most

чтó ли (*colloq.*), perhaps

чубýк, chibouk (Turkish pipe with a very long stem)

чýвств.овать, по-, to feel; —о,

feeling; без — (*gen. pl.*), unconscious; —úтельный, sensitive; —úтелен *pred.*

чудáк, queer fellow, eccentric, crank

чуднó, strange

чýдно, wonderful(ly); чудéсный, wonderful, beautiful, marvelous

чýж.дый, alien; —óй, other people's, alien; somebody else's

чуть ли не, perhaps (even); чуть-чуть, a bit, slightly; чуть (чуть) не, almost, nearly, very nearly

чý.ять, по-, to sense; —тьё, instinct, sense

Ш

шаг, step, pace

шевелúться, по-, to stir, move

шинéль *f.*, (now *mil.* only), overcoat

шпиóн, spy

штýка, thing, trick

шутúть, по-, to joke, jest

Щ

щегол.я́ть, —ьнýть, *inst.*, to flaunt; show off; —ьствó, foppishness, elegance

Ю

ю́нош.а *m.*, a youth; —ество, young people, youth (*collect.*)

Я

явлéнпе, phenomenon

я́вный, open, obvious, evident

яд, poison; —овúтость *f.*, venomousness

язвúтельный, caustic, malicious

ямщúк (*obs.*), coachman (especially of post coaches)